Les Éditions du Boréal
4447, rue Saint-Denis
Montréal (Québec) H2J 2L2
www.editionsboreal.qc.ca

FUGITIVES

DU MÊME AUTEUR

Les Lunes de Jupiter, nouvelles, Albin Michel, 1989 ; Payot & Rivages, coll. « Rivages poche », 1995 ; Seuil, coll. « Points », 2013.

Amie de ma jeunesse, nouvelles, Albin Michel, 1992 ; Payot & Rivages, coll. « Rivages poche », 1996.

Secrets de Polichinelle, nouvelles, Payot & Rivages, 1995 ; coll. « Rivages poche », 2001 ; Seuil, coll. « Points », 2012.

L'Amour d'une honnête femme, nouvelles, Payot & Rivages, 2001, coll. « Rivages poche », 2003 ; Seuil, coll. « Points », 2012.

La Danse des ombres heureuses, nouvelles, Payot & Rivages, 2002 ; coll. « Rivages poche », 2004.

Un peu, beaucoup, pas du tout, nouvelles, Payot & Rivages, 2004 ; coll. « Rivages poche », 2006.

Loin d'elle, Payot & Rivages, coll. « Rivages poche », 2007.

Fugitives, nouvelles, Boréal/L'Olivier, 2008 ; Seuil, coll. « Points », 2009 ; Boréal, coll. « Boréal compact », 2013.

Du côté de Castle Rock, nouvelles, Boréal/L'Olivier, 2009 ; Boréal, coll. « Boréal compact », 2013.

Trop de bonheur, nouvelles, L'Olivier, 2013.

Alice Munro

FUGITIVES

nouvelles

traduit de l'anglais (Canada)
par Jacqueline Huet et Jean-Pierre Carasso

Boréal

*Certains termes de la traduction française ont été modifiés
pour l'édition canadienne.*

L'édition originale de cet ouvrage est parue chez McClelland & Stewart en 2004,
sous le titre *Runaway*.

© Alice Munro 2004
© Les Éditions du Boréal 2008 pour l'édition en langue française au Canada
© Les Éditions de l'Olivier 2008 pour l'édition en langue française
   dans le reste du monde
© Les Éditions du Boréal 2013 pour la présente édition
Dépôt légal : 4ᵉ trimestre 2013
Bibliothèque et Archives nationales du Québec

Diffusion au Canada : Dimedia

*Catalogage avant publication de Bibliothèque et Archives nationales du Québec
et Bibliothèque et Archives Canada*

Munro, Alice, 1931-

   [Runaway. Français]

   Fugitives

   (Boréal compact ; 267)
   Traduction de : Runaway.

   ISBN 978-2-7646-2314-5

   I. Huet, Jacqueline. II. Carasso, Jean-Pierre. III. Titre. IV. Titre : Runaway. Français.

PS8576.U57R8514   2013   C813'.54   C2013-942219-6
PS9576.U57R8514   2013

À la mémoire de mes amies,
Mary Carey
Jean Livermore
Melda Buchanan

Fugitives

Carla entendit venir la voiture sur la route avant qu'elle ait débouché au sommet du vague renflement que les gens du coin appelaient une colline. C'est elle, songea Carla. Mme Jamieson, Sylvia, de retour de ses vacances en Grèce. Depuis la porte de l'écurie — mais suffisamment en retrait à l'intérieur pour ne pas être vue facilement — elle se mit à guetter l'endroit par lequel Mme Jamieson devait forcément passer puisqu'elle habitait un peu plus loin sur la route, à huit cents mètres de chez Clark et Carla.

Si ç'avait été quelqu'un qui s'apprêtait à tourner pour entrer chez eux, la voiture aurait déjà été en train de ralentir. N'empêche, Carla continuait d'espérer. Pourvu que ce ne soit pas elle.

C'était elle. Mme Jamieson tourna brièvement la tête, une seule fois — elle avait toutes les peines du monde à manœuvrer entre les ornières et les flaques que la pluie avait laissées dans le gravier —, mais elle ne leva pas la main du volant pour faire signe, elle n'avait pas repéré Carla. Cette dernière entraperçut un bras bronzé, nu jusqu'à l'épaule, une chevelure décolorée, plus pâle encore qu'avant son départ, plus blanche que blonde maintenant, et une expression qui était à la fois déterminée, exaspérée et amusée de sa propre exaspération — exactement celle que l'on attendait de Mme Jamieson aux prises avec une telle route. Quand elle avait tourné la tête, il était passé comme un éclair sur son visage — une interrogation, un espoir — et Carla avait reculé en se faisant toute petite.

Bon.

Peut-être que Clark ne savait pas encore. S'il était devant l'ordinateur, il tournait le dos à la fenêtre et à la route.

Mais Mme Jamieson risquait de ressortir. Rentrant de l'aéroport, peut-être ne s'était-elle pas arrêtée faire des courses — attendant d'être chez elle pour dresser une liste de ce dont elle avait besoin. C'était là que Clark la verrait peut-être. Et quand il ferait noir, elle allumerait et on verrait la lumière. Mais on était en juillet et l'obscurité arrivait tard. Elle pouvait être si fatiguée qu'elle ne prendrait même pas la peine d'allumer, elle se coucherait peut-être tôt.

D'un autre côté, elle risquait de téléphoner. D'une minute à l'autre.

C'était un été où il ne faisait que pleuvoir et pleuvoir encore. La première chose qu'on entendait le matin, le raffut de la pluie sur le toit de la maison mobile. Sur les pistes on s'enfonçait dans la boue, les hautes herbes étaient détrempées et, en passant sous le feuillage, on risquait de recevoir une petite averse, même pendant les rares moments où il n'en tombait pas du ciel et où les nuages semblaient s'éclaircir. Carla portait un vieux feutre australien à haute coiffe et large bord chaque fois qu'elle sortait, et rentrait sa longue natte épaisse sous sa chemise.

Personne ne se montrait pour les promenades à cheval, alors que Clark et Carla étaient allés mettre des affichettes dans les campings, dans les cafés, sur le tableau d'annonces du bureau de tourisme et dans tous les autres lieux auxquels ils avaient pu penser. Seuls quelques élèves venaient prendre des leçons, et c'étaient des clients réguliers, pas les troupeaux d'écoliers en vacances, les autocars pleins de petits colons, qui les avaient maintenus à flot l'été précédent. Et même ces réguliers sur lesquels ils comptaient s'absentaient pour des excursions ou annulaient simplement leur leçon parce que le temps était décidément décourageant. S'ils téléphonaient trop tard, Clark les faisait payer quand même. Deux ou trois s'en étaient plaints et étaient partis pour de bon.

Un peu d'argent rentrait encore grâce aux trois chevaux qu'ils avaient en pension. Ces trois-là, et le quatrième qui leur appartenait, étaient au pré pour l'instant, les naseaux dans l'herbe, sous les arbres. Ils avaient l'air de ne pas vouloir prendre la peine de remarquer que la pluie avait momentanément cessé, comme souvent elle le faisait pendant quelque temps, dans l'après-midi. Juste assez pour ranimer vos espoirs — les nuages blanchissant et diminuant d'épaisseur pour laisser passer un éclat diffus qui ne se décidait jamais à devenir la vraie lumière du soleil, et avait d'ordinaire disparu avant le dîner.

Carla avait fini de nettoyer l'écurie. Elle avait pris son temps — elle aimait le rythme de ses corvées régulières, la hauteur sous le toit de l'écurie, les odeurs. Elle se rendit alors au manège pour vérifier la sécheresse du sol au cas où l'élève de cinq heures se présenterait.

Les averses incessantes n'étaient pour la plupart ni particulièrement violentes ni portées par le vent, mais la semaine précédente il y avait eu un frémissement soudain puis une bourrasque sur les toits et une pluie aveuglante presque horizontale. En un quart d'heure la tempête était passée mais des branches jonchaient la route, des lignes électriques étaient tombées, un grand morceau du toit de plastique recouvrant le manège avait été arraché. Il y avait une flaque de la taille d'un lac à l'extrémité de la piste et Clark avait travaillé jusqu'à la nuit tombée à creuser un canal pour la drainer.

Le toit n'avait pas encore été réparé. Clark avait tendu du grillage métallique pour empêcher les chevaux d'aller dans la boue et Carla marqué une piste plus courte.

Sur la Toile, pour le moment, Clark s'était mis en quête d'un établissement qui vendrait des matériaux de couverture. De la récupération, à des prix qu'ils pouvaient se permettre, ou un particulier cherchant à se débarrasser de matériel usagé. Il n'irait pas en ville chez Hy & Robert Buckley Matériaux de Construction, qu'il appelait Aïe les Voleurs Buckley Matériaux d'Extorsion, parce qu'il leur devait trop d'argent et s'était disputé avec eux.

Clark ne se disputait pas seulement avec les gens auxquels il devait de l'argent. Sa gentillesse amicale, si engageante au début, pouvait brusquement virer à l'aigre. Il y avait des endroits où il refusait d'aller, où il envoyait toujours Carla, à cause d'une quelconque querelle. La pharmacie était du nombre. Une vieille lui était passée devant — c'est-à-dire qu'elle était retournée dans les rayons chercher quelque chose qu'elle avait oublié et qu'en revenant elle lui était passée devant plutôt que de refaire la queue, et il s'en était plaint, et la caissière lui avait dit, « Elle a de l'emphysème », et Clark avait dit, « Sans blague ? Moi, j'ai des hémorroïdes », et on avait appelé le gérant, qui avait jugé la remarque déplacée. Et à la cafétéria de l'autoroute où on ne lui avait pas accordé la remise promotionnelle sur le petit déjeuner, parce qu'il était onze heures passées, et Clark avait discuté et puis laissé tomber par terre son gobelet de café — manquant de peu, avait-on dit, un enfant dans sa poussette. Il avait dit que l'enfant était à un kilomètre et qu'il avait lâché le gobelet parce qu'on ne l'avait pas protégé d'un manchon. Il n'en avait pas demandé. Il n'aurait pas dû avoir à le demander.

« Tu t'emportes », avait dit Carla.

« Parce que je suis un homme. »

Elle ne lui avait rien dit de son engueulade avec Joy Tucker. Joy Tucker était la bibliothécaire de la ville qui avait mis son cheval en pension chez eux. Le cheval était une petite jument alezane qui avait son caractère et s'appelait Lizzie — Joy Tucker, quand elle était d'humeur blagueuse, l'appelait Lizzie Borden, comme dans la comptine :

> *Lizzie Borden sacrée peau d'vache*
> *A tué son vieux à coups de hache.*

La veille elle s'était pointée en voiture, d'humeur pas blagueuse du tout, et s'était plainte que le toit ne fût pas encore réparé, que Lizzie eût l'air d'aller mal comme si elle avait pris froid.

Lizzie n'avait rien, en fait, Clark avait essayé — pour lui — de se montrer conciliant. Seulement c'était Joy Tucker qui s'était emportée et avait dit que leur centre équestre n'était qu'une poubelle et que Lizzie méritait mieux, et Clark avait dit, « À vous de voir. » Joy n'avait pas — ou pas encore — repris Lizzie, comme Carla s'y serait attendue. Mais Clark, dont la petite jument avait été la favorite, refusait désormais d'avoir quoi que ce soit à faire avec elle. Lizzie, vexée, était devenue rétive à l'exercice et prompte à ruer quand on lui curait les sabots, ce qu'il fallait faire tous les jours pour éviter les mycoses. Carla devait se méfier des coups de dents.

Mais le pire du point de vue de Carla était l'absence de Flora, la petite chèvre blanche qui tenait compagnie aux chevaux, à l'écurie et au pré. On ne l'avait pas aperçue depuis deux jours. Carla craignait qu'une bande de chiens errants ou de coyotes l'aient dévorée, ou même un ours.

Elle avait rêvé de Flora la nuit dernière et la nuit d'avant. Dans le premier rêve, Flora était venue jusqu'au lit avec une pomme rouge dans la bouche, mais dans le second — celui de la nuit dernière — elle s'était enfuie en voyant Carla approcher. Elle semblait blessée à la patte mais courait quand même. Elle avait mené Carla à une barricade de fil de fer barbelé du genre de celle qu'on voit sur les champs de bataille et puis elle — Flora — s'était coulée à travers, malgré sa patte blessée, s'était faufilée comme une anguille blanche et avait disparu.

Les chevaux avaient vu Carla traverser vers le manège et étaient tous venus à la barrière — apparemment trempés malgré leur couverture imperméable — pour qu'elle les remarque quand elle reviendrait. Elle leur parla doucement, s'excusant de venir les mains vides. Elle leur flatta l'encolure et leur frotta les naseaux en demandant s'ils savaient où était passée Flora.

Grace et Juniper renâclèrent en levant la tête comme s'ils reconnaissaient ce nom et partageaient son inquiétude, mais alors Lizzie vint se planter entre eux, écartant la tête de Grace de la main de Carla qui la caressait, elle donna un coup de dents à cette main pour faire bonne mesure et Carla dut passer un moment à la gronder.

Trois ans auparavant, Carla n'avait encore jamais accordé un regard à des maisons mobiles. Qu'elle n'appelait pas ainsi, d'ailleurs. Comme ses parents, elle aurait trouvé que « maison mobile » faisait prétentieux. Il y avait des gens qui vivaient dans des roulottes et puis voilà tout. Une roulotte n'était pas différente d'une autre. Quand elle s'était installée là, qu'elle avait choisi cette vie avec Clark, elle avait commencé à voir les choses différemment. À compter de ce jour elle s'était mise à dire « maison mobile » et elle regardait la manière dont les gens les avaient arrangés. Le genre de rideaux qu'ils avaient mis aux fenêtres, la façon dont ils avaient peint les finitions et les garnitures, les ambitieuses terrasses en caillebotis, les patios ou les pièces qu'ils avaient pu rajouter. Elle n'avait pas tardé à s'attaquer à ce genre d'améliorations elle-même.

Clark s'était conformé aux idées de Carla, pendant un certain temps. Il avait fabriqué de nouvelles marches et passé un temps considérable à rechercher une vieille rampe en fer forgé pour la leur adapter. Il ne s'était pas plaint de l'argent dépensé en peinture pour la cuisine et la salle de bains ou en tissu pour les rideaux. Carla avait un peu bâclé les travaux de peinture — elle ne savait pas, à l'époque, qu'il faut dégonder les portes de placard. Ou qu'on doit doubler les rideaux, dont la couleur depuis avait fané.

Ce à quoi Clark s'était refusé, c'était à arracher la moquette, la même dans toutes les pièces, et que Carla comptait remplacer avant tout. Elle était divisée en petits carrés bruns, avec chacun un motif de formes et de tortillons fauves, rouille, et brun plus foncé. Pendant longtemps elle avait cru que c'étaient les mêmes tortillons et les mêmes formes disposés de la même manière dans chaque carré. Puis, quand elle avait eu plus de temps, beaucoup de temps, pour les examiner, elle avait conclu qu'il existait quatre motifs différents rassemblés pour donner de plus grands carrés identiques. Tantôt elle en distinguait la disposition facilement, tantôt elle devait s'appliquer pour la voir.

C'était ce qu'elle faisait quand il pleuvait et que l'humeur de Clark pesait sur l'ensemble de leur intérieur et qu'il ne voulait faire attention à rien qu'à l'écran de l'ordinateur. Et ce qu'il y avait de mieux à faire alors était d'inventer ou de se rappeler une tâche à exécuter dans l'écurie. Les chevaux refusaient de la regarder quand elle était malheureuse mais Flora, qui n'était jamais attachée, venait se frotter contre elle et levait la tête avec, dans ses yeux jaune-vert étincelants, une expression qui n'était pas tout à fait de la sympathie, mais ressemblait plus à une camaraderie moqueuse.

Flora n'était encore qu'une chevrette à demi adulte quand Clark l'avait ramenée d'une ferme où il était allé marchander des articles de sellerie. Ces gens-là renonçaient à la vie à la campagne, ou du moins à l'élevage — ils avaient vendu leurs chevaux mais n'avaient pas réussi à se débarrasser de leurs chèvres. Il avait entendu parler de l'effet calmant qu'une chèvre peut avoir dans une écurie et voulait essayer. Ils avaient l'intention de la faire saillir un jour mais elle n'avait jamais donné le moindre signe d'être en chaleur.

Au début, elle s'était entièrement attachée à Clark, qu'elle suivait partout, dansant pour attirer son attention. Elle était vive et gracieuse et provocante comme un chaton, et sa ressemblance avec une petite amoureuse naïve les faisait rire tous les deux. Mais à mesure qu'elle vieillit, elle sembla s'attacher à Carla et, dans cet attachement, devint soudain beaucoup plus sage, moins fantasque — elle semblait capable, en revanche, d'une espèce d'humour contenu et ironique. Le comportement de Carla avec les chevaux était tendre et strict et plutôt maternel, mais sa camaraderie avec Flora était toute différente, Flora ne lui permettait aucun sentiment de supériorité.

« Toujours rien sur Flora ? » dit-elle en retirant ses bottes de caoutchouc. Clark avait mis une annonce Perdu Chèvre, sur la Toile.

« Pour l'instant », fit-il d'une voix soucieuse mais pas inamicale. Il suggéra, pas pour la première fois, que Flora pouvait être simplement partie à la recherche d'un bouc.

Pas un mot sur Mme Jamieson. Carla mit la bouilloire. Clark fredonnait dans sa barbe comme il le faisait souvent devant l'ordinateur.

Parfois il lui parlait. Mon œil, disait-il en réponse à quelque défi. Ou il riait — mais ne se rappelait pas ce qu'il y avait de drôle quand elle le lui demandait par la suite.

Carla lança, « Tu veux du thé ? » et, à sa surprise, il se leva et vint dans la cuisine.

« Alors, dit-il. Alors, Carla. »

« Quoi ? »

« Alors elle a téléphoné. »

« Qui ? »

« Sa Majesté. La reine Sylvia. Elle vient de rentrer. »

« J'ai pas entendu la voiture. »

« Je ne t'ai pas demandé si tu l'avais entendue ».

« Alors, pourquoi a-t-elle téléphoné ? »

« Elle veut que tu ailles l'aider à ranger la maison. C'est ce qu'elle a dit. Demain. »

« Qu'est-ce que tu lui as dit ? »

« J'ai dit que tu irais. Mais tu devrais téléphoner pour confirmer. »

Carla dit, « Je ne vois pas pourquoi je devrais, si tu lui as dit. » Elle versa le thé dans leurs deux tasses. « J'ai fait le ménage chez elle avant qu'elle parte. Je ne vois pas ce qu'il y aurait à faire si vite. »

« Peut-être que des ratons laveurs sont entrés et ont mis le bordel pendant son absence. On ne sait jamais. »

« Pas la peine que je téléphone tout de suite, dit-elle. Je veux boire mon thé et je veux prendre une douche. »

« Le plus vite sera le mieux. »

Carla emporta son thé dans la salle de bains et lança, « Faut qu'on aille à la buanderie. Même quand les serviettes sèchent elles sentent le moisi. »

« On ne change pas de sujet, Carla. »

Dès qu'elle fut dans la douche, il se planta devant la porte et lui dit en élevant la voix :

« Tu ne t'en tireras pas comme ça, Carla. »

Elle pensa qu'il risquait d'être encore là quand elle sortit mais il était retourné à l'ordinateur. Elle s'habilla comme pour se rendre en ville — elle espérait que, s'ils pouvaient sortir de chez eux, aller à la buanderie, commander un repas à emporter à la cafétéria qui servait des cappuccinos, ils pourraient peut-être parler autrement, qu'une certaine détente serait possible. Elle passa au salon d'un pas vif et entoura Clark de ses bras par-derrière. Mais elle ne l'eut pas sitôt fait qu'une vague de chagrin l'engloutit — ce devait être la chaleur de la douche qui libérait ses larmes — et elle s'avachit sur lui, écroulée, en pleurs.

Il écarta les mains du clavier mais ne bougea pas.

« Sois pas fâché », dit-elle.

« Je suis pas fâché. Je déteste que tu sois comme ça, c'est tout. »

« Je suis comme ça parce que tu es fâché. »

« Ne me dis pas ce que je suis. Tu m'étouffes. Va préparer le dîner. »

Ce qu'elle fit. Il était désormais évident que la personne de cinq heures ne viendrait pas. Elle sortit les pommes de terre et se mit à les éplucher mais ses larmes ne s'arrêtaient pas et elle ne voyait pas ce qu'elle faisait. Elle s'essuya le visage avec une serviette en papier, en détacha une autre pour l'emporter et sortit sous la pluie. Elle n'alla pas à l'écurie parce que c'était trop triste sans Flora. Elle suivit l'allée qui retournait dans les bois. Les chevaux étaient dans l'autre pré. Ils vinrent à la barrière pour l'observer. Tous sauf Lizzie, qui fit quelques cabrioles en renâclant un peu, eurent l'intelligence de comprendre que l'attention de Carla était dirigée ailleurs.

Tout avait commencé quand ils avaient lu la notice nécrologique, la notice nécrologique de M. Jamieson. C'était dans le journal de la ville, et sa photo avait été diffusée aux infos du soir à la télé. Jusqu'à l'année précédente, ils n'avaient connu les Jamieson que comme des voisins très discrets. Elle enseignait la botanique à l'université à soixante kilomètres et passait donc une bonne part de son temps sur la route. Il était poète.

Cela, tout le monde le savait. Mais il s'occupait apparemment d'autres choses. Pour un poète, et pour un homme de son âge — il avait peut-être vingt ans de plus que Mme Jamieson —, il était robuste et actif. Il améliorait le système de drainage de sa maison, curant le canal d'évacuation et le tapissant de pierres. Il avait bêché, planté et clôturé un potager, ouvert des sentiers à travers bois, et se chargeait des réparations de la maison.

La maison elle-même était un bizarre machin triangulaire qu'il avait construit voilà des années avec quelques amis sur les fondations d'un vieux corps de ferme en ruine. On racontait que c'étaient des hippies — alors que M. Jamieson devait être un peu trop vieux pour ça, même alors, avant l'époque de Mme Jamieson. On racontait qu'ils cultivaient de la marijuana dans les bois, la vendaient et gardaient l'argent dans des bocaux de verre hermétiquement fermés qu'ils enterraient sur le domaine. Clark l'avait entendu dire par les gens avec lesquels il avait lié connaissance en ville. Il disait que ça ne tenait pas debout.

« Sans quoi quelqu'un serait déjà allé les déterrer depuis longtemps. Quelqu'un aurait trouvé le moyen de lui faire dire où était le magot. »

Quand ils lurent la notice nécrologique, Carla et Clark virent pour la première fois que Leon Jamieson avait eu un grand prix doté d'une forte somme cinq ans avant sa mort. Un prix de poésie. Personne n'y avait jamais fait la moindre allusion. Apparemment, les gens pouvaient croire à l'argent de la drogue enterrée dans des bocaux de verre, mais pas à l'argent gagné pour avoir écrit de la poésie.

Peu de temps après, Clark dit, « On aurait pu le faire payer. »

Carla sut aussitôt de quoi il parlait mais elle le prit à la blague.

« Trop tard, maintenant, dit-elle. On ne paye pas quand on est mort. »

« Lui non. Mais elle. »

« Elle est partie en Grèce. »

« Elle n'y restera pas toujours. »

« Elle ne savait pas » ; dit Carla plus sérieusement.

« J'ai pas dit le contraire. »

« Elle n'en a pas la moindre idée. »

« On pourrait arranger ça. »

Carla dit, « Non. Non. »

Clark continua comme si elle n'avait pas parlé.

« On pourrait dire qu'on va faire un procès. On voit tout le temps des gens qui se font du fric pour des affaires comme ça. »

« Comment pourrait-on ? On peut pas faire de procès à un mort. »

« Menacer d'en parler dans les journaux. Un poète célèbre. Les journaux se jetteraient dessus. Il suffit de menacer et elle cédera. »

« Tu rêves, dit Carla. Tu plaisantes. »

« Non, dit Clark. Figure-toi que non, justement. »

Carla avait dit qu'elle ne voulait plus en parler et il avait dit d'accord.

Mais ils en avaient parlé le lendemain, et le surlendemain, et encore le jour suivant. Il avait parfois des idées comme ça qui n'étaient pas réalisables, qui pouvaient même être illégales. Il en parlait en s'excitant de plus en plus et puis — elle ne savait pas trop pourquoi — il les abandonnait. S'il avait cessé de pleuvoir, si le temps avait fini par devenir celui d'un été normal, peut-être aurait-il laissé cette idée rejoindre les autres. Mais cela ne s'était pas produit et, au cours du dernier mois, il n'avait pas arrêté de revenir à la charge avec cette combine comme si elle était parfaitement faisable et sérieuse. La question était de savoir combien demander. Trop peu et la dame risquait de ne pas les prendre au sérieux, elle risquait de chercher à voir s'ils bluffaient. Trop, on risquait de la braquer et de la rendre intraitable.

Carla ne disait plus que c'était une blague. Elle disait plutôt que ça ne marcherait pas. Elle disait que d'abord et d'une les gens s'attendent à ce que les poètes soient comme ça. Que ça ne vaudrait donc pas le coup de payer pour étouffer l'affaire.

Lui disait que ça marcherait en s'y prenant comme il faut. Carla allait s'effondrer et raconter toute l'histoire à Mme Jamieson. Puis Clark interviendrait, comme si tout cela avait été une surprise pour lui, comme s'il venait de le découvrir. Il serait scandalisé, il parlerait d'exposer l'affaire aux yeux du monde. Il conduirait Mme Jamieson à être celle qui parlerait d'argent la première.

« Tu as été blessée. Tu as été maltraitée et humiliée et j'ai été blessé et humilié parce que tu es ma femme. C'est une question de respect. »

Dix fois, cent fois, il lui avait parlé de cette façon et elle avait tenté de le décourager mais il insistait.

« Promets-le-moi, disait-il. Promets-le-moi. »

C'était à cause de ce qu'elle lui avait raconté, des choses qu'elle ne pouvait plus ni retirer ni nier désormais.

Des fois il s'intéresse à moi, tu vois ?

Le vieux ?

Des fois il m'appelle dans sa chambre quand elle n'est pas là.

Oui.

Quand elle doit sortir faire les courses et que l'infirmière n'est pas là non plus.

Une chance, cette inspiration qu'elle avait eue, qui lui avait instantanément plu, à lui.

Et alors qu'est-ce que tu fais? Tu y vas?

Elle avait joué la timidité.

Des fois.

Il t'appelle dans sa chambre. Et alors? Carla? Et alors, ensuite?

Je vais voir ce qu'il veut.

Et alors, qu'est-ce qu'il veut?

Le tout, questions et réponses, chuchoté, lorsque personne ne pouvait les entendre, et même dans l'univers inaccessible de leur lit. Une histoire pour s'endormir, dans laquelle les détails étaient importants, et auxquels il convenait d'en rajouter chaque fois, et ce avec une résistance convaincante, une timidité, des gloussements, *cochon, cochon*. Et il n'y avait pas que lui pour y tenir et en être reconnaissant. Elle l'était aussi. Tenait à lui faire plaisir et à l'exciter, à s'exciter elle-même. Reconnaissante chaque fois que cela marchait encore. Et pour une part d'elle-même c'était bel et bien vrai, elle voyait le vieux gaillard, la bosse qu'il faisait dans le drap, cloué au lit et comment! presque incapable de parler mais versé dans le langage des signes, indiquant son désir, cherchant à la pousser du doigt à la complicité, à des acrobaties et des privautés obligeantes. (Son refus était une nécessité, mais aussi peut-être, et curieusement, une petite déception, pour Clark.)

De temps à autre lui venait une image qu'elle devait chasser aussitôt de peur qu'elle gâche tout. Elle pensait au vrai corps blafard sous le drap, drogué, rétrécissant chaque jour un peu plus dans le lit d'hôpital en location, entraperçu seulement quelques fois, quand Mme Jamieson, ou l'infirmière pendant sa visite, avait négligé de fermer la porte. Elle-même ne s'était jamais approchée de lui plus près que cela, en réalité.

En fait elle redoutait d'aller chez les Jamieson, mais elle avait besoin de cet argent, et elle plaignait Mme Jamieson, qui semblait si hagarde et effarée, comme une somnambule. Une ou deux fois, Carla n'y avait plus tenu et avait fait quelque chose de vraiment idiot, simplement pour détendre l'atmosphère. Le genre de clownerie qu'elle faisait quand des gens qui montaient pour la première fois, gauches et terrifiés, se sentaient humiliés. Elle avait aussi essayé de s'en servir quand Clark s'enfermait dans une de ses humeurs. Cela avait cessé de fonctionner avec lui. Mais l'histoire sur M. Jamieson avait fonctionné, cela ne faisait aucun doute.

Il n'y avait pas moyen d'éviter les flaques dans le sentier ou les hautes herbes trempées sur ses bords, ou les carottes sauvages qui étaient en fleur depuis peu. Mais l'air était plutôt tiède, de sorte qu'elle n'avait pas froid. Ses vêtements étaient trempés comme par sa sueur ou par les larmes qui ruisselaient sur son visage, mêlées au crachin. Ses sanglots tarirent à la longue. Elle n'avait rien pour s'essuyer le nez — la serviette en papier était toute mouillée maintenant — mais elle se pencha en avant pour se moucher très fort au-dessus d'une flaque.

Elle releva la tête et réussit à émettre le long sifflement modulé qui était son signal — celui de Clark aussi — pour appeler Flora. Elle attendit une minute ou deux puis lança le nom de Flora. Dix fois, cent fois, le sifflement et le nom, le sifflement et le nom.

Flora ne répondit pas.

C'était presque un soulagement, d'ailleurs, d'éprouver la douleur simple de l'absence de Flora, de l'absence définitive, peut-être, de Flora, comparé au guêpier dans lequel elle s'était fourrée à propos de Mme Jamieson et à son malheur récurrent avec Clark. Au moins le départ de Flora n'avait-il pas découlé d'une de ses erreurs à elle, Carla.

À la maison, Sylvia n'avait rien d'autre à faire qu'ouvrir les fenêtres. Et songer — avec une envie qui la déconcerta sans vraiment la surprendre — au moment où elle verrait Carla.

On avait fait disparaître tout l'attirail de la maladie. La pièce qui avait été la chambre à coucher de Sylvia et de son mari, puis la chambre mortuaire de ce dernier, avait été si bien nettoyée et rangée qu'on aurait pu croire que rien ne s'y était jamais passé. Carla avait aidé à tout cela pendant les quelques jours de frénésie entre le crématorium et le départ pour la Grèce. Tous les vêtements que Leon avait mis et certaines choses qu'il n'avait pas mises, y compris des cadeaux de ses sœurs jamais déballés, furent empilés sur la banquette arrière de la voiture pour être transportés à l'Armée du Salut. Ses comprimés, son nécessaire de rasage, des cannettes inentamées de la boisson fortifiante qui l'avait soutenu aussi longtemps que c'était possible, des paquets de ces biscuits aux graines de sésame qu'il avait à un moment donné mangés par dizaines, les flacons de plastique pleins de la lotion qui lui détendait le dos, les peaux de mouton sur lesquelles il reposait dans son lit — le tout fut fourré dans des sacs en plastique pour être emporté aux ordures, et Carla n'émit aucun commentaire. Elle ne dit jamais, « Ça pourrait peut-être servir à quelqu'un », ni ne fit remarquer que des cartons entiers de cannettes n'avaient pas été ouverts. Quand Sylvia avait dit, « Je regrette d'avoir emporté les vêtements en ville. J'aurais dû brûler le tout dans l'incinérateur », Carla n'avait manifesté aucune surprise.

Elles avaient nettoyé le four, récuré les placards, lessivé les murs et les fenêtres. Un jour, Sylvia s'installa au salon pour parcourir toutes les lettres de condoléances qu'elle avait reçues. (Il n'y avait pas d'accumulation de papiers et de carnets de notes réclamant ses soins, comme on aurait pu s'y attendre avec un écrivain, pas d'œuvres inachevées ou de brouillons griffonnés. Il lui avait dit, des mois auparavant, qu'il avait balancé le tout. *Et bon débarras.*)

Le mur en plan incliné de la maison, qui ouvrait au sud, était fait d'un assemblage de grandes fenêtres. Sylvia leva les yeux, surprise par la lumière d'aquarelle du soleil qui se montrait — ou peut-être par l'ombre de Carla, jambes nues, bras nus, perchée en haut d'une échelle, son visage résolu couronné d'une frise dentelée de cheveux trop courts pour être tressés dans sa natte. Elle arrosait et frottait vigoureusement le verre. Quand elle vit que Sylvia la regardait, elle s'interrompit et ouvrit grand les bras comme pour se vautrer sur la vitre en faisant une grimace de gargouille ridicule. Elles se mirent toutes deux à rire. Sylvia sentit ce rire la parcourir tout entière comme un ruisseau joueur. Elle reporta son attention à ses lettres et Carla reprit le nettoyage. Elle décida que tous ces mots gentils — sincères ou de pure forme, les hommages et les regrets — pouvaient prendre le même chemin que les peaux de mouton et les biscuits.

Quand elle entendit Carla retirer l'échelle, entendit des bottes sur la terrasse, elle eut un soudain accès de timidité. Elle resta où elle était, la tête courbée, tandis que Carla entrait dans la pièce et passait derrière elle pour gagner la cuisine et remettre le seau et les chiffons sous l'évier. Carla s'arrêta à peine, elle était rapide comme un oiseau, mais elle s'arrangea pour poser un baiser sur la tête penchée de Sylvia. Puis elle passa son chemin en sifflotant.

Ce baiser était demeuré dans l'esprit de Sylvia depuis lors. Il n'avait pas de signification particulière. Il signifiait *Courage*. Ou *C'est presque fini*. Signifiait qu'elles étaient de bonnes amies qui avaient effectué ensemble un tas de travaux déprimants. Ou tout simplement peut-être que le soleil s'était montré. Que Carla songeait à rentrer chez elle, retrouver ses chevaux. N'empêche, Sylvia y voyait une fleur éclatante, dont les pétales s'épanouissaient en elle avec une chaleur tumultueuse, comme une bouffée de la ménopause.

De temps à autre il y avait eu une étudiante qui sortait du lot, dans un de ses cours de botanique — dont l'intelligence, l'application et l'égoïsme gauche, voire l'authentique passion pour le monde naturel, lui rappelaient celle qu'elle avait été à son âge. Ce genre de filles s'accrochait à elle avec adoration, espérant on ne savait quelle sorte d'intimité qu'elles ne pouvaient — dans la plupart des cas — imaginer, et ne tardait pas à lui taper sur les nerfs.

Carla ne leur ressemblait en rien. Si elle rappelait quelqu'un dans la vie de Sylvia, ç'aurait plutôt été certaines filles qu'elle avait connues au secondaire — celles qui étaient intelligentes mais jamais trop intelligentes, sportives accomplies mais pas acharnées à la compétition, pleines d'entrain mais pas chahuteuses. Naturellement heureuses.

« Là où j'étais, dans ce petit village, ce minuscule petit village avec mes deux vieilles copines, eh bien là, c'était le genre d'endroit où les autocars de touristes ne s'arrêtaient que très rarement, comme s'ils s'étaient égarés, et les touristes en descendaient pour faire un tour et ils étaient absolument effarés parce qu'ils n'étaient nulle part. Il n'y avait rien à acheter. »

Sylvia parlait de la Grèce. Carla était assise à un ou deux mètres d'elle. Cette fille éblouissante, mal à l'aise, avec ses grands bras, ses longues jambes, était enfin assise là, dans la pièce où Sylvia avait tant pensé à elle. Elle souriait à peine, hochait du chef à contretemps.

« Et au début, dit Sylvia, au début, j'étais effarée moi aussi. Il faisait tellement chaud. Mais c'est vrai ce qu'on dit de la lumière. Elle est merveilleuse. Et puis, je me suis rendu compte de ce qu'il fallait faire, et il n'y avait que ces quelques choses très simples, mais elles pouvaient remplir la journée. On fait huit cents mètres sur la route pour acheter de l'huile et huit cents mètres dans la direction opposée pour acheter son pain ou son vin, et la matinée y a passé, alors on mange un semblant de déjeuner sous les arbres et, après déjeuner, il fait trop chaud pour faire quoi que ce soit d'autre que fermer les volets, s'étendre sur son lit et, peut-être, lire. D'abord, on lit. Et puis on en vient à ne même plus faire ça. Pourquoi lire ? Plus tard, on remarque que les ombres se sont allongées et on se lève pour aller se baigner.

« Oh, elle s'interrompit. Oh, j'allais oublier. »

Elle se leva d'un bond pour aller chercher le cadeau qu'elle avait rapporté et qu'en fait elle n'avait pas oublié du tout. Elle n'avait pas voulu le donner à Carla aussitôt, elle avait voulu que le moment se présente plus naturellement, et tandis qu'elle parlait, elle avait pensé d'avance à l'instant où elle pourrait mentionner la mer, la baignade. Et dire, comme elle le fit alors, « C'est la baignade qui me l'a rappelé parce que c'est une petite réplique, vous voyez, c'est une petite réplique du cheval qu'on a trouvé sous la mer. En bronze. Une drague l'a remonté, après tant de temps. On pense qu'il date du deuxième siècle avant Jésus-Christ.

Quand Carla était entrée pour chercher ce qu'il pouvait y avoir à faire, Sylvia avait dit, « Oh, asseyez-vous une minute, je n'ai eu personne à qui parler depuis mon retour. S'il vous plaît. » Carla s'était assise au bord d'une chaise, les jambes écartées, les mains entre les genoux. Elle semblait bizarrement abattue. Comme si elle avait cherché une forme de politesse distante, elle avait dit, « Comment c'était, la Grèce ? »

À présent elle était debout, avec le papier de soie froissé autour du cheval qu'elle n'avait pas entièrement déballé.

« On dit que ça représente un cheval de course, dit Sylvia. Dans le sursaut final, le dernier effort de la course. Le cavalier, aussi, le jeune garçon, on voit qu'il pousse le cheval à la limite de ses forces. »

Elle ne mentionna pas que le jeune garçon l'avait fait penser à Carla, et elle n'aurait pu dire pourquoi, à présent. Il avait seulement dans les dix ou onze ans. Peut-être la vigueur et la grâce du bras qui devait avoir tenu les rênes, ou les plis à son front enfantin, la concentration et la pureté de l'effort qu'on y voyait, ressemblaient, en quelque sorte, à ceux de Carla faisant les carreaux des grandes fenêtres au printemps dernier. Ses jambes vigoureuses dans son short, ses larges épaules, son ample geste pour frotter la vitre, et puis la façon dont elle avait fait mine de se vautrer pour blaguer, invitant, voire exigeant, le rire de Sylvia.

« Ça se voit, oui, dit Carla, examinant consciencieusement à présent la statuette vert bronze. Merci beaucoup. »

« Je vous en prie. Si nous buvions le café ? Je viens d'en faire. Le café en Grèce était très fort, un peu trop fort à mon goût, mais le pain était divin. Et les figues mûres, un prodige. Asseyez-vous encore un moment, je vous en prie. Mais il ne faut pas me laisser bavarder comme ça à perte de vue. Parlons un peu d'ici. Comment les choses se sont-elles passées, ici ? »

« Il a plu la plupart du temps. »

« Ça se voit. Je vois qu'il a plu tout le temps », lança Sylvia depuis la cuisine à l'extrémité de la vaste pièce. Tandis qu'elle versait le café, elle décida de ne rien dire de l'autre cadeau qu'elle avait rapporté. Il ne lui avait rien coûté (le cheval avait coûté plus que la jeune femme n'aurait probablement pu deviner), ce n'était qu'un joli caillou d'un blanc rosé qu'elle avait ramassé sur la route.

« C'est pour Carla, avait-elle dit à son amie Maggie qui marchait à côté d'elle. Je sais que c'est bête. Je veux qu'elle ait un petit morceau de cette terre, voilà tout. »

Elle avait déjà évoqué Carla pour Maggie, et pour Soraya, son autre amie présente là-bas, leur avait dit comment la présence de la jeune femme avait fini par être de plus en plus importante pour elle, comment un lien indescriptible s'était semble-t-il noué entre elles et l'avait consolée au cours des mois affreux du printemps dernier.

« Le simple fait de voir quelqu'un — quelqu'un d'une telle fraîcheur, débordant de santé, entrer dans la maison. »

Maggie et Soraya avaient ri, d'un rire gentil mais agaçant.

« Il y a toujours une jeune femme », dit Soraya en étirant indolemment ses lourds bras bruns, et Maggie conclut, « Nous en venons toutes là un jour ou l'autre. Le béguin pour une fille. »

Sylvia conçut une obscure colère de ce mot daté — béguin.

« Peut-être est-ce parce que Leon et moi n'avons pas eu d'enfants, dit-elle. C'est idiot. Un transfert d'amour maternel. »

Ses copines avaient parlé en même temps pour exprimer de deux manières légèrement différentes ce qui revenait à dire que c'était peut-être idiot mais que c'était tout de même de l'amour.

Mais la jeune femme n'avait, aujourd'hui, rien de la Carla que Sylvia s'était rappelée, rien de l'esprit calme et enjoué, rien de la jeune créature insouciante et généreuse qui lui avait tenu compagnie en Grèce.

Elle s'était à peine intéressée à son cadeau. Boudait presque quand elle tendit la main pour recevoir sa tasse de café.

« Il y avait une chose dont j'ai pensé qu'elle vous aurait beaucoup plu, dit énergiquement Sylvia. Les chèvres. Elles sont très petites même adultes. Il y en avait de tachetées et d'autres blanches et elles sautaient parmi les rochers comme… comme les esprits du lieu. » Elle éclata d'un rire factice, elle ne pouvait plus s'arrêter. « Je n'aurais pas été surprise qu'elles aient des guirlandes de fleurs dans les cornes. Comment va votre petite chèvre ? Je ne me rappelle plus son nom. »

Carla dit, « Flora. »

« Flora. »

« Elle n'est plus là. »

« Plus là ? Vous l'avez vendue ? »

« Elle a disparu. On ne sait pas où. »

« Oh, comme c'est triste. Je suis désolée. Mais vous croyez qu'il n'y a plus aucune chance qu'elle réapparaisse ? »

Pas de réponse. Sylvia regarda directement la jeune femme, ce que jusqu'alors elle n'avait pas été vraiment capable de faire, et vit qu'elle avait les yeux pleins de larmes, le visage marbré — de fait, elle avait l'air mal débarbouillé — et qu'elle semblait bouffie de chagrin.

Elle ne fit rien pour éviter le regard de Sylvia. Elle serra les lèvres sur les dents, ferma les yeux et se balança d'avant en arrière comme en une plainte muette, et puis, et ce fut un choc, elle émit effectivement une longue plainte. Elle gémissait, sanglotait, hoquetait pour reprendre haleine et des larmes coulaient sur ses joues et de la morve de ses narines et elle se mit à lancer des regards fous à la recherche de quelque chose pour se moucher. Sylvia courut chercher des poignées de Kleenex.

« Ne vous en faites pas, voilà, tenez, tout va bien », dit-elle, songeant que la seule chose à faire était peut-être de prendre la jeune femme dans ses bras. Mais elle n'en avait pas la moindre envie et cela risquait de faire empirer son état. La jeune femme risquait de sentir combien Sylvia en avait peu d'envie, à quel point l'horrifiait, en fait, cet accès bruyant.

Carla disait quelque chose, elle le répétait.

« Affreux, disait-elle. Affreux. »

« Mais non. Tout le monde a besoin de pleurer, parfois. Ça ne fait rien, ne vous en faites pas. »

« C'est affreux. »

Et Sylvia ne pouvait s'empêcher de sentir combien, à chaque instant de cet étalage de malheur, la jeune femme se rendait plus ordinaire, plus semblable à l'une des étudiantes qui venaient dans son bureau — celui de Sylvia — répandre des torrents de larmes. Il y en avait qui pleuraient à cause de leurs notes, mais c'était souvent une tactique, bref épisode geignard et peu convaincant. Les grandes eaux, plus réelles et plus rares, se révélaient avoir à faire avec une aventure amoureuse, ou les parents, ou une grossesse.

« Ce n'est pas à cause de votre chèvre, n'est-ce pas ? »

« Non. Non. »

« Je vais vous chercher un verre d'eau », dit Sylvia.

Elle prit le temps de laisser couler l'eau pour qu'elle soit fraîche, cherchant ce qu'elle pourrait faire ou dire d'autre, et quand elle revint avec le verre, Carla avait déjà commencé à se calmer.

« Là, là, dit Sylvia à mesure que l'eau était déglutie. N'est-ce pas que ça va mieux ? »

« Oui. »

« Si ce n'est pas la chèvre, qu'est-ce que c'est ? »

Carla dit, « C'est insupportable, je n'en peux plus. »

Qu'est-ce donc qui était insupportable ?

Il s'avéra que c'était le mari.

Il s'emportait contre elle tout le temps. Agissait comme s'il la détestait. Elle ne pouvait rien faire de bien, elle ne pouvait rien dire. La vie avec lui la rendait folle. Tantôt elle pensait qu'elle était déjà folle. Tantôt elle pensait que c'était lui.

« Il vous a brutalisée, Carla ? »

Non. Il ne l'avait pas brutalisée physiquement. Mais il la détestait. Il la méprisait. Il ne supportait pas qu'elle pleure et elle ne pouvait s'empêcher de pleurer parce qu'il était furieux.

Elle ne savait pas quoi faire.

« Peut-être que vous le savez trop bien », dit Sylvia.

« M'en aller ? Je le ferais si je pouvais. » Carla se remit à gémir. « Je donnerais tout pour m'en aller. Je ne peux pas. Je n'ai pas un sou. Et je n'ai absolument nulle part où aller. »

« Voyons. Réfléchissez. Est-ce que c'est tout à fait vrai ? dit Sylvia de son meilleur ton de conseillère. Vous n'avez pas de parents ? Vous ne m'avez pas dit que vous avez grandi à Kingston ? Vous n'y avez pas de famille ? »

Ses parents étaient partis s'installer en Colombie-Britannique. Ils détestaient Clark. Ils se fichaient complètement de ce qui pouvait lui arriver à elle.

Des frères ou des sœurs ?

Un frère, son aîné de neuf ans. Il était marié et vivait à Toronto. Il se fichait d'elle lui aussi. Il n'aimait pas Clark. Sa femme était snob.

« Vous n'avez jamais pensé à aller au Refuge des Femmes ? »

« On ne vous reçoit là-bas que si vous avez été battue. Et tout le monde le saurait et ce serait mauvais pour notre affaire. »

Sylvia sourit gentiment.

« Est-ce que c'est bien le moment d'y penser ? »

Pour le coup Carla se mit à rire. « Je sais, dit-elle, je suis dingue. »

« Écoutez, dit Sylvia. Écoutez-moi. Si vous aviez l'argent pour le faire, partiriez-vous ? Où iriez-vous ? Que feriez-vous ? »

« J'irais à Toronto, dit Carla sans hésiter. Mais je me garderais bien d'aller voir mon frère. Je descendrais dans un motel ou un truc comme ça et j'irais travailler dans un centre d'équitation. »

« Vous croyez que vous pourriez le faire ? »

« Je travaillais dans un centre d'équitation l'été où j'ai connu Clark. J'ai plus d'expérience maintenant qu'à l'époque. Beaucoup plus. »

« On dirait que vous y avez réfléchi », dit Sylvia, songeuse.

Et Carla, « Tout à fait. »

« Alors quand partiriez-vous, si vous pouviez le faire ? »

« Maintenant. Aujourd'hui. Tout de suite. »

« Tout ce qui vous en empêche, c'est le manque d'argent ? »

Carla prit une profonde inspiration. « C'est tout ce qui m'en empêche », dit-elle.

« Fort bien, dit Sylvia. Voilà ce que je propose, écoutez. Je pense que vous ne devriez pas descendre dans un motel. Je pense que vous devriez prendre le car de Toronto et aller chez une amie à moi. Elle s'appelle Ruth Stiles. Elle a une grande maison, elle vit seule et ça ne la dérangera pas d'avoir quelqu'un chez elle. Vous pourriez rester en attendant d'avoir trouvé un travail. Je vais vous passer un peu d'argent. Il doit y avoir tout un tas de centres d'équitation autour de Toronto. »

« C'est sûr. »

« Alors, qu'en dites-vous ? Voulez-vous que j'appelle pour avoir l'horaire du car ? »

Carla dit oui. Elle frissonnait. Elle se frotta les cuisses et secoua violemment la tête.

« J'y crois pas, dit-elle. Je vous rembourserai. Enfin, merci. Je vous rembourserai. Je sais pas quoi dire. »

Sylvia était déjà au téléphone et composait le numéro de la gare routière.

« Chut, je prends les horaires », dit-elle. Elle écouta, et

raccrocha. « Je sais que vous me rembourserez. Vous êtes d'accord pour Ruth ? Je la préviendrai. Il y a tout de même un problème. » Elle regardait d'un air critique le short et le T-shirt de Carla. « Je vous vois mal y aller habillée comme ça. »

« Je ne peux pas aller chercher autre chose chez moi, dit Carla, prise de panique. Ça ira. »

« Le car est climatisé. Vous allez geler. On trouvera bien dans mes affaires quelque chose que vous pouvez mettre. Nous sommes à peu près de la même taille, non ? »

« Vous êtes dix fois plus mince. »

« Je ne l'ai pas toujours été. »

Elles finirent par arrêter leur choix sur un blouson de toile marron, à peine porté — Sylvia jugeait qu'elle s'était trompée en l'achetant, qu'il était d'un style trop agressif pour elle —, un pantalon droit brun clair et un chemisier de soie crème. Carla devrait se contenter de ses tennis parce qu'elle faisait deux bonnes pointures de plus que Sylvia.

Carla alla prendre une douche — elle n'en avait pas eu le courage dans l'état d'esprit où elle était ce matin-là — et Sylvia téléphona à Ruth. Cette dernière avait une réunion le soir mais laisserait la clé chez ses locataires du dessus et Carla n'aurait qu'à sonner chez eux.

« Il faudra qu'elle vienne en taxi depuis la gare routière, quand même. Je suppose qu'elle est en état de faire ça ? » dit Ruth.

Sylvia éclata de rire. « Ce n'est pas une handicapée, ne t'inquiète pas. Elle est simplement dans une situation difficile, ce sont des choses qui arrivent. »

« Allons, tant mieux. Je veux dire, tant mieux qu'elle s'en sorte. »

« Pas une handicapée du tout », dit Sylvia, songeant à la façon dont Carla avait essayé pantalon droit et blouson de toile. Comme les jeunes se remettent vite d'un accès de désespoir et comme la jeune femme était belle dans ces vêtements propres.

Le car partait à deux heures vingt. Sylvia décida de préparer une omelette pour déjeuner, de mettre la table avec la nappe bleu foncé, de sortir les verres de cristal et de déboucher une bouteille de vin.

« J'espère que vous avez assez faim pour manger quelque chose », dit-elle quand Carla revint, propre et éclatante dans ses vêtements d'emprunt. Sa peau semée de pâles taches de rousseur avait rosi sous la douche, et ses cheveux humides étaient plus sombres, elle n'avait pas refait sa natte, le charmant friselis était maintenant plaqué sur son crâne. Elle dit qu'elle avait faim, mais quand elle essaya de porter une fourchette d'omelette à sa bouche, ses mains tremblaient tant que ce fut impossible.

« Je ne sais pas pourquoi je tremble comme ça, dit-elle. Ça doit être l'excitation. Je n'aurais jamais cru que ce serait si facile. »

« C'est très soudain, dit Sylvia. Ça ne doit probablement pas sembler tout à fait réel. »

« Si, pourtant. Tout semble réellement réel maintenant. Comme si c'était avant que j'étais dans le brouillard. »

« Peut-être que c'est ce qui se passe quand on prend la décision d'agir, quand on en prend la décision pour de bon. Ou que c'est ce qui devrait se passer. »

« Si on a une amie, dit Carla avec un sourire un peu gêné et une rougeur qui se répandit sur son front. Quand on a une vraie amie. Une amie telle que vous, quoi. » Elle posa le couteau et la fourchette et leva son verre de vin gauchement, à deux mains. « Je bois à une vraie amie, dit-elle, mal à l'aise. Je ne devrais même pas en prendre une gorgée, mais tant pis. »

« Moi non plus », dit Sylvia avec une gaieté jouée. Elle but, mais gâcha tout en disant, « Vous allez lui téléphoner ? Ou alors quoi ? Il va falloir qu'il sache. Au moins qu'il sache où vous serez à l'heure où il vous attendra à la maison. »

« Pas le téléphone, dit Carla, alarmée. Je ne peux pas. Peut-être que vous… »

« Non, dit Sylvia. Non. »

« Non, c'est idiot. Je n'aurais pas dû dire ça. C'est dur de penser comme il faut. Ce que je devrais peut-être faire, c'est mettre un mot dans la boîte aux lettres. Mais je ne veux pas qu'il l'ait si vite. Je ne veux même pas qu'on passe par là quand on ira en ville. Il faut qu'on passe par-derrière. Alors si je l'écris... si j'écris, vous pourriez, vous pourriez peut-être le glisser dans la boîte en revenant ? »

Sylvia donna son accord, ne voyant rien de mieux à faire.

Elle apporta plume et papier. Elle versa encore un peu de vin. Carla réfléchit puis écrivit quelques mots.

Je suis partie. Je vais bien[1].

Tels furent les mots que Sylvia lut quand elle déplia la feuille en revenant de la gare routière. Elle était certaine que Carla connaissait la différence entre *right* et *write*. C'était simplement parce qu'elle avait parlé d'écrire un mot et qu'elle était dans un état d'exaltation et de confusion. Une plus grande confusion peut-être que Sylvia ne s'en était rendu compte. Le vin avait déclenché un flot de paroles mais qui ne semblait accompagné d'aucun chagrin ni d'aucun trouble particuliers. Elle avait parlé de l'écurie où elle avait travaillé et fait la connaissance de Clark à dix-huit ans quand elle venait de terminer le secondaire. Ses parents voulaient qu'elle s'inscrive à l'université, ce qu'elle avait accepté à condition de pouvoir choisir d'être vétérinaire. C'était ce qu'elle voulait, qu'elle avait toujours voulu, travailler avec des animaux et vivre à la campagne. À l'école, elle avait été une de ces filles mal intégrées qu'on trouvait bizarres et sur lesquelles on faisait toujours des blagues dégueulasses, mais cela lui était égal.

Clark était le meilleur moniteur du centre. Des tas de femmes lui couraient après et choisissaient l'équitation simple-

---

1. Je vais bien, *I will be all right*. Carla a écrit *write* (écrire) au lieu de *right*, dont la prononciation est identique. Littéralement, « je serai tout écrire ». (*Toutes les notes sont des traducteurs.*)

ment pour l'avoir comme moniteur. Carla le taquinait à propos de ses femmes, et au début il avait eu l'air d'apprécier, puis ça l'avait agacé. S'excusant, elle avait essayé de se rattraper en le faisant parler de son rêve — son projet, plutôt — d'avoir une école d'équitation, des chevaux, quelque part à la campagne. Un jour, en rentrant dans l'écurie, elle l'avait vu accrocher sa selle et s'était rendu compte qu'elle était amoureuse de lui.

À présent, elle pensait que c'était sexuel. Seulement sexuel. Oui, probablement.

Quand vint l'automne où elle était censée quitter son emploi et partir à l'université à Guelph, elle refusa en disant qu'il lui fallait une année d'interruption.

Clark était très intelligent mais il n'avait même pas attendu d'avoir fini le secondaire. Il n'avait plus aucun contact avec sa famille. Il pensait que les familles étaient comme un poison dans le sang. Il avait été aide-soignant dans un hôpital psychiatrique, présentateur à la radio pour une station de Lethbridge dans l'Alberta, membre d'une équipe d'entretien des autoroutes au voisinage de Thunder Bay, apprenti coiffeur, vendeur dans un magasin de surplus militaire. Et ce n'étaient que les boulots dont il parlait.

Elle l'avait surnommé Gypsy Errant à cause de la chanson, une vieille chanson que lui chantait sa mère. Elle s'était mise à la chanter tout le temps à la maison et sa mère en avait conclu qu'il se tramait quelque chose.

« La nuit dernière elle a dormi dans un lit de plumes
Avec un édredon de soie
Ce soir elle dormira sur le sol dur et froid…
À côté du gypsy qui est son a-a-mant. »

Sa mère avait dit, « Il te rendra malheureuse, ça, c'est sûr. » Son beau-père, qui était ingénieur, n'avait même pas accordé ce pouvoir-là à Clark. « Un loser, avait-il dit de lui. Qui dérive au gré du vent. » Comme si Clark était un insecte qu'il pouvait d'une chiquenaude chasser du revers de sa veste.

Alors Carla avait dit, « C'est peut-être en dérivant qu'on économise assez pour acheter une ferme ? C'est ce qu'il a fait, tout de même », et il s'était contenté de répondre, « Ne compte pas sur moi pour discuter avec toi. » De toute manière elle n'était pas sa fille, avait-il ajouté, comme si cela réglait la question.

Alors, naturellement, Carla n'avait plus qu'à partir avec Clark. En se conduisant comme ils l'avaient fait, ses parents s'en étaient pour ainsi dire assurés.

« Est-ce que vous prendrez contact avec vos parents, une fois installée ? demanda Sylvia. À Toronto ? »

Carla leva les sourcils, creusa les joues et arrondit les lèvres en un O mutin. « Oh, nooon », dit-elle.

Décidément un peu ivre.

De retour chez elle, ayant déposé le mot dans la boîte aux lettres, Sylvia lava les assiettes qui étaient restées sur la table, nettoya et fit briller la poêle à omelette, mit les serviettes et la nappe bleue dans le panier à linge, et ouvrit les fenêtres. Elle fit tout cela avec un sentiment déconcertant de regret et d'irritation. Elle avait sorti une savonnette neuve parfumée à la pomme pour la douche de la jeune femme, et son odeur s'attardait dans la maison comme elle avait flotté dans l'air de la voiture.

Il ne pleuvait toujours pas. Comme elle ne tenait pas en place, elle alla marcher dans le sentier que Leon avait ménagé. Le gravier qu'il avait déversé dans les bourbiers avait été presque entièrement emporté par l'eau. Ils allaient se promener à chaque printemps, pour chercher des orchidées sauvages. Elle lui enseignait le nom de toutes les fleurs — qu'à l'exception du trillium il avait tous oubliés. Il l'appelait sa Dorothy Wordsworth.

Au printemps dernier elle était sortie un jour pour lui

cueillir un petit bouquet de violettes, mais il les avait regardées — comme il la regardait parfois — avec seulement de l'épuisement, un désaveu.

Elle ne cessait de voir Carla, Carla montant dans l'autocar. Ses remerciements avaient été sincères, mais déjà presque désinvoltes, son geste d'adieu insouciant.

Rentrée à la maison, aux environs de six heures, Sylvia téléphona à Ruth, à Toronto, sachant que Carla ne serait pas encore arrivée. Elle eut le répondeur.

« Ruth, dit Sylvia. Sylvia. C'est au sujet de la jeune femme que je t'envoie. J'espère qu'elle ne finira pas par t'embêter. J'espère que ça se passera bien. Tu la trouveras peut-être un peu préoccupée d'elle-même. C'est peut-être simplement qu'elle est jeune. Tu me diras ce que tu en penses. D'accord ? »

Elle téléphona de nouveau avant de se coucher mais eut le répondeur, et dit alors, « C'est encore Sylvia. C'était pour voir », et raccrocha. Il était entre neuf et dix heures, il ne faisait même pas vraiment nuit. Ruth ne devait pas être encore rentrée et la jeune femme ne voulait pas répondre au téléphone chez une inconnue. Elle chercha à se rappeler le nom des locataires de Ruth. Ils n'étaient certainement pas couchés. Mais ça ne lui revint pas. Tant mieux, d'ailleurs. Les appeler eût été faire un peu trop d'histoires, manifester trop d'inquiétude, aller trop loin.

Elle se mit au lit mais il lui fut impossible d'y rester, elle prit donc un léger édredon et retourna au salon s'étendre sur le canapé où elle avait dormi pendant les trois derniers mois de la vie de Leon. Il n'y avait guère de chance qu'elle dorme là non plus — il n'y avait pas de rideaux à l'assemblage de fenêtres et l'aspect du ciel lui disait que la lune s'était levée, bien qu'elle ne puisse pas la voir.

L'instant suivant elle était assise dans un autocar, quelque part — en Grèce ? — avec un tas de gens qu'elle ne connaissait pas et le moteur du car cognait d'une façon inquiétante. Elle se réveilla et découvrit que c'était à sa porte qu'on frappait.

Carla ?

Carla avait gardé la tête basse jusqu'à ce que le car ait quitté la ville. Les vitres étaient teintées, on ne pouvait pas voir à l'intérieur, mais c'était elle qui ne devait pas regarder dehors. De peur que Clark surgisse. Sortant d'un magasin, ou attendant de traverser la rue. Ne se doutant pas qu'elle l'abandonnait, croyant que l'après-midi était ordinaire. Non, croyant que c'était l'après-midi où leur combine — sa combine — allait être mise en œuvre, impatient de savoir jusqu'où elle, Carla, l'aurait menée.

Une fois en pleine campagne, elle leva les yeux, prit une profonde inspiration, et considéra les prés, que les vitres teintaient un peu de violet. La présence de Mme Jamieson l'avait enveloppée d'une espèce de sécurité et de bon sens remarquables et avait fait de sa fuite la chose la plus rationnelle qu'on puisse imaginer, et d'ailleurs la seule chose digne qu'on pouvait faire dans sa situation à elle, Carla. Elle s'était sentie capable d'une confiance en soi inhabituelle, et même d'un sens de l'humour adulte, quand elle avait révélé sa vie à Mme Jamieson d'une manière qui semblait faite pour attirer la sympathie en étant pourtant ironique et véridique. Et à la hauteur de ce qu'elle croyait être les attentes de Mme Jamieson — de Sylvia. Elle avait bien le sentiment qu'il serait possible de décevoir Mme Jamieson, qui lui faisait l'impression d'être une personne des plus sensibles et rigoureuses, mais elle pensait être à l'abri de ce danger.

À condition de ne pas rester avec elle trop longtemps.

Le soleil brillait, comme depuis un certain temps déjà. Pendant le déjeuner, il avait fait étinceler les verres à vin. Il n'avait pas plu depuis le petit matin. Il soufflait assez de vent pour redresser sur le bas-côté de la route l'herbe et les fleurs sauvages que la pluie avait couchées et plaquées les unes contre les autres. Des nuages d'été, et pas des nuages de pluie, filaient en travers du ciel. Toute la campagne changeait, s'ébrouait, dans le véritable éclat d'une journée de juillet. Et tandis que l'autocar fonçait, elle ne pouvait guère distinguer de traces du passé récent — pas de vastes flaques dans les champs, là où les semis avaient été noyés, pas de tiges de maïs misérables et grêles, pas de blés couchés.

Elle songea qu'il faudrait qu'elle en parle à Clark   peut être avaient-ils choisi, va savoir pour quelle raison absurde, un coin particulièrement humide et sinistre de la campagne, et qu'il y en avait d'autres où ils auraient pu réussir.

Ou le pourraient encore ?

Puis elle s'avisa qu'elle ne dirait évidemment rien à Clark. Plus jamais. Qu'elle ne se soucierait plus de ce qui lui arrivait, ou de ce qui arrivait à Grace, Mike, Juniper, Blackberry ou Lizzie Borden. Si jamais Flora revenait, elle ne le saurait pas.

C'était la deuxième fois qu'elle laissait tout derrière elle. La première fois, c'était exactement comme dans la chanson des Beatles — elle avait posé un mot sur la table et s'était faufilée hors de la maison à cinq heures du matin pour retrouver Clark sur le parking de l'église, au bout de la rue. Elle fredonnait d'ailleurs cette chanson dans la camionnette qui accélérait en vrombissant. *She's leaving home, bye-bye.* Elle se rappelait maintenant qu'avec le soleil qui montait dans leur dos, elle avait regardé les mains de Clark sur le volant, les poils bruns sur ses avant-bras compétents, et respiré l'odeur de la cabine, une odeur d'huile et de métal, d'outils et d'écurie. L'air froid de ce matin d'automne soufflait à travers les joints rouillés de la camionnette. C'était le genre de véhicule dans lequel aucun membre de sa famille n'était jamais monté et qu'on ne voyait presque jamais dans les rues où ils habitaient.

Les préoccupations de Clark ce matin-là à propos de la circulation (ils avaient rejoint l'autoroute 401), le souci qu'il se faisait pour le comportement de la camionnette, ses réponses brèves, ses yeux plissés, et jusqu'à la légère irritation avec laquelle il réagissait à son enthousiasme débordant — tout cela la mettait dans un fol émoi. Comme les désordres de sa vie passée, sa solitude avouée, la tendresse dont il était capable avec un cheval, et avec elle. Elle voyait en lui l'architecte de la vie qui s'ouvrait devant eux, et en elle-même une captive, dont la soumission semblait à la fois logique et exquise.

« Tu ne sais pas ce que tu laisses derrière toi », lui écrivit sa mère dans l'unique lettre qu'elle reçut et à laquelle elle ne répondit jamais. Mais pendant les instants frissonnants de cette fuite au petit matin, elle ne savait que trop bien ce qu'elle laissait derrière elle, alors qu'elle se faisait une idée encore vague de ce vers quoi elle allait. Elle méprisait ses parents, leur maison, leur jardin, leurs albums de photos, leurs vacances, leur robot ménager, leur boudoir, leurs vastes placards de plain-pied, leur système souterrain d'arrosage automatique de la pelouse. Dans le court billet qu'elle avait laissé, elle avait utilisé le mot *authentique*.

J'ai toujours éprouvé le besoin d'un genre de vie plus authentique. Je sais que je ne peux pas compter sur vous pour le comprendre.

Le car venait de s'arrêter dans la première bourgade de son itinéraire. La gare routière jouxtait une station-service. Celle-là même où elle et Clark venaient d'ordinaire, dans les débuts, pour acheter de l'essence bon marché. À l'époque, leur monde englobait plusieurs bourgs de la campagne environnante et ils s'étaient par moments comportés en touristes, testant les diverses spécialités servies dans des bars d'hôtel crasseux. Pieds de cochon, choucroute, galettes de pommes de terre, bière. Et ils chantaient à tue-tête sur le chemin du retour comme des ploucs en goguette.

Mais au bout d'un moment toutes les sorties en vinrent à être envisagées comme une perte de temps et d'argent. Le genre de choses que les gens faisaient avant d'avoir compris les réalités de leur vie.

Elle pleurait à présent, ses yeux s'étaient remplis sans qu'elle s'en rende compte. Elle se contraignit à penser à Toronto, aux premiers pas qui l'attendaient. Le taxi, la maison qu'elle n'avait jamais vue, le lit inconnu dans lequel elle dormirait seule. La recherche dans l'annuaire, le lendemain, des adresses de centres d'équitation, où il faudrait ensuite se rendre pour demander un emploi.

Elle ne pouvait pas se le représenter. Se voir prenant le métro ou le tramway, soignant de nouveaux chevaux, parlant à des gens nouveaux, vivant chaque jour parmi des hordes de gens qui ne seraient pas Clark.

Une vie, un lieu, choisis pour cette raison spécifique — que Clark n'y serait pas.

Une chose étrange et terrible devenait claire pour elle : dans ce monde à venir, tel qu'elle se le représentait à présent, elle n'existerait pas. Elle le parcourrait seulement, ouvrirait la bouche pour parler, ferait ci ou ça. Elle ne serait pas vraiment là. Et l'étrangeté était qu'elle faisait tout cela, qu'elle avait pris ce car dans l'espoir de se retrouver elle-même. Comme Mme Jamieson aurait pu dire — et comme elle-même aurait pu dire avec satisfaction — *prendre en charge sa propre vie*. Sans personne pour faire peser sur elle un regard noir, ni la rendre malheureuse par sa mauvaise humeur.

Mais qu'est-ce qui compterait pour elle ? Comment saurait-elle qu'elle était vivante ?

Pendant qu'elle le fuyait — pour l'instant —, Clark gardait la place qu'il avait occupée dans sa vie. Mais quand elle aurait fini de fuir, quand elle continuerait simplement d'exister, par quoi le remplacerait-elle ? Quoi d'autre — qui d'autre — pourrait jamais lui poser un défi si éclatant ?

Elle avait réussi à cesser de pleurer mais s'était mise à trembler. Elle était mal en point et il allait falloir qu'elle s'accroche, qu'elle se ressaisisse. « Ressaisis-toi », lui disait parfois Clark quand il traversait une pièce où elle s'était recroquevillée, s'efforçant de ne pas pleurer, et c'était bien ce qu'elle devait faire.

On s'était arrêté dans une autre ville. La troisième depuis celle où elle était montée, cela signifiait qu'on avait traversé la deuxième sans même qu'elle s'en aperçoive. Le car s'était forcément arrêté, le chauffeur avait annoncé le nom et elle n'avait rien entendu, rien vu, à travers le brouillard de sa frayeur. On n'allait pas tarder à atteindre l'autoroute et à foncer vers Toronto.

Et elle serait perdue.

Elle serait perdue. À quoi bon monter dans un taxi et donner la nouvelle adresse, à quoi bon se lever le matin, se brosser les dents et sortir affronter le monde? Pourquoi faudrait-il qu'elle trouve un emploi, qu'elle s'alimente, qu'elle emprunte les transports publics d'un lieu à un autre?

Ses pieds lui semblaient à présent à une énorme distance de son corps. Ses genoux, sous le tissu craquant du pantalon neuf, pesaient comme des enclumes. Elle allait s'effondrer comme un cheval blessé à mort qui ne se relèvera jamais.

Déjà, le car avait chargé les quelques voyageurs et les colis qui l'avaient attendu à l'arrêt de cette ville. Une femme et un bébé dans sa poussette faisaient au revoir à quelqu'un. Le bâtiment, derrière eux, le café qui servait d'arrêt à l'autocar, étaient eux aussi en mouvement. Une onde parcourait les briques et les fenêtres comme si elles étaient sur le point de se liquéfier et de se dissoudre. Au péril de sa vie, Carla remua son corps gigantesque, ses membres de fer, pour s'avancer. Elle trébucha, s'écria, « Laissez-moi descendre. »

Le chauffeur freina et lança avec colère, « Je croyais que vous alliez à Toronto! » Des gens lui jetèrent un regard vaguement curieux, personne ne semblait comprendre que l'angoisse la mettait au supplice.

« Il faut que je descende ici. »

« Il y a des toilettes à l'arrière. »

« Non. Non. Il faut que je descende. »

« Je ne vous attendrai pas. Vous comprenez? Vous avez des bagages dans la soute? »

« Non. Oui. Non. »

« Pas de bagages? »

Une voix s'éleva dans l'autocar, « Elle est claustrophobe. Ça doit être ça qui ne va pas. »

« Vous êtes malade? » demanda le chauffeur.

« Non. Non. Je veux descendre, c'est tout. »
« D'accord. D'accord. C'est vous qui voyez. »

« *Viens me chercher. S'il te plaît. Viens me chercher.* »
« *J'arrive.* »

Sylvia avait oublié de fermer sa porte à clé. Elle se rendit compte qu'elle aurait dû la fermer à présent, pas l'ouvrir, mais c'était trop tard, elle l'avait ouverte.

Et il n'y avait personne.

Pourtant elle était sûre, sûre, qu'on avait vraiment frappé.

Elle referma la porte et cette fois tourna la clé.

Il y eut un bruit joyeux, un tapotis cristallin, joueur, venant du mur de fenêtres. Elle alluma la lumière mais ne vit rien à cet endroit et l'éteignit. Une bête — peut-être un écureuil? Les portes-fenêtres encadrées de fenêtres qui donnaient sur le patio n'avaient pas non plus été fermées à clé. Ni même vraiment fermées, laissées entrouvertes de deux ou trois centimètres quand elle avait aéré la maison. Elle alla les fermer et quelqu'un rit, tout près, assez pour être dans la pièce avec elle.

« C'est moi, dit un homme. Je vous ai fait peur? » Il était appuyé contre la vitre, il était juste à côté d'elle.

« C'est Clark, dit-il. Clark, un peu plus haut, sur la route. »

Elle ne l'inviterait pas à entrer, mais elle avait peur de lui fermer la porte au nez. Il aurait pu s'en saisir avant qu'elle y arrive. Elle ne voulait pas non plus allumer la lumière. Pour dormir elle mettait un long T-shirt. Elle aurait pu reprendre l'édredon sur le canapé et s'en envelopper mais c'était trop tard à présent.

« Vous vouliez vous habiller? demanda-t-il. J'ai peut-être exactement ce qu'il vous faut là-dedans. »

Il avait un sac à la main. Il le lui tendit sans faire mine d'avancer lui-même.

« Quoi? » fit-elle d'une voix blanche.

« Vous n'avez qu'à regarder. Ce n'est pas une bombe. Tenez, prenez. »

Elle tâta l'intérieur du sac sans regarder. Quelque chose de mou. Puis elle reconnut les boutons du blouson, la soie du chemisier, la ceinture du pantalon.

« Je me suis dit qu'il fallait vous les rendre, dit-il. Ils sont à vous, non ? »

Elle serra les mâchoires pour ne pas claquer des dents. La peur lui desséchait la bouche et la gorge.

« J'ai cru comprendre qu'ils étaient à vous », dit-il doucement.

Les mouvements de sa langue étaient comme ceux d'un tampon de laine. Elle se contraignit à dire, « Où est Carla ? »

« Carla ? Vous voulez dire ma femme ? »

À présent elle voyait plus clairement son visage. Elle voyait combien il avait l'air de s'amuser.

« Ma femme est couchée à la maison. Elle dort dans son lit. Là où est sa place. »

Il était bel homme et en même temps avait l'air un peu bête. Grand, mince, bien bâti, mais avec une décontraction qui semblait factice, un air de menace étudié, fabriqué. Une boucle de cheveux noirs qui lui retombait sur le front, une petite moustache vaine, des yeux où on croyait lire à la fois l'espoir et la moquerie, un sourire enfantin menaçant perpétuellement de devenir boudeur.

Son allure lui avait toujours déplu — elle s'en était ouverte à Leon qui avait dit que c'était simplement que le type n'était pas sûr de lui, juste un peu trop amical.

Le fait qu'il n'était pas sûr de lui n'avait rien de rassurant pour elle en ce moment.

« Elle est crevée, dit-il. Après sa petite aventure. Si vous aviez pu vous voir — voir votre expression quand vous avez reconnu ces fringues. Qu'est-ce que vous croyiez ? Vous croyiez que je l'avais tuée ? »

« J'étais surprise », dit Sylvia.

« Tu m'étonnes ! Après l'avoir tellement aidée pour sa petite escapade. »

« Je l'ai aidée… dit Sylvia au prix d'un effort considérable. Je l'ai aidée parce qu'elle avait l'air d'être malheureuse. »

« Malheureuse, dit-il comme s'il considérait ce mot. Je crois qu'elle l'était. Elle était très malheureuse quand elle a sauté de ce car pour me téléphoner de venir la chercher. Elle sanglotait si fort que j'avais du mal à comprendre ce qu'elle disait. »

« Elle voulait revenir ? »

« Oh ça oui. Je vous crois qu'elle voulait revenir. Elle en était hystérique. C'est une fille qui a des hauts et des bas très prononcés dans ses émotions. Mais vous ne devez pas la connaître aussi bien que moi. »

« Elle semblait très contente de partir. »

« Vraiment ? Ma foi, je dois vous croire sur parole. Je ne suis pas venu pour discuter avec vous. »

Sylvia ne dit rien.

« Je suis venu vous dire que je n'apprécie pas que vous vous mêliez de ma vie avec ma femme. »

« C'est un être humain, dit Sylvia, alors qu'elle savait qu'elle aurait mieux fait de continuer de se taire. En plus d'être votre femme. »

« Sans blague, mince alors. Ma femme est un être humain ? Vraiment ? Merci du renseignement. Mais n'essayez pas de faire la maligne avec moi, *Sylvia*. »

« Je n'essayais pas. »

« Tant mieux. J'aime mieux ça. Je ne veux pas me mettre en colère. J'ai seulement deux choses importantes à vous dire. La première, c'est que je ne veux pas que vous fourriez le nez où que ce soit et quand que ce soit dans notre vie à moi et ma femme. L'autre, c'est que je ne veux plus qu'elle mette les pieds ici. C'est pas qu'elle-même en ait particulièrement envie, j'en suis plutôt sûr. Elle n'a pas trop bonne opinion de vous, pour le moment. Et il est temps que vous appreniez à faire vous-même le ménage chez vous.

« Alors, dit-il. Alors, c'est compris ? »

« Tout à fait compris. »

« Vraiment, je l'espère. J'espère. »

Sylvia dit, « Oui. »

« Et vous savez ce que je crois, à part ça ? »

« Non ? »

« Je crois que vous me devez quelque chose. »

« Quoi ? »

« Je crois que vous me devez — peut-être — vous me devez des excuses. »

Sylvia dit, « Très bien. Si c'est ce que vous pensez. Je m'excuse. »

Il fit un mouvement, peut-être seulement pour tendre la main, et à l'instant même où il bougea, elle poussa un cri aigu.

Il rit. Posa la main sur l'encadrement de la porte pour s'assurer qu'elle ne la ferme pas.

« Qu'est-ce que c'est ? »

« Quoi donc ? » demanda-t-il comme si elle voulait lui jouer un tour et que ça ne prenait pas avec lui. Mais il aperçut un reflet dans la vitre et pivota sur lui-même pour regarder.

Non loin de la maison, une vaste dépression creusait le paysage, qui s'emplissait souvent de brouillard, la nuit, à cette époque de l'année. Le brouillard y était cette nuit-là, y avait été pendant tout cet épisode. Mais à présent quelque chose avait changé. Le brouillard avait épaissi, pris une forme distincte, s'était mué en une chose hérissée de pointes et rayonnante. D'abord une boule dentelée et vivante qui fonçait vers eux, avant de se condenser en une espèce d'animal surnaturel, d'un blanc immaculé, diabolique, un peu comme une gigantesque licorne qui se précipitait sur eux.

« Seigneur Jésus », dit Clark doucement et avec dévotion. Et il agrippa l'épaule de Sylvia. Ce contact ne l'inquiéta pas du tout — elle l'accepta sachant qu'il le faisait soit pour la protéger soit pour se rassurer lui-même.

Puis la vision explosa. Sortant du brouillard et de l'effet

d'optique d'une lumière — dont on voyait à présent que c'était celle des phares d'une voiture qui roulait lentement sur la route de derrière, probablement à la recherche d'un endroit pour se garer —, surgit une chèvre blanche. Une petite chèvre blanche qui sautillait, à peine plus grande qu'un chien de berger.

Clark la lâcha. Il dit, « D'où tu sors, toi ? »

« C'est votre chèvre, dit Sylvia. C'est bien votre chèvre ? »

« Flora, dit-il. Flora. »

La chèvre s'était immobilisée à un mètre environ, soudain timide, et baissait la tête.

« Flora, dit Clark. Où t'étais passée, d'où tu sors ? Tu nous as flanqué une de ces frousses. »

Nous.

Flora s'approcha mais ne leva toujours pas la tête. Elle donna du front contre les jambes de Clark.

« Non mais quelle sale bête idiote, dit-il d'une voix mal assurée. D'où tu sors ? »

« Elle s'était perdue », dit Sylvia.

« Oui, perdue. J'ai bien cru qu'on ne la reverrait jamais, d'ailleurs. »

Flora leva la tête. La lune alluma un éclat dans ses yeux.

« Tu nous as flanqué une sacrée frousse, lui dit Clark. Tu t'étais mise à la recherche d'un petit copain ? Une sacrée frousse. Pas vrai ? On t'a prise pour un fantôme. »

« C'était l'effet du brouillard », dit Sylvia. Elle franchit alors la porte pour sortir dans le patio. En toute sécurité.

« Oui. »

« Et puis les phares de cette voiture. »

« Comme une apparition », dit-il, retrouvant son calme. Et content d'avoir pensé à cette description.

« Oui. »

« La chèvre de l'espace. Voilà ce que t'es. Une chèvre de l'espace, nom de Dieu », dit-il en flattant Flora. Mais quand Sylvia tendit sa main libre pour en faire autant — l'autre tenait toujours le sac des vêtements que Carla avait portés —, Flora

47

baissa immédiatement la tête comme pour se préparer à l'encorner pour de bon.

« On ne sait jamais, avec les chèvres, dit Clark. Elles peuvent bien avoir l'air apprivoisé mais elles ne le sont pas vraiment. Pas à partir du moment qu'elles sont adultes. »

« Elle est adulte ? Elle a l'air bien petite. »

« Elle ne sera jamais plus grande que ça. »

Ils restèrent à regarder la chèvre comme s'ils s'attendaient à ce qu'elle leur procure d'autres sujets de conversation. Mais cela ne se produirait apparemment pas. À partir de cet instant, ils ne pouvaient ni avancer ni reculer. Clark le regrettait peut-être car Sylvia crut voir passer une ombre sur son visage.

Mais il se résigna et dit, « Il est tard. »

« Je crois, oui », dit Sylvia, exactement comme s'il s'était agi d'une visite ordinaire.

« Bon, Flora. Il est temps qu'on rentre à la maison. »

« Je trouverai quelqu'un d'autre pour m'aider si j'en ai besoin, dit-elle. Je n'en aurai probablement plus besoin, d'ailleurs. » Elle ajouta, riant presque, « Je ne vous embêterai plus. »

« Oui, oui, dit-il. Vous feriez mieux de rentrer, vous allez attraper froid. »

« On croyait autrefois que les brouillards nocturnes étaient dangereux. »

« Ça, vous me l'apprenez. »

« Eh bien bonne nuit, dit-elle. Bonne nuit, Flora. »

Le téléphone se mit alors à sonner.

« Excusez-moi. »

Il leva la main et tourna les talons. « Bonne nuit. »

C'était Ruth au téléphone.

« Bah, dit Sylvia. Un changement de programme. »

Elle ne dormit pas. Elle pensait à la petite chèvre, dont l'apparition, surgie du brouillard lui semblait de plus en plus magique. Elle se demanda même s'il était possible que Leon eût quelque chose à faire là-dedans. Poète, elle aurait écrit un poème sur une histoire pareille. Mais dans son expérience les sujets qu'elle trouvait intéressants pour un poète n'inspiraient rien à Leon.

Carla n'avait pas entendu Clark sortir mais elle se réveilla quand il rentra. Il lui dit qu'il était allé jeter un œil à l'écurie.

« Une voiture est passée sur la route il y a un moment et je me suis demandé ce qu'elle venait faire ici. Je n'aurais pas pu me rendormir avant d'aller voir si tout allait bien. »

« Et alors, tout allait bien ? »

« Apparemment, oui. »

« Et puis tant que j'étais debout, dit-il, je me suis dit d'en profiter pour aller la voir. J'ai rapporté les fringues. »

Carla s'assit dans le lit.

« Tu ne l'as pas réveillée ? »

« Elle s'est réveillée. Il s'est rien passé. On a eu une petite conversation. »

« Ah. »

« Il s'est rien passé. »

« Tu lui as pas parlé de ça, hein ? »

« Je lui en ai pas parlé. »

« C'était entièrement inventé. Vraiment, je t'assure. Il faut que tu me croies. C'était un mensonge. »

« D'accord. »

« Il faut que tu me croies. »

« Alors je te crois. »

« J'avais tout inventé. »

« D'accord. »

Il se coucha.

« T'as les pieds froids, dit-elle. Comme s'ils étaient mouillés. »

« Beaucoup de rosée. »

« Viens là, dit-il. Quand j'ai lu ton mot, c'était comme si je devenais creux à l'intérieur. C'est vrai. Si jamais tu partais, j'aurais l'impression qu'il me reste plus rien en dedans. »

Le beau temps s'était maintenu. Dans les rues, les magasins, à la poste, les gens se saluaient en disant que l'été était enfin arrivé. L'herbe des prés et même les pauvres récoltes accablées relevaient la tête. Les flaques séchèrent, la boue se mua en poussière. Une légère brise tiède soufflait et tout le monde eut de nouveau envie de faire des choses. Le téléphone sonnait. Des questions sur les promenades en forêt, sur les leçons d'équitation. Les colonies de vacances étaient intéressées désormais, ayant annulé leurs visites à des musées. Des minibus arrivaient avec leurs cargaisons d'enfants surexcités. Les chevaux piaffaient le long des barrières, débarrassés de leur couverture. Clark avait réussi à trouver un élément de toiture assez grand pour un bon prix. Durant toute la journée qui avait suivi le Jour de l'Escapade (comme ils avaient baptisé le voyage en autocar de Carla) il avait réparé le toit du manège.

Pendant deux ou trois jours, tandis qu'ils s'acquittaient de leurs corvées, Carla et lui échangeaient des petits gestes de la main. S'il lui arrivait de passer près de lui, et qu'il n'y avait personne alentour, Carla déposait à l'occasion un baiser sur son épaule à travers le léger tissu de sa chemise d'été.

« Si jamais tu me fais une autre escapade je t'écorche », lui dit-il, et elle, « Tu ferais ça ? »

« Quoi ? »

« Tu m'écorcherais ? »

« T'as intérêt à le croire. »

Il était d'excellente humeur désormais, irrésistible, comme quand elle l'avait connu.

Il y avait des oiseaux partout. Merles, rouges-gorges, un couple de tourterelles qui roucoulait à l'aube. Plein de corbeaux, et des mouettes en mission de reconnaissance depuis le lac, et de gros vautours qui se perchaient sur les branches d'un chêne mort à huit ou neuf cents mètres environ, à la lisière des bois. Au début, ils étaient simplement restés perchés pour faire sécher leurs ailes volumineuses, s'élevant à l'occasion pour un vol d'essai, voletant un peu en rond, puis reprenant la pose pour laisser le soleil et l'air chaud faire leur œuvre. En une journée ou deux ils furent remis en état, prirent leur essor et volèrent haut, décrivant de grands cercles puis se laissant tomber, disparaissant au dessus des bois, revenant à leur perchoir familier dans l'arbre nu.

La propriétaire de Lizzie — Joy Tucker — revint bronzée et d'humeur amicale. Elle en avait eu assez de la pluie et était partie pour les vacances en randonnée dans les Rocheuses. Maintenant elle était de retour.

« Juste au bon moment question temps », dit Clark. Lui et Joy Tucker ne tardèrent pas à blaguer comme si rien ne s'était passé.

« Lizzie a l'air en forme. Mais où est sa petite copine ? Comment déjà — Flora ? »

« Disparue, dit Clark. Elle est peut-être partie pour les Rocheuses. »

« Il y a plein de chèvres sauvages, là-bas. Avec des cornes incroyables. »

« Il paraît, oui. »

Pendant trois ou quatre jours, ils avaient eu trop à faire pour aller jusqu'à la boîte aux lettres. Quand Carla l'ouvrit elle trouva la note du téléphone, une quelconque promesse qu'en s'abonnant à tel magazine ils pourraient gagner un million de dollars, et la lettre de Mme Jamieson.

Ma chère Carla,
J'ai réfléchi aux événements (plutôt dramatiques) de ces derniers jours, et je me suis surprise à parler toute seule mais en réalité à vous, si souvent que j'ai pensé qu'il fallait m'adresser à vous ne serait-ce — le mieux que je puisse faire désormais — que par une lettre. Et rassurez-vous — vous n'avez pas à me répondre.

Mme Jamieson écrivait ensuite qu'elle craignait de s'être trop intimement impliquée dans la vie de Carla et d'avoir commis l'erreur de penser qu'en somme le bonheur et la liberté de Carla étaient une seule et même chose. Tout ce qu'elle souhaitait, c'était son bonheur et elle voyait maintenant que Carla devait le trouver dans son mariage. Tout ce qu'elle pouvait espérer, c'était que peut-être la fuite de Carla et ces émotions tumultueuses avaient amené ses vrais sentiments à la surface et peut-être chez son époux la reconnaissance de ses vrais sentiments à lui.

Elle comprendrait parfaitement qu'elle souhaite l'éviter à l'avenir mais elle serait toujours reconnaissante de la présence de Carla dans sa vie au cours d'une période si difficile.

La chose la plus étrange et la plus merveilleuse de cette chaîne d'événements me semble la réapparition de Flora. De fait, on dirait presque un miracle. Où était-elle passée pendant tout ce temps et pourquoi a-t-elle choisi précisément ce moment pour réapparaître? Je suis sûre que votre mari vous l'aura raconté. Nous bavardions à la porte du patio et c'est moi — tournée vers l'extérieur — qui ai vu la première cette chose blanche qui fondait sur nous en sortant de la nuit. Bien sûr ce n'était qu'un effet du brouillard. Mais c'était vraiment terrifiant. Je crois bien que j'ai poussé un cri. Jamais de ma vie je n'avais ressenti un tel ensorcellement, au sens propre. Et pour être sincère je dois dire aussi une telle peur. Nous étions là, deux adultes, figés sur place, et puis c'est la petite Flora perdue qui est sortie du brouillard.

Il y a forcément quelque chose de particulier là-dedans. Je sais évidemment que Flora est une bête ordinaire et qu'elle a probablement passé le temps qu'a duré son escapade à se faire engrosser. En un sens, son retour n'est en rien lié à nos vies humaines. Pourtant son apparition à cet instant-là a bien eu un effet profond sur votre mari et sur moi. Quand deux êtres humains que divise une certaine hostilité sont au même instant mystifiés — non, effrayés — par la même apparition, il se crée aussitôt un lien entre eux et ils se retrouvent unis de la façon la plus inattendue. Unis dans leur humanité — c'est la seule façon que je trouve de le décrire. Nous

nous sommes quittés presque amis. Flora a donc sa place sem-
blable à celle d'un ange gardien dans ma vie et peut-être aussi
dans celle de votre mari et dans la vôtre.

Avec tous mes vœux de bonheur, Sylvia Jamieson

Sitôt après avoir lu cette lettre, Carla la froissa. Puis elle la brûla dans l'évier. Les flammes bondirent à une hauteur inquiétante et elle ouvrit le robinet, puis racla à la main le résidu noir, mou et dégoûtant, pour le mettre dans les toilettes comme elle aurait dû le faire tout de suite.

Elle fut très occupée le restant de cette journée, et le lende-main, et le surlendemain. Dans ce laps de temps elle dut emme-ner deux groupes promener en forêt, donner des leçons à des enfants, individuellement et en groupe. La nuit, quand Clark la prenait dans ses bras — avec tout le travail qu'il avait à présent, il n'était jamais trop fatigué, jamais fâché —, elle n'avait aucun mal à coopérer.

C'était comme si une aiguille meurtrière s'était logée quelque part dans ses poumons, et qu'en respirant prudem-ment elle pouvait éviter de la sentir. Mais de temps à autre il lui fallait prendre une profonde inspiration, et l'aiguille était tou-jours là.

Sylvia avait pris un appartement dans la ville où elle ensei-gnait à l'université. La maison n'était pas à vendre — en tout cas il n'y avait pas d'écriteau. Leon Jamieson avait reçu une quelconque distinction posthume — les journaux en avaient parlé. Cette fois il n'était pas question d'argent.

Quand les jours d'automne secs et dorés arrivèrent — saison encourageante et profitable —, Carla découvrit qu'elle s'était accoutumée à la pensée tranchante qui s'était instal-lée en elle. Elle était moins tranchante désormais — en fait, elle avait cessé de la surprendre. Et elle était habitée à présent par une idée presque séduisante, une tentation constamment tapie en elle.

Il lui suffisait de lever les yeux, il lui suffisait de regarder dans une certaine direction, pour savoir où elle pourrait aller. Une promenade du soir, une fois ses corvées du jour accomplies. Jusqu'à la lisière des bois, et l'arbre mort où les vautours s'étaient naguère réunis.

Et puis les petits os sales dans l'herbe. Le crâne où s'accrochaient peut-être quelques lambeaux de peau sanguinolente. Un crâne qu'elle aurait pu tenir comme une tasse à thé dans une main. La connaissance dans une main.

Ou peut-être pas. Il n'y avait peut-être rien là-bas.

Il aurait pu se passer autre chose. Il aurait pu chasser Flora. Ou l'attacher à l'arrière de la camionnette et rouler assez loin avant de la relâcher. La remmener où ils l'avaient achetée. Pour ne plus l'avoir là, comme un rappel pour eux deux.

Elle était peut-être libre.

Les jours passaient et Carla ne s'aventurait pas jusque-là. Elle résistait à la tentation.

Hasard

À la mi-juin 1965, le semestre est terminé à Torrance House. Juliet ne s'est pas vu offrir d'emploi permanent — la prof qu'elle remplaçait s'est rétablie — et elle pourrait dès lors prendre le chemin du retour. Mais elle fait ce qu'elle a décrit comme un petit détour. Un petit détour pour voir un ami qui vit plus au nord sur la côte.

Il y a un mois environ, elle est allée avec une autre prof — Juanita, seule personne d'un âge proche du sien dans l'équipe enseignante et sa seule amie — voir la ressortie d'un film intitulé *Hiroshima mon amour*. Juanita a avoué après le film qu'elle était elle-même, comme la femme qu'on voyait dedans, amoureuse d'un homme marié — le père d'une élève. Juliet a alors dit qu'elle s'était trouvée dans une situation similaire mais n'avait pas laissé les choses se poursuivre à cause de l'état tragique de l'épouse. L'épouse était totalement invalide, le cerveau plus ou moins mort. Juanita répondit qu'elle aurait bien voulu que l'épouse de son amant ait le cerveau plus ou moins mort mais que tel n'était pas le cas — elle était vigoureuse, influente et en mesure de la faire renvoyer.

Et peu après, comme si ce genre de mensonge ou de demi-mensonge indigne l'avait fait surgir de rien, il était arrivé une lettre. L'enveloppe ne payait guère de mine, à croire qu'elle avait séjourné un certain temps dans une poche, et était seulement adressée à « Juliet (professeur), Torrance House, 1482 Mark St., Vancouver, BC ». La directrice la remit à Juliet en disant, « Je suppose que c'est pour vous. C'est bizarre qu'il n'y ait pas de nom mais l'adresse est exacte. Ils l'auront trouvée dans l'annuaire. »

Chère Juliet, j'avais oublié le nom du collège où vous enseignez mais l'autre jour cela m'est revenu, comme ça tout d'un coup, alors cela m'a semblé un signe que je devais vous écrire. J'espère que vous y êtes toujours mais il faudrait que le poste soit assez épouvantable pour que vous y renonciez avant la fin du semestre et d'ailleurs vous ne m'avez vraiment pas fait l'effet d'être du genre à renoncer.

Comment trouvez-vous le climat de notre côte Ouest? Si vous jugez qu'il pleut beaucoup à Vancouver, imaginez deux fois plus de pluie, c'est ce que nous avons ici.

Je pense souvent à vous assise à regarder les ~~étoles~~ étoiles. Vous voyez j'ai écrit les étoles, il est tard et il serait temps que je me couche.

Ann est à peu près pareille. Quand je suis rentré de mon voyage, j'ai trouvé qu'elle avait beaucoup baissé mais c'était surtout parce que j'ai pu voir d'un seul coup combien elle avait décliné au cours des deux ou trois dernières années. Je ne m'en étais pas aperçu quand je la voyais tous les jours.

Je ne crois pas vous avoir dit que j'allais m'arrêter à Regina pour voir mon fils qui a maintenant onze ans. C'est là qu'il vit avec sa mère. Je me suis aperçu que lui aussi avait beaucoup changé.

Je suis content de m'être enfin souvenu du nom de l'école mais j'ai bien peur maintenant de ne pas arriver à me rappeler le vôtre. Je vais quand même mettre ça sous enveloppe en espérant que le nom me reviendra.

Je pense souvent à vous.

Je pense souvent à vous

Je pense souvent à vous zzzzzzz

Le car emmène Juliet du centre de Vancouver jusqu'à Horseshoe Bay où il embarque sur un bac. Puis à travers une péninsule et sur un autre bac et de nouveau sur le continent jusqu'à la ville où habite l'homme qui a écrit la lettre. Whale

Bay. Et que l'on passe vite — avant même Horseshoe Bay — de la ville à la nature sauvage ! Tout le trimestre elle a vécu parmi les pelouses et les jardins de Kerrisdale avec les montagnes de la rive septentrionale qu'on apercevait comme un rideau de scène chaque fois que le temps se découvrait. Le parc de l'école était abrité et civilisé, ceint d'un mur de pierres avec toujours quelque chose en fleur à chaque saison de l'année. Et les jardins des maisons d'alentour étaient à l'avenant. Une telle profusion bien entretenue — rhododendrons, houx, lauriers et glycines. Mais avant même d'arriver à Horseshoe Bay, la vraie forêt, pas celle des parcs, se referme. Et par la suite — eau et rochers, arbres sombres, mousses suspendues. De temps à autre, une mince fumée montait d'une maisonnette d'aspect humide et délabré, la cour pleine de bois de chauffage, de poutres et de pneus, d'autos et de pièces détachées, de bicyclettes cassées ou encore entières, de jouets, de toutes les choses qui doivent rester dehors quand les gens n'ont ni garage ni sous-sol.

Les villes où le car s'arrête ne sont pas organisées du tout. Par endroits, quelques maisons répétitives — appartenant à une compagnie — sont bâties les unes près des autres, mais la plupart des habitations ressemblent à celles qu'on voit dans les bois, dressées chacune au milieu d'une vaste cour encombrée d'un fatras comme si on les avait bâties à portée de regard les unes des autres seulement par accident. Pas de chaussées asphaltées, hormis la grand-route qui les traverse, pas de trottoirs. Pas de gros bâtiments en dur pour abriter la poste ou les bureaux de la municipalité, pas d'ensembles de magasins ornementés, conçus pour qu'on les remarque. Pas de monuments aux morts, pas de fontaines, pas de petits parcs fleuris. Parfois un hôtel, qu'on prendrait seulement pour un pub. Parfois une école ou un hôpital modernes — corrects mais bas et aussi quelconques qu'un hangar.

Et par moments — plus particulièrement à bord du second bac — elle est prise de doutes qui lui retournent l'estomac à propos de toute l'affaire.

Je pense souvent à vous
Je pense à vous souvent

Ce n'est que le genre de choses qu'on dit quand on se veut consolant ou qu'on désire vaguement garder quelqu'un sous sa coupe.

Mais il y aura forcément un hôtel ou ne serait-ce qu'un gîte, à Whale Bay. Elle y descendra. Elle a laissé sa grosse valise au collège, pour l'y reprendre plus tard. Elle n'a que son sac de voyage en bandoulière, elle passera plutôt inaperçue. Elle restera une nuit. Peut-être lui téléphonera-t-elle.

Et pour dire quoi?

Qu'elle est dans le coin pour rendre visite à une amie? Son amie Juanita, du collège, qui a une maison d'été — où? Juanita a une maisonnette dans les bois, elle est du genre intrépide qui aime la vie en pleine nature (tout à fait différente de la Juanita réelle qui quitte rarement ses talons aiguilles). Et la maisonnette s'est révélée voisine de Whale Bay, un peu au sud. La visite à la maisonnette et à Juanita étant terminée, Juliet s'est dit — elle s'est dit — puisqu'elle se trouvait déjà tout près — elle s'est dit qu'autant en profiter…

Rochers, arbres, eau, neige. Ces éléments, constamment recombinés, composaient le paysage voilà six mois, derrière la fenêtre du train, un matin entre Noël et le jour de l'an. Les rochers étaient gros, certains faisaient saillie, d'autres étaient usés, adoucis comme des galets, gris foncé ou tout à fait noirs. Il y avait surtout des arbres à feuillage persistant, pins ou épinettes ou cèdres. Les épinettes — des épinettes noires — semblaient porter ce qui ressemblait à de petits arbres supplémentaires, miniatures d'eux-mêmes, piqués à leur faîte. Les arbres à feuillage caduc étaient grêles et nus. C'étaient tantôt des peupliers, tantôt des mélèzes, tantôt des aulnes. Certains d'entre eux avaient le tronc tacheté. La neige couvrait d'épais chapeaux le sommet des rochers et formait des emplâtres sur le côté des troncs exposé au vent. Elle tapissait d'une couche lisse et molle

58

la surface de nombreux lacs gelés grands et petits. De temps à autre, on voyait le flot rapide des eaux libres de glace d'un étroit et sombre ruisseau.

Juliet avait un livre ouvert sur les genoux mais elle ne lisait pas. Elle ne quittait pas des yeux ce qui défilait. Elle était seule sur un siège double et il y avait un siège double inoccupé en face d'elle. C'était dans cet espace qu'on installait sa couchette, le soir. L'employé des wagons-lits s'activait pour l'heure dans la voiture, repliant les couchettes pour la journée. Par endroits, les housses vert sombre avec leur fermeture à glissière pendaient encore jusqu'au plancher. Il y avait l'odeur de ce tissu, semblable à une toile de tente, et peut-être une légère odeur de linge de nuit et de toilette. Une bouffée d'air froid hivernal chaque fois qu'on ouvrait la porte à l'une des deux extrémités du wagon. Les derniers voyageurs allaient prendre le petit déjeuner, d'autres regagnaient leur place.

Il y avait des traces dans la neige, les traces de petits animaux. Colliers de perles qui faisaient des boucles, disparaissaient.

Juliet avait vingt et un ans et possédait déjà une maîtrise de lettres classiques. Elle travaillait à sa thèse de doctorat mais s'était interrompue pour aller enseigner le latin dans un collège privé de jeunes filles à Vancouver. Elle n'avait pas d'expérience du professorat mais devant une absence inattendue en plein semestre le collège avait été trop content de l'engager. Probablement n'y avait-il pas eu d'autres réponses à l'annonce. Le salaire était inférieur à ce qu'aucun professeur qualifié eût vraisemblablement accepté. Mais Juliet était heureuse de gagner quelque argent que ce fût après les années où elle avait subsisté d'une maigre bourse.

C'était une fille de haute taille, le teint frais, les os délicats, dont la chevelure châtain clair ne pouvait jamais malgré la laque garder le moindre volume. Son allure était celle d'une écolière alerte. La tête haute, l'arrondi du menton bien dessiné, la large bouche aux lèvres minces, le bout de nez retroussé, les yeux brillants et un front que rougissait souvent l'effort ou la gratitude. Elle faisait la joie de ses professeurs. Ils étaient reconnaissants désormais à quiconque entreprenait d'étudier les langues mortes et plus particulièrement à quelqu'un d'aussi doué — mais elle leur causait en même temps bien du souci. L'ennui était qu'elle fût une fille. Si elle se mariait — ce qui pouvait se produire, car elle n'était pas laide, pour une boursière elle n'était même pas laide du tout —, elle réduirait à néant tout son dur labeur et le leur, et si elle ne se mariait pas elle deviendrait probablement triste et solitaire, perdant ses chances d'avancement au profit des hommes (qui en avaient plus besoin qu'elle puisqu'ils étaient soutiens de famille). Et elle ne serait pas en mesure de défendre la bizarrerie de son choix des lettres classiques, d'en accepter le caractère inadapté ou profondément ennuyeux aux yeux des gens, de s'en débarrasser comme un homme eût pu le faire. Les choix bizarres étaient tout simplement plus faciles pour les hommes dont la plupart trouveraient des femmes heureuses de les épouser. Tel n'était pas le cas en sens inverse.

Quand l'offre de poste se présenta, ils la pressèrent de la saisir. Cela vous fera du bien. De sortir un moment dans le monde extérieur. D'affronter un peu la vie réelle.

Juliet avait l'habitude de ce genre de conseils, mais fut déçue de les entendre venant d'hommes qui ne semblaient ni par leur allure, ni par leur langage s'être volontiers frottés eux-mêmes au monde réel. Dans la ville où elle avait grandi, sa forme d'intelligence était souvent rangée dans la même catégorie qu'une claudication ou qu'un pouce surnuméraire, et l'on n'avait pas tardé à noter les défauts qui ne pouvaient manquer d'y être associés — son incapacité à se servir d'une machine à coudre, à faire un joli paquet ou à s'apercevoir que sa combinaison dépassait. Qu'allait-elle bien pouvoir devenir, telle était la question.

Elle s'était même posée à son père et à sa mère, qui étaient fiers d'elle. Sa mère souhaitait qu'elle se fasse beaucoup d'amis et dans ce but l'avait donc pressée d'apprendre à patiner et à jouer du piano. Elle n'appréciait et ne faisait bien ni l'un ni l'autre. Son père souhaitait seulement qu'elle s'intègre. Il faut que tu t'intègres, lui disait-il, sinon les gens te rendront la vie infernale. (C'était ignorer le fait que lui, et plus encore la mère de Juliet, n'étaient pas eux-mêmes des exemples d'intégration et n'étaient pas malheureux pour autant. Peut-être doutait-il que Juliet pût avoir tant de chance.)

C'est fait, dit Juliet une fois qu'elle fut partie pour l'université. Dans le département des lettres classiques, je m'intègre. Je vais catastrophiquement bien.

Et voilà qu'elle recevait de nouveau le même message, de ses maîtres, qui avaient semblé l'estimer et se réjouir de sa présence. Cette réjouissance ne dissimulait pas leur inquiétude. Sortez dans le monde extérieur, avaient-ils dit. Comme si jusque-là elle n'avait été nulle part.

N'empêche que, dans ce train, elle était heureuse.

La taïga, se disait-elle. Elle ne savait pas si c'était le mot juste pour ce qu'elle avait sous les yeux. Peut-être s'était-elle fait, à un certain niveau, une idée d'elle-même comme d'une jeune femme dans un roman russe, en route pour un paysage inconnu, terrifiant et exaltant, où les loups hurleraient la nuit et où elle rencontrerait son destin. Peu lui importait que ce destin — dans un roman russe — se révélât vraisemblablement morne ou tragique ou les deux à la fois.

Le destin personnel n'était pas en cause, d'ailleurs, ce qui l'attirait — l'enchantait, à vrai dire — c'était l'indifférence même, le caractère répétitif, l'absence de soin, le mépris de l'harmonie, qu'offrait la surface tourmentée du bouclier précambrien.

Une ombre parut au coin de son œil. Puis une jambe de pantalon, qui s'approchait.

« Cette place est libre ? »

Évidemment qu'elle l'était. Que pouvait-elle dire ?

Mocassins à glands, pantalon ocre, veston à carreaux ocre

et bruns marqué d'une fine ligne bordeaux, chemise bleu foncé, cravate bordeaux tachetée de bleu et d'or. Le tout flambant neuf et — à l'exception des souliers — un peu trop grand en apparence, comme si le corps qui était dedans avait quelque peu rétréci depuis l'achat.

L'homme pouvait être quinquagénaire, avec des mèches luisantes de cheveux brun doré plaquées en travers du crâne. (Non, il n'était pas possible qu'il les teigne, qui s'aviserait de teindre une chevelure si clairsemée?) Ses sourcils étaient plus sombres, roussâtres, en accent circonflexe et broussailleux. La peau de son visage était tout entière plutôt grumeleuse, épaissie comme la surface du lait tourné.

Était-il laid? Oui, évidemment. Il était laid, mais c'était à ses yeux le cas de très, très nombreux hommes de ce groupe d'âge. Elle n'aurait pas dit, par la suite, qu'il était remarquablement laid.

Ses sourcils se levèrent, ses yeux délavés, larmoyants, s'écarquillèrent, comme pour manifester sa propension à la convivialité. Il s'installa en face d'elle. Il dit, « Il n'y a pas grand-chose à voir, par ici. »

« Non. » Elle baissa les yeux sur son livre.

« Et, fit-il comme si les choses s'engageaient sans la moindre contrainte, jusqu'où allez-vous? »

« Vancouver. »

« Moi aussi. À travers la totalité du pays. Autant le voir en entier, pendant qu'on y est, vous ne trouvez pas? »

« Mmm. »

Mais il s'obstinait.

« Vous êtes partie de Toronto, vous aussi? »

« Oui. »

« C'est là que je vis, à Toronto. J'y ai vécu toute ma vie. Vous êtes de Toronto, vous aussi? »

« Non », dit Juliet, regardant de nouveau son livre et s'efforçant de prolonger le silence. Mais quelque chose — son éducation, sa gêne, Dieu sait quoi, peut-être sa pitié — fut trop fort pour elle et elle consentit à livrer le nom de sa ville natale, puis à la situer pour lui en donnant sa distance par rapport à diverses villes plus importantes, sa position au regard du lac Huron, de la baie Georgienne.

« J'ai une cousine à Collingwood. C'est gentil, par là-haut. Je suis allé les voir, elle et sa famille, une ou deux fois. Vous voyagez seule ? Comme moi ? »

Il n'arrêtait pas de croiser et de recroiser les mains l'une par-dessus l'autre.

« Oui. » Assez, songe-t-elle. Assez.

« C'est la première fois que je fais un aussi long voyage. Une vraie expédition quand on est tout seul. »

Juliet ne dit rien.

« Je vous ai vue là, toute seule, à lire votre livre et je me suis dit, peut-être qu'elle est toute seule et qu'elle va encore loin, alors on pourrait peut-être faire un peu copains tous les deux, non ? »

À ces mots, *faire un peu copains,* une froide turbulence monta en Juliet. Elle comprit qu'il n'essayait pas de la draguer. Une des choses démoralisantes qui lui arrivait parfois était que des hommes assez gauches et solitaires et peu séduisants lui fassent des avances sans ambages, impliquant par là qu'elle devait partager un sort voisin du leur. Mais ce n'était pas ce qu'il faisait. Il voulait une amie, pas une petite amie. Il voulait une copine.

Juliet savait qu'aux yeux de bien des gens elle pouvait passer pour bizarre et solitaire — et d'ailleurs, en un sens, c'est ce qu'elle était. Mais elle avait aussi fait l'expérience, une bonne partie de sa vie, de se sentir entourée de gens qui souhaitaient accaparer son attention, son temps et son âme. Et, d'ordinaire, elle les laissait faire.

Sois accessible, sois amicale (d'autant plus que tu souffres d'un vrai déficit de popularité) — voilà ce qu'on apprenait dans une petite ville et aussi dans les pensionnats et à l'université. Sois accueillante à quiconque souhaite te vampiriser, même à ceux qui n'ont pas la moindre idée de qui tu peux être.

Elle regarda l'homme droit dans les yeux et ne sourit pas. Il vit sa résolution, il y eut un tressaillement d'inquiétude sur son visage.

« C'est bien, ce que vous lisez ? De quoi ça parle ? »

Elle n'allait pas dire que ça parlait de la Grèce antique et de l'attachement considérable des Grecs pour l'irrationnel. Elle n'enseignerait pas le grec, mais était censée donner un cours sur la pensée grecque, aussi relisait-elle Dodds, pour voir ce qu'elle pouvait y glaner. Elle dit, « J'ai effectivement envie de lire. Je crois que je vais aller à la voiture panoramique. »

Et elle se leva et s'éloigna, songeant qu'elle n'aurait pas dû dire où elle allait. Qu'il était possible qu'il se lève pour la suivre tout en s'excusant et préparant le terrain à une nouvelle demande. Mais aussi qu'il ferait froid dans la voiture panoramique et qu'elle regretterait de n'avoir pas pris son chandail. Impossible de retourner le chercher, maintenant.

La vue qu'offrait la voiture panoramique à l'arrière du train lui sembla moins satisfaisante que celle qu'on avait par la fenêtre de son wagon-lit. Le spectacle du train lui-même faisait désormais intrusion, sans cesse devant vous. Peut-être son désagrément venait-il de ce qu'elle avait froid, exactement comme elle l'avait prévu. Et de ce qu'elle était troublée. Mais sans regrets. Un instant de plus et il aurait tendu sa main moite — elle pensait qu'il aurait eu la main moite ou alors sèche et écailleuse —, ils auraient échangé leur nom, elle se serait retrouvée enfermée à double tour. C'était la première victoire du genre qu'elle eût été capable de remporter et c'était contre le plus pitoyable, le plus triste des adversaires. Elle l'entendait encore dire *faire copains,* il en avait plein la bouche. Excuses et insolence. Les excuses, c'était chez lui une habitude, mais l'insolence résultait d'on ne sait quel espoir, quelle détermination venant crever la surface de sa solitude, de sa famine.

C'était nécessaire mais ça n'avait pas été facile, pas facile du tout. À vrai dire, c'était une plus grande victoire, sans doute, de résister à une personne dans son état. Une plus grande victoire que s'il avait été adroit et plein d'assurance. Mais pendant quelque temps elle serait plutôt malheureuse.

Il n'y avait que deux voyageuses dans la voiture panoramique. Deux femmes d'un certain âge qui n'étaient pas assises ensemble. Quand Juliet vit un grand loup traverser la surface enneigée, parfaite, d'un petit lac, elle sut qu'elles devaient le voir aussi. Mais ni l'une ni l'autre ne rompirent le silence et cela lui fut agréable. Le loup n'accorda aucune attention au train, ne marqua aucune hésitation, aucune hâte. Sa fourrure était longue, argentée, tirant sur le blanc. Croyait-il qu'elle le rendait invisible?

Pendant qu'elle observait le loup, un autre voyageur était arrivé. Il s'assit dans la même rangée qu'elle de l'autre côté du couloir. Il avait un livre, lui aussi. Un couple âgé suivit — elle, petite et vive, lui, grand, gros et maladroit, prenant de profondes inspirations heurtées et réprobatrices.

« Il fait froid ici », dit-il quand ils furent installés.

« Veux-tu que j'aille chercher ta veste? »

« Ne te dérange pas. »

« Ça ne me dérange pas. »

« Non, ça ira. »

Au bout d'un moment la femme dit, « On a vraiment un point de vue extraordinaire d'ici. » Il ne répondit pas et elle essaya de nouveau. « On voit de tous les côtés à la fois. »

« Pour ce qu'il y a à voir. »

« Attends un peu quand on traversera les montagnes. C'est quelque chose. Comment as-tu trouvé le petit déjeuner? »

« Les œufs n'étaient pas assez cuits. »

« Je sais. » La dame compatit. « J'ai pensé que j'aurais dû faire irruption dans la cuisine pour les préparer moi-même. »

« La coquerie. On dit la coquerie. »

« Je croyais que c'était sur les bateaux. »

Juliet et l'homme assis de l'autre côté de l'allée centrale levèrent les yeux de leur livre au même instant et leurs regards se croisèrent avec un calme dépourvu de toute expression. Et pendant la seconde ou deux que cela dura, le train ralentit, puis s'arrêta, et ils regardèrent ailleurs.

Ils étaient arrivés à une espèce de village perdu dans les bois. D'un côté la gare, peinte de rouge sombre, et de l'autre quelques maisons de la même couleur. Habitations ou dortoirs pour les employés des chemins de fer. On annonça dix minutes d'arrêt.

Le quai de la gare avait été déneigé et Juliet en regardant vers l'avant vit des gens descendre du train pour se dégourdir les jambes. Elle aurait aimé en faire autant, mais pas sans manteau.

L'homme assis de l'autre côté du couloir se leva et descendit les marches sans un regard alentour. Des portes s'ouvrirent quelque part en contrebas, amenant subrepticement un courant d'air froid. Le mari âgé demanda ce qu'on fichait là et comment s'appelait ce patelin, d'abord. Sa femme alla à l'avant de la voiture pour essayer d'apercevoir le nom mais revint bredouille.

Juliet lisait un passage consacré aux ménades. Leurs rites étaient célébrés la nuit, au milieu de l'hiver, disait Dodds, les femmes montaient au sommet du mont Parnasse, et quand il leur arriva d'être une nuit isolées par une tempête de neige, il fallut leur envoyer des sauveteurs. Les futures ménades furent redescendues les vêtements raides comme des planches, ayant malgré leur transe accepté d'être secourues. Cela semblait à Juliet un comportement assez contemporain, qui jetait en quelque sorte un éclairage moderne sur les débordements des participantes à la célébration. Ses élèves le verraient-elles ainsi? Vraisemblablement pas. Elles seraient probablement armées contre tout amusement possible, toute implication, comme le sont les élèves, et celles qui n'étaient pas ainsi armées ne voudraient pas le montrer.

L'invitation à remonter en voiture retentit, le courant d'air frais fut coupé, on se remit en mouvement comme à regret. Elle leva les yeux pour assister au départ et vit, un peu plus loin vers l'avant, la locomotive disparaître dans une courbe.

Et puis une secousse ou un frisson, un frisson qui sembla parcourir toute la longueur du train. La sensation, là, en haut, que la voiture se balançait. Un arrêt brutal.

Tout le monde attendait que le train reparte et personne ne dit mot. Même le mari rouspéteur se tut. Des minutes passèrent. Des portières s'ouvraient et se refermaient. Des voix d'hommes appelaient, il se répandait un sentiment de frayeur et d'agitation. Dans la voiture-salon, juste en dessous, la voix d'une autorité — peut-être celle du contrôleur. Mais il n'était pas possible d'entendre ce qu'il disait.

Juliet se leva et gagna l'avant de la voiture, regardant par-dessus tous les wagons qui étaient devant. Elle vit quelques silhouettes qui couraient dans la neige.

Une des deux dames seules se leva et vint près d'elle.

« J'ai senti qu'il allait se passer quelque chose, dit la dame. Je l'ai senti, là, quand nous étions arrêtés. Je n'avais pas envie que nous repartions, je pensais qu'il allait se passer quelque chose. »

L'autre dame seule était venue les rejoindre.

« Ce ne sera rien, dit-elle. Peut-être une branche en travers de la voie. »

« Ils ont une espèce d'engin qui précède le train, lui dit la première. Il passe justement pour s'occuper des choses comme une branche en travers des voies. »

« Elle vient peut-être de tomber. »

Les deux femmes s'exprimaient avec le même accent du nord de l'Angleterre et sans la politesse de deux inconnues ou de simples connaissances. Maintenant qu'elle les regardait de près, Juliet vit qu'elles étaient probablement sœurs, encore que l'une eût un visage plus large, plus jeune. Elles voyageaient donc ensemble mais s'asseyaient séparément. Ou peut-être s'étaient-elles disputées.

Le contrôleur montait l'escalier du wagon panoramique. À mi-montée il se tourna pour prendre la parole.

« Rien de grave, ne vous inquiétez pas, messieurs dames. Il

y avait apparemment un obstacle sur la voie. Nous nous excusons pour ce retard et repartirons aussitôt que possible. Mais nous risquons d'en avoir pour un moment. Le barman me dit qu'il viendra vous offrir du café d'ici quelques minutes. »

Juliet le suivit dans l'escalier. Elle s'était rendu compte, sitôt debout, qu'elle avait eu elle-même un petit accident qui lui rendait nécessaire de regagner sa place pour prendre son sac de voyage, que celui qu'elle avait éconduit y soit encore ou pas. En traversant les wagons, elle rencontra d'autres gens qui se déplaçaient. Ils se pressaient contre les fenêtres d'un côté du train, ou s'étaient arrêtés au bout des voitures, comme s'ils s'attendaient à l'ouverture des portières. Juliet n'avait pas le temps de poser de questions mais en se faufilant elle entendait au passage que c'était peut-être un ours, ou un orignal, ou une vache. Et les gens se demandaient ce qu'une vache pouvait bien faire dans les bois, ou pourquoi les ours n'étaient pas tous en hibernation à présent, ou si ce n'était pas un ivrogne qui s'était endormi sur les rails.

Au wagon-restaurant, les gens étaient assis aux tables dont on avait enlevé tout le linge blanc. Ils buvaient le café gratuit.

Personne n'occupait le siège de Juliet, ni celui d'en face. Elle prit sa trousse et se hâta de gagner les toilettes. Le saignement mensuel était la plaie de sa vie. Il était même arrivé, à l'occasion, que cela compromette le succès de certaines des épreuves écrites les plus importantes, parce que, pendant les trois heures qu'elles duraient, il était interdit de quitter la salle sous aucun prétexte.

Le visage en feu, prise de crampes, la tête lui tournant un peu, le cœur soulevé, elle se laissa tomber sur les toilettes, ôta sa garniture trempée, l'enveloppa de papier hygiénique et la jeta dans le réceptacle prévu à cet effet. Quand elle se leva, elle fixa la nouvelle garniture qu'elle avait prise dans son sac. Elle vit que l'eau et l'urine de la cuvette s'étaient teintées d'écarlate avec son sang. Elle posa la main sur le bouton de la chasse d'eau puis remarqua devant ses yeux l'avertissement prohibant d'actionner la chasse d'eau pendant l'arrêt du train. Cela signifiait, bien sûr, quand le train était en gare, où le déversement aurait lieu, fort désagréablement, là où les gens pouvaient le voir. Ici, elle pouvait prendre le risque.

Mais à l'instant où elle effleurait de nouveau le bouton, elle entendit des voix, non loin, pas dans le train mais de l'autre côté du verre dépoli de la fenêtre des toilettes. Peut-être des cheminots qui passaient.

Elle pouvait rester là tant que le train serait à l'arrêt mais combien de temps cela durerait-il? Et si une voyageuse était soudain prise d'une envie pressante? Elle conclut que tout ce qu'elle pouvait faire était de rabattre le couvercle et sortir.

Elle regagna son siège. En face d'elle, un enfant de quatre ou cinq ans barbouillait au crayon de couleur les pages d'un album de coloriage. Sa mère entreprit Juliet au sujet du café gratuit.

« Il est peut-être gratuit mais on dirait qu'il faut aller le chercher soi-même, dit-elle. Vous voulez bien le surveiller pendant que j'y vais? »

« Je veux pas rester avec elle », dit l'enfant sans lever les yeux.

« Je vais y aller », dit Juliet. Mais à cet instant un garçon entra dans le wagon, poussant le chariot à café.

« Le voilà. J'ai parlé trop vite, dit la mère. Vous avez appris que c'était un C-O-R-P-S? »

Juliet secoua la tête.

« Il n'avait même pas de manteau. Quelqu'un l'avait vu descendre et partir vers l'avant. Mais sans la moindre idée de ce qu'il comptait faire. Il a dû aller au-delà de la courbe pour que le mécanicien ne puisse pas le voir avant qu'il soit trop tard. »

À quelques sièges de là vers l'avant, du même côté du couloir que la mère, un monsieur dit, « Les voilà, ils reviennent », et quelques personnes se levèrent, du côté de Juliet, et se penchèrent pour voir. L'enfant se leva aussi, appuya son visage contre la vitre. Sa mère lui dit de s'asseoir. « Occupe-toi de ton coloriage. Regarde ce que tu as fait, ça déborde de partout. »

« Je ne peux pas regarder, dit-elle à Juliet. Je ne supporte pas de regarder quoi que ce soit de ce genre. »

Juliet se leva pour regarder. Elle vit un petit groupe d'hommes qui revenait lourdement vers la gare. Certains avaient ôté leurs manteaux qui s'entassaient sur la civière que deux d'entre eux transportaient.

« On ne voit rien, dit un homme derrière Juliet à une femme qui ne s'était pas levée. Ils l'ont entièrement recouvert. »

Les hommes qui avançaient la tête basse n'étaient pas tous des cheminots. Juliet reconnut celui qui s'était assis de l'autre côté du couloir, dans la voiture panoramique.

Dix à quinze minutes s'écoulèrent encore, puis le train se mit en mouvement. À la sortie de la courbe, on ne voyait de sang ni d'un côté ni de l'autre du wagon. Mais il y avait un endroit qui avait été piétiné et un tas de neige pelletée. Derrière elle l'homme était de nouveau debout. Il dit, « C'est là que ça s'est passé, on dirait », et il regarda un petit moment pour voir s'il y avait quoi que ce soit d'autre, avant de retourner s'asseoir. Le train, au lieu d'accélérer pour rattraper le temps perdu, semblait rouler plus lentement. Par respect, peut-être, ou avec appréhension de ce qui risquait de l'attendre à la sortie de la prochaine courbe. Le chef de brigade traversa le wagon en annonçant le premier service du déjeuner et la mère et l'enfant se levèrent aussitôt pour le suivre. Ce fut le début d'une procession et Juliet entendit une femme dire en passant, « Vraiment ? »

Celle qui lui parlait dit à voix basse, « C'est ce qu'elle m'a dit. Pleine de sang. Ça a dû éclabousser quand le train lui est passé sur… »

« Tais-toi, s'il te plaît. »

Un peu plus tard, quand la procession fut terminée et que les convives du premier service furent en train de déjeuner, l'homme traversa le wagon — l'homme de la voiture panoramique qu'on avait vu dehors marcher dans la neige.

Juliet se leva et se hâta de le suivre. Dans l'espace noir et froid entre les voitures, à l'instant où il poussait la lourde porte devant lui, elle dit, « Excusez-moi. Il faut que je vous pose une question. »

Cet endroit était plein d'un bruit soudain, le fracas des lourdes roues sur les rails.

« Oui, laquelle ? »

« Êtes-vous médecin ? Avez-vous vu l'homme qui… »

« Je ne suis pas médecin. Il n'y en a pas dans le train. Mais j'ai une certaine expérience médicale. »

« Quel âge avait-il ? »

Il la regarda avec une patience posée et un certain désagrément.

« Difficile à dire. Pas tout jeune. »

« Avait-il une chemise bleue ? Des cheveux bruns avec des reflets blonds ? »

Il secoua la tête, pas pour répondre à sa question, mais pour la refuser.

« Vous le connaissiez ? demanda-t-il. Vous devriez le dire au contrôleur si c'est le cas. »

« Je ne le connaissais pas. »

« Alors veuillez m'excuser. »

D'une poussée, il ouvrit la porte et la planta là.

Évidemment. Il pensait qu'elle débordait d'une curiosité dégoûtante, comme tant d'autres.

Pleine de sang. Ça, c'était dégoûtant, en fin de compte.

Elle ne pourrait jamais raconter cette erreur à personne, cette espèce d'horrible blague. On la jugerait exceptionnellement mal embouchée et sans cœur si jamais elle s'avisait d'en parler. Et l'un des éléments du malentendu — le corps écrasé du suicidé — semblerait, dans le récit, à peine plus répugnant et effrayant que le sang de ses règles.

Ne jamais raconter ça à personne. (De fait elle le raconta bel et bien, quelques années plus tard, à une certaine Christa, dont elle ignorait encore le nom.)

Mais elle éprouvait un grand besoin de raconter quelque chose à quelqu'un. Elle prit son cahier et, sur l'une de ses pages lignées, se mit à écrire une lettre à ses parents.

Nous n'avons pas encore atteint la frontière du Manitoba et la plupart des gens se plaignent de la monotonie du paysage mais ils ne peuvent pas dire que le voyage a manqué d'incident dramatique. Ce matin, nous nous sommes arrêtés dans une espèce de petit trou perdu au milieu des bois, où tout était peint du Lugubre Rouge Chemin de fer. Je m'étais assise à l'arrière du train dans la voiture panoramique où je mourais de froid parce qu'ils y font des économies de chauffage (sans doute dans l'idée que la beauté du spectacle détournera l'esprit des voyageurs de leur inconfort) et que je n'avais pas l'énergie de retourner chercher mon chandail. Après un arrêt de dix à quinze minutes on s'est remis en route et j'ai vu la locomotive disparaître dans une courbe et puis soudain il y a eu une espèce d'Affreux Bruit Sourd...

Elle-même, son père et sa mère s'étaient toujours mis en devoir de fournir la maisonnée en récits distrayants. Cela avait requis non seulement un subtil ajustement des faits, mais aussi de la position qu'on occupait dans le monde. Du moins Juliet l'avait-elle découvert quand son monde était devenu celui des études. Elle s'était muée en une espèce d'observatrice assez supérieure et invulnérable. Et depuis que son absence du foyer familial était permanente, cette attitude était devenue habituelle, presque une obligation.

Mais sitôt qu'elle eut écrit les mots *Affreux Bruit Sourd,* elle se trouva incapable de poursuivre. Incapable de poursuivre dans le langage qui lui était coutumier.

Elle essaya de regarder par la fenêtre mais la scène, composée des mêmes éléments, avait changé. Le train n'avait pas parcouru cent cinquante kilomètres qu'il semblait rencontrer un climat plus chaud. Les lacs étaient bordés de glace mais n'en étaient pas couverts. L'eau noire, les roches noires, sous le ciel de nuages chassés par le vent, emplissaient l'air d'obscurité. Elle se fatigua de regarder, prit son Dodds et l'ouvrit tout à fait au hasard, puisque après tout elle l'avait déjà lu. Toutes les quelques pages, elle semblait avoir été prise d'une vraie frénésie de soulignage. Les passages soulignés l'attiraient mais, à les lire, elle découvrit que ce sur quoi elle s'était jetée avec tant de satisfaction naguère lui semblait à présent obscur et troublant.

... ce qui, à la vision partielle des vivants, apparaît comme l'acte d'un démon, est perçu par la clairvoyance plus vaste des morts comme un aspect de la justice céleste...

Le livre lui glissa des mains, ses yeux se fermèrent, et voilà qu'elle marchait avec des enfants (des élèves?) sur la surface d'un lac. Partout où chacune d'entre elles posait le pied, apparaissait une fente à cinq côtés, tous parfaitement réguliers, de telle sorte que la glace devenait comme un sol carrelé. Les enfants lui demandèrent le nom de ces carreaux de glace et elle répondit avec assurance *Pentamètre iambique*. Mais elles éclatèrent de rire et, avec ce rire, les fentes s'élargirent. Elle se rendit alors compte de son erreur et sut que seul le mot juste rétablirait la situation, mais elle ne parvenait pas à le retrouver.

Elle s'éveilla et vit le même homme, celui qu'elle avait suivi et embêté entre les wagons, assis en face d'elle.

«Vous dormiez.» Il sourit un peu de ce qu'il avait dit. «C'est l'évidence.»

Elle s'était endormie la tête penchée en avant, comme une vieille, et elle avait une petite rigole de salive au coin de la bouche. De plus, elle sut qu'il lui fallait gagner les toilettes aussitôt, et espérer qu'il n'y avait rien sur sa jupe. Elle dit, «Veuillez m'excuser» (exactement ce qu'il lui avait dit lui-même en la quittant), et, saisissant sa trousse, s'éloigna en s'efforçant que son départ semble assez peu précipité pour sauvegarder sa dignité.

Quand elle revint, lavée, rafraîchie et regarnie, il était toujours là.

Il parla aussitôt. Dit qu'il tenait à s'excuser.

« Je me suis aperçu que j'avais été grossier avec vous. Quand vous m'avez demandé… »

« Oui », dit-elle.

« C'était bien ça, dit-il. La façon dont vous l'avez décrit. »

Cela avait moins l'air d'une ouverture, de sa part, que d'une réponse directe et nécessaire. Si elle ne souhaitait pas parler, il pouvait aussi bien se lever et s'en aller, pas particulièrement déçu, ayant fait ce qu'il était venu faire.

À sa grande honte, les yeux de Juliet s'emplirent de larmes. Ce fut si inattendu qu'elle n'eut pas le temps de détourner le regard.

« Là, là, fit-il. C'est rien. »

Elle s'empressa de hocher du chef, à plusieurs reprises, renifla pitoyablement, se moucha dans le mouchoir en papier qu'elle finit par trouver dans son sac.

« Ne vous inquiétez pas », dit-elle. Et puis elle lui raconta, sans détour, exactement ce qui s'était passé. Que l'homme s'était penché sur elle pour lui demander si la place était libre, qu'il s'y était assis, qu'elle était en train de regarder par la fenêtre et n'avait pas pu continuer. Et avait donc essayé, ou fait semblant d'essayer de lire son livre, qu'il lui avait demandé où elle était montée dans le train, avait appris de sa bouche où elle vivait, et n'avait pas cessé de chercher à relancer la conversation jusqu'à ce qu'elle se lève pour le planter là.

L'unique chose qu'elle ne lui révéla pas fut l'expression *faire copains*. Elle avait l'impression que, si elle disait cela, elle fondrait de nouveau en larmes.

« Les gens interrompent les femmes, dit-il, plus facilement que les hommes. »

« Oui, c'est vrai. »

« On croit que les femmes seront forcément plus gentilles. »

« Mais il avait seulement besoin de quelqu'un à qui parler, dit-elle, changeant un peu de camp. Il en avait bien plus besoin que je n'avais, moi, besoin qu'on me laisse tranquille. Je m'en rends compte maintenant. Et je n'ai pas l'air mesquin. Je n'ai pas l'air cruel. Mais je l'ai été. »

Un silence, le temps de maîtriser encore une fois ses reniflements et ses yeux larmoyants.

Il dit, « Vous n'avez jamais eu envie de faire ça à quiconque jusque-là ? »

« Si. Mais je ne l'ai jamais fait. Je ne suis jamais allée aussi loin. Et si je l'ai fait cette fois-ci… c'est qu'il était tellement humble. Et qu'il ne portait que des habits neufs. Qu'il avait probablement achetés pour le voyage. Il était probablement dépressif et avait eu l'idée de ce voyage parce que c'était une bonne façon de rencontrer des gens et de se faire des amis. »

« Peut-être que s'il n'était pas allé très loin… reprit-elle, mais il a annoncé qu'il allait à Vancouver, je l'aurais eu sur le dos. Pendant des jours. »

« Oui. »

« Vraiment, c'était le risque. »

« Oui. »

« Alors. »

« Pas de chance, dit-il avec l'ombre d'un sourire. La première fois que vous trouvez la force de remettre quelqu'un à sa place, il se jette sous un train. »

« C'était peut-être la goutte d'eau, dit-elle, se sentant à présent un peu sur la défensive. C'est possible. »

« Disons que vous allez devoir faire attention, à l'avenir. »

Juliet leva le menton et le regarda fixement.

« Vous trouvez que j'exagère. »

Et puis il se produisit quelque chose d'aussi soudain et involontaire que ses larmes. Elle sentit sa bouche tressaillir. Un grand rire déplacé montait en elle.

« Disons que c'est un peu extrême. »

Il répondit, « Un peu. »

« Vous trouvez que je dramatise ? »

« C'est naturel. »

« Mais vous trouvez que j'ai tort, dit-elle, étant parvenue à réprimer son rire. Vous trouvez que je me sens coupable par simple complaisance ? »

« Ce que je trouve… dit-il. Je trouve que ce n'est pas une affaire. Il vous arrivera des choses dans la vie — il vous arrivera probablement des choses dans la vie — auprès desquelles vous comprendrez que ce n'est pas une affaire. D'autres choses à propos desquelles vous pourrez vous sentir coupable. »

« Mais est-ce que ce n'est pas ce qu'on dit tout le temps ? Aux gens plus jeunes ? On leur dit, tu verras, tu ne penseras pas toujours comme ça. Attends, tu verras. Comme si on n'avait pas le droit d'avoir des sentiments sérieux. Comme si on n'en était pas capables. »

« Les sentiments, dit-il. Je parlais de l'expérience. »

« Mais vous dites un peu que la culpabilité ne sert à rien. C'est une chose que les gens disent. Est-ce vrai ? »

« Je vous le demande. »

Ils continuèrent de bavarder ainsi très longtemps, à voix basse mais avec tant d'intensité que les gens qui passaient semblaient parfois étonnés, voire offensés, comme cela arrive quand on surprend des débats qui paraissent inutilement abstraits. Juliet se rendit compte, après quelque temps, qu'alors même qu'elle arguait — assez bien, songeait-elle — de la nécessité des sentiments de culpabilité dans la vie publique comme dans la vie privée, elle avait quant à elle complètement cessé d'en éprouver, pour l'instant. On aurait même pu dire qu'elle s'amusait bien.

Il proposa d'aller au bar où ils pourraient boire un café. Une fois là, Juliet découvrit qu'elle avait très faim, alors que les heures de service du déjeuner étaient depuis longtemps passées. Des bretzels et des cacahuètes furent tout ce qu'elle put obtenir et elle les engloutit de telle façon que la conversation réfléchie teintée d'un peu d'esprit de contradiction qu'ils avaient eue jusqu'alors ne put reprendre. Ils se mirent donc à parler d'eux-mêmes. Il se nommait Eric Porteous et habitait un endroit appelé Whale Bay quelque part au nord de Vancouver, sur la côte Ouest. Mais il n'y allait pas directement, il interrompait son voyage à Regina, pour y voir des gens qu'il n'avait pas vus depuis longtemps. Il était pêcheur, il pêchait la crevette. Elle l'interrogea au sujet de l'expérience médicale dont il avait parlé et il dit, « Oh, pas très étendue. J'ai fait un peu d'études. Quand on est dans les bois ou sur le bateau, tout peut arriver. À ceux avec qui on travaille. Ou à soi-même. »

Il était marié, sa femme s'appelait Ann.

Il y avait huit ans, raconta-t-il, Ann avait été blessée dans un accident de la route. Pendant plusieurs semaines, elle était restée dans le coma. Elle en était sortie, mais elle était encore paralysée, incapable de marcher ou même de s'alimenter toute seule. Elle avait l'air de savoir qui il était, et qui était la femme qui prenait soin d'elle — avec l'aide de cette femme, il avait pu la garder à la maison — mais elle avait assez rapidement cessé d'essayer de reparler et de comprendre ce qui se passait autour d'elle.

Ils étaient allés dans une soirée. Elle n'en avait pas particulièrement envie mais lui en avait envie. Puis elle avait décidé de rentrer seule, à pied, n'étant pas très contente du déroulement de la soirée.

C'était une bande d'ivrognes rentrant d'une autre fête qui étaient sortis de la route et l'avaient renversée. Des adolescents.

Par chance, Ann et lui n'avaient pas d'enfants. Oui, par chance.

« Quand on en parle aux gens ils se sentent obligés de dire que c'est terrible. Quelle tragédie. Et cetera. »

« On ne peut pas leur en vouloir, non ? » dit Juliet qui avait été sur le point de faire un commentaire de ce genre.

Non, dit-il. Mais c'était tellement plus compliqué que ça. Ann avait-elle le sentiment que c'était une tragédie ? Probablement pas. Et lui ? C'était une chose à laquelle on s'habituait, un nouveau genre de vie. Voilà tout.

Tout l'agrément que Juliet avait pu connaître avec des hommes relevait de l'imagination. Une ou deux vedettes de cinéma, le charmant ténor — pas le héros viril et sans cœur — d'un vieil enregistrement de *Don Giovanni*. Henry V, tel qu'elle l'avait connu par sa lecture de Shakespeare et que Laurence Olivier l'avait interprété dans le film.

C'était ridicule, pitoyable, mais nul n'avait besoin de le savoir. Dans la vie réelle, il n'y avait eu qu'humiliations et déceptions, qu'elle avait essayé de chasser de son esprit aussi vite que possible.

Elle avait fait tapisserie perdue au milieu du troupeau des autres laissées-pour-compte, qu'elle dépassait de la tête et des épaules, aux bals de son école secondaire, et connu le morne ennui, malgré ses efforts désespérés pour faire bonne figure, des rendez-vous avec des garçons de l'université qui ne lui plaisaient guère et à qui elle ne plaisait guère. Elle était sortie avec le neveu de son directeur de thèse venu en visite l'an dernier et s'était fait pénétrer par effraction — on ne pouvait pas parler de viol, elle aussi était décidée — nuitamment, par terre, à Willis Park.

Sur le chemin du retour il avait expliqué qu'elle n'était pas son type. Et elle s'était sentie trop humiliée pour rétorquer — ou même prendre conscience, sur l'instant — qu'il n'était pas le sien non plus.

Elle n'avait jamais eu de fantasmes à propos d'un homme réel — moins encore d'aucun de ses professeurs. Les hommes plus âgés — dans la vraie vie — lui semblaient vaguement répugnants. Celui-là, quel âge avait-il ? Il avait été marié pendant huit ans au moins — et peut-être deux ans, deux ou trois ans, de plus que ça. Ce qui lui donnait probablement trente-cinq ou trente-six ans. Il avait les cheveux noirs et bouclés avec du gris sur les tempes, le front large et tanné, les épaules vigoureuses et un peu voûtées. Il était à peine plus grand qu'elle. Il avait les yeux très écartés, noirs, partagés entre le désir et une certaine méfiance. Son menton était arrondi, creusé d'une fossette, pugnace.

Elle lui parla de son emploi, du nom du collège — Torrance House. (« Je suis prête à vous parier que les élèves l'appellent Torture. ») Elle lui dit qu'elle n'était pas vraiment prof mais qu'on avait été trop content d'engager quelqu'un qui avait fait grec et latin à l'université. Personne pour ainsi dire ne le faisait plus.

« Alors pourquoi l'avez-vous fait ? »

« Bah, pour me singulariser, sans doute. »

Puis elle lui dit ce dont elle avait toujours su qu'il ne faudrait jamais en parler aux hommes ou aux garçons, qui se désintéresseraient d'elle aussitôt :

« Et puis parce que j'adore ça. J'adore tout ça. Vraiment vraiment. »

Ils dînèrent ensemble — chacun buvant un verre de vin — et allèrent ensuite au wagon panoramique, où ils s'assirent dans le noir, tout seuls. Juliette avait emporté son chandail cette fois.

« Les gens doivent croire qu'il n'y a rien à voir ici, la nuit, dit-il. Mais regardez toutes les étoiles qu'on peut voir quand la nuit est claire. »

Et claire, la nuit l'était. Il n'y avait pas de lune — du moins pas encore — et il y avait de denses amas d'étoiles, des pâles et des brillantes. Et comme tous ceux qui ont vécu et travaillé sur des bateaux, il connaissait bien la carte du ciel. Elle ne savait repérer que la Grande Ourse.

« C'est un début, dit-il. Prenez les deux étoiles qui forment le côté opposé à la queue de la Grande Ourse. Ça y est ? Elles vous indiquent la direction. Prolongez la ligne vers le haut. Encore, vous allez trouver l'étoile Polaire. » Et ainsi de suite.

Il lui fit découvrir Orion, qui était, dit-il, la principale constellation de l'hémisphère Nord en hiver. Et Sirius, le Grand Chien, l'étoile la plus brillante de tout le ciel septentrional à cette époque de l'année.

Juliet fut heureuse d'apprendre, mais heureuse aussi quand vint son tour d'enseigner. Il connaissait les noms mais pas l'histoire.

Elle lui dit qu'Orion avait été aveuglé par Énopion. Mais avait retrouvé la vue en regardant le soleil.

« Il fut aveuglé parce qu'il était trop beau, mais Héphaïstos vint à son secours. Cela ne l'empêcha pas d'être tué par Artémis, mais il fut changé en constellation. Cela arrivait souvent quand un être d'une grande valeur s'attirait de graves ennuis, il était changé en constellation. Où est Cassiopée ? »

Il lui indiqua un W pas très évident.

« C'est censé être une femme assise. »

« Ce fut à cause de sa beauté, aussi », dit-elle.

« La beauté était dangereuse ? »

« Et comment. Elle était l'épouse du roi d'Éthiopie et la mère d'Andromède. Et elle se vantait de sa beauté et en fut châtiée par le bannissement au ciel. Il y a bien une Andromède, aussi ? »

« C'est une galaxie. Elle doit être visible, ce soir. C'est l'objet le plus lointain qu'on puisse voir à l'œil nu. »

Même quand il la guidait, lui disant où regarder dans le ciel, il ne la touchait jamais. Non, bien sûr. Il était marié.

« Qui était Andromède ? » lui demanda-t-il.

« Elle fut enchaînée à un rocher mais Persée la secourut. »

Whale Bay.

Un long quai, plusieurs grands bateaux, une station d'essence et une boutique qu'un écriteau dans la vitrine désigne aussi comme l'arrêt du car et le bureau de poste.

Une voiture garée au flanc de cette boutique a derrière le pare-brise un carton où le mot *Taxi* est tracé à la main. Elle se tient immobile à l'endroit même où elle est descendue du car. Le car repart. Le taxi fait résonner son avertisseur. Le chauffeur en descend et s'avance vers elle.

« Zêtes toute seule, dit-il. Où allez-vous comme ça ? »

Elle demande s'il y a un endroit où descendent les touristes. Manifestement, il n'y aura pas d'hôtel.

« Je sais pas si quelqu'un loue des chambres, cette année. Je peux leur demander, à l'intérieur. Vous connaissez personne dans le coin ? »

Rien d'autre à faire que prononcer le nom d'Eric.

« Oui, bien sûr, fait-il avec soulagement. Montez, on va vous y poser en moins de deux. Mais c'est dommage, je crois qu'on peut dire que vous avez raté la veillée. »

D'abord elle croit avoir entendu *la criée*. Elle pense à des concours de pêche.

« C'est triste, dit le chauffeur qui prend à présent place derrière le volant. M'enfin, elle serait jamais allée mieux. »

La veillée. L'épouse. Ann.

« Vous en faites pas, reprend-il. Je pense qu'il restera bien encore quelques personnes. Ça, bien sûr, vous avez raté l'enterrement. Hier. Un truc énorme. N'avez pas pu vous libérer ? »

Juliet dit, « Non. »

« Je devrais pas dire veillée, au fond. La veillée, ça a lieu avant l'enterrement, pas vrai ? Je sais pas comment on appelle ce qui a lieu après. On va tout de même pas appeler ça une fête, hein ? Je peux vous y faire passer pour vous montrer toutes les fleurs et tout ça, d'accord ? »

À l'intérieur des terres, quand on a quitté la grand-route, à deux ou trois cents mètres au bout d'une piste cahoteuse, s'ouvre le cimetière général de Whale Bay et, près de la clôture, se dresse le monticule de terre entièrement enfoui sous les fleurs. De vraies fleurs un peu fanées, des fleurs artificielles brillantes, une petite croix de bois, avec le nom et la date. Des rubans métalliques entortillés ont volé un peu partout à travers l'herbe du cimetière. Il attire son attention sur toutes les ornières, le gâchis que les roues de tant de voitures ont fait la veille. « La moitié d'entre eux l'avaient jamais vue. Mais ils le connaissaient, lui, alors ils ont voulu venir de toute façon. Tout le monde le connaît, Eric. »

Ils font demi-tour, repartent en sens inverse mais sans aller jusqu'à la grand-route. Elle a envie de dire au chauffeur qu'elle a changé d'avis, qu'elle ne veut plus rendre visite à qui que ce soit, qu'elle veut retourner attendre à la boutique pour prendre le car quand il repassera dans l'autre sens. Elle peut dire qu'elle s'est bel et bien trompée de jour et se sent à présent si honteuse d'avoir raté l'enterrement qu'elle préfère ne pas se montrer du tout.

Mais elle ne trouve pas les premiers mots. Et de toute façon il parlera de sa venue.

Ils suivent d'étroites routes sinueuses dans l'arrière-pays, passent devant quelques maisons. Chaque fois qu'ils doublent une allée sans s'y engager, elle a le sentiment d'un sursis.

« En voilà une surprise, dit le chauffeur et cette fois ils s'engagent dans une allée. Où sont-ils, tous ? Il y avait une demi-douzaine de bagnoles quand je suis passé, voilà une heure. Même sa camionnette est partie. La fête est finie. Pardon, j'aurais pas dû dire ça. »

« S'il n'y a personne, s'empresse de dire Juliet, je n'ai qu'à retourner où vous m'avez prise. »

« Oh, y a quelqu'un, vous en faites pas pour ça. Ailo est là. Y a son vélo. Vous la connaissez, Ailo ? Vous savez, celle qui s'occupe des choses ? » Il est descendu et lui ouvre la portière.

Sitôt que Juliet pose le pied dehors, un grand chien jaune vient en bondissant et en aboyant et une femme le rappelle depuis la galerie de la maison.

« Oh, ça va, Pet », dit le chauffeur, empochant le montant de la course et s'empressant de remonter dans la voiture.

« Tais-toi. Tais-toi, Pet. Couchée. Elle vous fera pas de mal, lance la femme. C'est encore un bébé. »

Que Pet soit un bébé, pense Juliet, ne semble pas devoir l'empêcher de vous renverser. Et voilà qu'un petit chien brun-roux arrive pour se joindre au tumulte.

La femme descend les marches en criant, « Pet. Corky. Sages. Si elles pensent que vous avez peur d'elles, elles s'en prendront d'autant plus à vous. »

Ses *vous* sonnent plutôt comme des *fous*.

« Je n'ai pas peur », dit Juliet, sautant en arrière quand la truffe du chien jaune vient lui frotter rudement le bras.

« Alors entrez. Taisez-vous toutes les deux ou je vous assomme. Vous vous êtes trompée de jour pour l'enterrement ? »

Juliet secoue la tête comme pour dire qu'elle regrette. Elle se présente.

« Bah, c'est dommage. Je m'appelle Ailo. » Poignée de main.

Ailo est une femme de haute taille aux épaules larges, au corps épais mais pas flasque, aux cheveux d'un blanc jaunâtre qui lui retombent sur les épaules. Elle parle d'une voix forte et insistante, avec de riches sons de gorge. Un accent allemand, hollandais, scandinave ?

« Le mieux c'est que vous vous asseyiez ici dans la cuisine. Tout est en désordre. Je vais vous servir du café. »

La cuisine est lumineuse, éclairée par un panneau vitré dans le haut plafond incliné. De la vaisselle, des verres et des casseroles s'empilent partout. Pet et Corky ont suivi docilement Ailo dans la cuisine et se sont mises à laper le contenu de la poêle à frire qu'elle a posée sur le sol.

Au-delà de la cuisine, en haut de deux grandes marches, s'ouvre une espèce de salon caverneux, où les stores sont tirés, avec de gros coussins jetés un peu partout sur le plancher.

Ailo tire une chaise jusqu'à la table. « Allez, asseyez-vous. Asseyez-vous là, buvez du café et mangez. »

« Je préfère pas », dit Juliet.

« Si. Il y a le café que je viens de faire, je boirai le mien en travaillant. Et il reste plein de choses à manger. »

Elle pose devant Juliet, en même temps que le café, une part de tarte — d'un vert éclatant, couverte de meringue un peu affaissée.

« Jello au citron vert, dit-elle, refusant d'approuver. Ça a peut-être bon goût, après tout. Ou alors il y a rhubarbe. »

Juliet dit, « Parfait. »

« Quelle pagaille, ici. J'ai fait le ménage après la veillée. Tout rangé. Ensuite l'enterrement. Et maintenant après l'enterrement il faut que je refasse entièrement le ménage. »

Ses récriminations débordent d'énergie. Juliet se sent obligée de dire, « Dès que j'aurai fini, je peux vous aider. »

« Non, pas question, dit Ailo. Je sais pour tout. »

Ses mouvements ne sont pas rapides mais déterminés et efficaces. (Ces femmes-là ne veulent jamais qu'on les aide. Elles voient à qui elles ont affaire.) Elle continue d'essuyer les verres, les assiettes et les couverts, rangeant ce qu'elle a essuyé dans des placards et des tiroirs. Puis elle récure les casseroles et les poêles — y compris celle qu'elle reprend aux chiens —, les plongeant dans de l'eau savonneuse, gratte la surface de la table et des paillasses, tordant les torchons comme des cous de poulets. Et elle parle à Juliet, avec des interruptions.

« Vous êtes une amie d'Ann ? Vous la connaissez d'avant ? »

« Non. »

« Non. Je crois que non. Vous êtes trop jeune. Alors pourquoi vous voulez venir à son enterrement ? »

« Je ne voulais pas, dit Juliet. Je ne savais pas. Je venais en visite. » Elle s'efforce de faire croire à une espèce de caprice, comme si elle avait des tas d'amis et se promenait entre les uns et les autres pour des visites impromptues.

Ailo consacre une belle énergie vaguement goguenarde à faire briller une casserole, choisissant de ne pas répondre à ce qui vient d'être dit. Elle laisse Juliet attendre pendant plusieurs autres casseroles avant de parler.

« Vous venez voir Eric. Vous avez choisi la bonne maison. Eric habite ici. »

« Vous n'habitez pas ici, n'est-ce pas ? » demande Juliet comme si cela pouvait changer le sujet.

« Non, je n'habite pas ici. J'habite plus bas, avec mon mari. » Le mot *mari* est lesté, de fierté et de reproche.

Sans demander, Ailo remplit la tasse à café de Juliet, puis la sienne. Elle apporte une part de tarte pour elle-même. Elle a une couche rose recouverte d'une couche crémeuse.

« Rhubarbe et crème à la vanille. Il faut la manger, elle va se gâter. J'en ai pas besoin mais je la mange quand même. Peut-être je vous en donne une part ? »

« Non. Merci. »

« Bon. Eric est parti. Il ne rentrera pas ce soir. Je ne crois pas. Il est allé chez Christa. Vous connaissez Christa ? »

Juliet secoue la tête, un peu pincée.

« Ici, nous vivons tous d'une façon que nous connaissons la situation des autres. Nous connaissons bien. Je ne sais pas comment c'est là où vous vivez. À Vancouver ? » (Juliet approuve de la tête.) « Dans une ville. Ce n'est pas pareil. Pour qu'Eric s'occupe si bien de sa femme, il a forcément besoin d'aide, vous comprenez ? Je suis une qui l'aide. »

Très inconsidérément, Juliet dit, « Mais est-ce que vous n'êtes pas payée ? »

« Certainement je suis payée. Mais c'est plus qu'un emploi. Et aussi l'autre sorte d'aide d'une femme, il en a besoin. Comprenez-vous ce que je dis ? Pas une femme avec un mari, je ne crois pas à ça, ce n'est pas bien, c'est une façon d'avoir des disputes. D'abord Eric avait Sandra, puis elle a déménagé et il a Christa. Il y a eu un petit moment Christa et Sandra ensemble, mais elles étaient bonnes amies, ça pouvait aller. Mais Sandra a ses enfants, elle veut déménager vers des plus grandes écoles. Christa est une artiste. Elle fait des choses avec le bois qu'on trouve sur la plage. Comment est-ce qu'on appelle ce bois ? »

« Du bois flotté », dit Juliet malgré elle. Elle est paralysée par la déception, par la honte.

« C'est ça. Elle les porte dans des endroits où on les vend pour elle. Des grosses choses. Des animaux et des oiseaux mais pas réels. Pas réels ? »

« Pas réalistes ? »

« Oui. Oui. Elle n'a jamais eu d'enfants. Je crois pas qu'elle voudra déménager. Eric vous en a parlé ? Vous voulez encore du café ? Il en reste dans la cafetière. »

« Non merci. Non, il ne m'en a pas parlé. »

« Voilà. Maintenant, je vous l'ai dit. Si vous avez fini, je vais prendre la tasse pour la laver. »

Elle fait un détour pour aller pousser du bout du soulier le chien jaune vautré de l'autre côté du réfrigérateur.

« Il faut te lever. Paresseuse. Bientôt, on rentre chez nous.

« Il y a un autocar qui retourne à Vancouver. Il passe à huit heures dix, dit-elle, s'affairant devant l'évier, le dos tourné à la pièce. Vous pouvez venir chez nous avec moi et quand ce sera l'heure mon mari vous conduira en voiture. Vous pouvez manger avec nous. Je prends mon vélo, je vais doucement pour que vous suiviez. Ce n'est pas loin. »

Le futur immédiat semble mis en place avec une telle fermeté que Juliet se lève sans une pensée. Cherche des yeux son sac. Puis elle se rassied, mais sur une autre chaise. Vu sous ce nouvel angle, on dirait que la cuisine lui donne de la résolution.

« Je crois que je vais rester ici », dit-elle.

« Ici ? »

« Je n'ai pas grand-chose à porter. J'irai à pied prendre le car. »

« Comment vous trouverez le chemin ? C'est à plus d'un kilomètre. »

« Ça n'est pas loin. » Juliet se demande comment elle trouvera le chemin mais se dit qu'après tout il suffit d'aller vers le bas.

« Il ne rentre pas, vous savez, dit Ailo. Pas ce soir. »

« Ça ne fait rien. »

Ailo hausse massivement, peut-être dédaigneusement, les épaules.

« Debout, Pet. Allez. » Par-dessus son épaule, elle dit, « Corky reste ici. Vous la voulez dedans ou dehors ? »

« Plutôt dehors. »

« Je vais l'attacher alors, pour qu'elle puisse pas suivre. Elle n'aura peut-être pas envie de rester avec une inconnue. »

Juliet ne dit rien.

« La porte se bloque quand on sort. Vous voyez ? Alors si

vous sortez et que vous voulez revenir, il faut appuyer là-dessus. Mais quand vous partirez, vous n'appuyez pas. Ce sera fermé à clé. Vous comprenez ? »

« Oui. »

« Avant, on fermait jamais à clé, ici. Mais maintenant, y a trop d'étrangers. »

Après qu'ils avaient regardé les étoiles, le train s'était arrêté un moment à Winnipeg. Ils étaient descendus se promener dans un vent si froid qu'il était douloureux de respirer, et pire encore de parler. De retour dans le train, ils étaient allés au bar et il avait commandé du cognac.

« Ça nous réchauffera et ça vous fera dormir », avait-il dit.

Lui ne dormirait pas. Il attendrait de descendre à Regina, un peu avant le matin.

La plupart des couchettes étaient déjà installées, les rideaux vert sombre rétrécissant le couloir, quand il la raccompagna à son wagon. Les wagons avaient des noms et le nom du sien était Miramichi.

« Voilà, j'y suis », chuchota-t-elle, dans l'espace entre les wagons, alors qu'il s'apprêtait déjà à lui ouvrir la porte d'une poussée.

« Disons-nous au revoir ici, alors. » Il retira sa main de la porte et ils prirent position en équilibre malgré les secousses pour qu'il puisse lui donner un baiser profond. Quand ce fut fini, au lieu de la lâcher, il lui caressa le dos puis lui couvrit le visage de baisers.

Mais elle s'arracha à l'étreinte en disant d'une voix pressante, « Je suis vierge. »

« Oui, oui. » Il rit, l'embrassa dans le cou, puis la lâcha et ouvrit la porte devant elle. Ils longèrent le couloir jusqu'à ce qu'elle retrouve sa couchette. Elle s'aplatit contre le rideau en se retournant, s'attendant plutôt à ce qu'il l'embrasse de nouveau ou la caresse, mais il se glissa devant elle et s'éloigna, presque comme s'ils se croisaient par accident.

Quelle bêtise, quel désastre. Elle avait eu peur, évidemment, qu'en la caressant, sa main s'aventure plus bas et atteigne le nœud qu'elle avait fait pour attacher la garniture à la ceinture. Si elle avait été de ces filles qui peuvent se fier aux tampons, rien de cela ne serait arrivé.

Et pourquoi *vierge* quand elle s'était donné tant de mal, à Willis Park, afin de s'assurer que cet état ne constituerait plus un obstacle pour elle? Elle devait avoir réfléchi à ce qu'elle allait lui dire — elle n'eût jamais été capable de lui dire qu'elle avait ses règles — au cas où il manifesterait l'espoir d'aller plus loin. Mais comment aurait-il pu former un tel projet, de toute manière? Comment? Où? Dans sa couchette, avec si peu de place et tous les autres voyageurs vraisemblablement encore éveillés autour d'eux? Debout, balançant d'avant en arrière, appuyés contre une porte, que le premier venu risquait d'ouvrir, dans cet espace malcommode entre les wagons?

Maintenant il allait donc pouvoir se faire un plaisir de raconter qu'il avait passé toute une soirée à écouter une péronnelle étaler ses connaissances de la mythologie grecque et qu'en conclusion — quand il lui avait enfin donné un baiser pour lui souhaiter une bonne nuit et se débarrasser d'elle — elle s'était mise à glapir qu'elle était vierge.

Il n'avait pas l'air d'être homme à faire ce genre de choses, à parler ainsi, mais elle ne pouvait s'empêcher de l'imaginer.

Elle était restée éveillée jusque tard dans la nuit mais elle dormait quand le train s'était arrêté à Regina.

Restée seule, Juliet aurait pu explorer la maison. Mais elle ne fait rien de tel. Il s'écoule vingt minutes, au moins, avant qu'elle se libère de la présence d'Ailo. Ce n'est pas par crainte qu'Ailo revienne voir ce qu'elle fabrique, ou chercher quelque chose qu'elle a oublié. Ailo n'est pas le genre de personne qui oublie quoi que ce soit, même à la fin d'une journée éreintante. Et si elle avait cru que Juliet était une voleuse, elle l'aurait tout simplement flanquée à la porte.

Elle est, par contre, le genre de femme qui s'empare d'un espace et y pose sa marque, particulièrement l'espace de la cuisine. Tout ce que Juliet a dans son champ de vision parle de l'occupation d'Ailo, depuis les plantes en pots (aromatiques?) sur le rebord de la fenêtre, jusqu'au billot et au linoléum ciré.

Et quand elle a réussi à repousser Ailo, pas hors de la pièce mais peut-être jusqu'au coin du réfrigérateur démodé, Juliet se heurte à Christa. Eric a une femme. Bien sûr qu'il a une femme. Christa. Juliet voit une Ailo plus jeune, plus séduisante. Hanches larges, bras vigoureux, longue chevelure — toute blonde sans trace de blanc —, les seins libres sous une chemise ample. Avec la même agressivité — et, chez Christa, sexy — dans l'absence de chic. La même façon gourmande de mâcher les mots avant de les recracher.

Deux autres femmes lui viennent à l'esprit. Briséis et Chryséis. Destinées au plaisir d'Achille et d'Agamemnon. L'une et l'autre qualifiées « aux belles joues ». Quand le prof avait lu ce mot (qu'elle ne parvenait pas à se rappeler à présent), son front était devenu tout à fait rose et il avait apparemment réprimé un petit rire gloussant. Pour cet instant-là, Juliet le méprisait.

Si Christa s'avère donc une version plus rude, plus nordique, de Briséis/Chryséis, Juliet sera-t-elle capable de se mettre à mépriser Eric lui aussi?

Mais comment pourra-t-elle le savoir si elle descend jusqu'à la route pour prendre le car?

Le fait est qu'elle n'a jamais eu l'intention de prendre ce car. Semble-t-il. Débarrassée d'Ailo, il lui est plus facile de découvrir ses propres intentions. Elle se lève enfin pour faire du café, puis le verse dans une chope de faïence, pas dans une des tasses qu'Ailo a sorties.

Elle est trop tendue pour avoir faim mais examine les bouteilles sur le comptoir, que les gens doivent avoir apportées pour la veillée. Cherry brandy, alcool de pêche, Tía Maria, vermouth doux. Ces bouteilles ont été ouvertes mais leur contenu n'a pas eu les faveurs de l'assemblée. Les buveurs se sont concentrés sur les bouteilles vides qu'Ailo a alignées près de la porte. Gin et whisky, bière et vin.

Elle verse du Tía Maria dans son café et emporte la bouteille avec elle en haut des marches qui mènent au grand salon.

C'est l'un des jours les plus longs de l'année. Mais par ici les arbres, les gros conifères touffus et les arbousiers aux branches rousses, font écran à la lumière du soleil qui décline. Le panneau vitré du plafond de la cuisine continue de l'illuminer, tandis que les fenêtres du salon ne sont que de longues fentes dans le mur et, là, l'obscurité commence déjà à épaissir. Le plancher n'est pas fini — de vieux tapis miteux sont jetés sur des carrés de contreplaqué — et la pièce est meublée bizarrement et comme au hasard. Surtout de coussins, qui jonchent le sol, et d'une ou deux banquettes dont le cuir s'est fendu. Un gigantesque fauteuil de cuir, du genre qui s'incline en arrière et comporte un repose-pieds. Un divan couvert d'un édredon en authentique patchwork, mais en loques, un antique téléviseur et un rayonnage de planches soutenues par des briques — sur lequel il n'y a pas de livres, seulement des piles de vieux *National Geographic,* quelques magazines de voile et des numéros de *Popular Mechanics.*

Ailo n'a manifestement pas eu le temps de faire le ménage dans cette pièce. Il y a des traînées de cendre là où des cendriers ont été renversés sur les tapis. Et des miettes partout. Juliet s'avise qu'elle pourrait chercher l'aspirateur, s'il y en a un, mais se dit ensuite qu'à supposer même qu'elle arrive à le faire fonctionner, elle s'exposerait vraisemblablement à une nouvelle mésaventure — les minces tapis pourraient être aspirés et s'entortiller à l'intérieur de l'appareil, par exemple. Elle se contente donc de demeurer sur le fauteuil de cuir, ajoutant du Tía Maria à mesure que le niveau de son café baisse.

Il n'y a pas grand-chose qui soit à son goût sur cette côte. Les arbres sont trop grands et serrés les uns contre les autres, ce qui les prive de toute singularité personnelle — ils constituent simplement une forêt. Les montagnes sont trop grandioses pour être vraisemblables et les îles qui flottent sur les eaux du détroit de Georgie trop obstinément pittoresques. Cette maison, avec ses grands espaces, ses plafonds inclinés et ses planchers pas finis est raide et empruntée.

La chienne aboie de temps en temps mais sans trop de conviction. Peut-être veut-elle entrer pour avoir de la compagnie. Mais Juliet n'a jamais eu de chien — un chien dans la maison serait un témoin, pas un compagnon, et ne servirait qu'à la mettre mal à l'aise.

Peut-être la chienne aboie-t-elle au passage d'un cerf venu explorer, ou d'un ours, ou d'un couguar. Il y a eu quelque chose dans les journaux de Vancouver au sujet d'un couguar — elle croit bien que c'était sur cette côte — qui avait lacéré un enfant.

Qui voudrait vivre dans un endroit où, chaque fois qu'on s'aventure à l'extérieur, on doit partager l'espace avec des bêtes hostiles en maraude?

Kallipareos. Aux belles joues. Ça lui est revenu. L'épithète homérique étincelle au bout de son hameçon. Et, au-delà, elle est soudain consciente de tout le vocabulaire grec, de tout ce qui semble avoir été remisé dans un placard depuis près de six mois à présent. Comme elle n'enseignait pas le grec, elle l'avait mis de côté.

Voilà ce qui arrive. On met de côté pour un petit moment et de temps à autre on regarde dans le placard à la recherche d'autre chose, on se rappelle et on se dit, *bientôt*. Puis cela devient quelque chose qui est là, comme ça, dans le placard, et d'autres choses s'accumulent devant celle-là et par-dessus, et pour finir on n'y pense plus du tout.

Ce qu'on chérissait comme un trésor. On n'y pense plus. Une perte qu'on ne pouvait même pas envisager autrefois, elle devient à présent une chose qu'on parvient à peine à se rappeler.

Voilà ce qui arrive.

Et même si on ne l'a pas remisée, même si l'on gagne sa vie

grâce à elle, tous les jours? Juliet songe aux profs les plus âgés du collège, à quel point la plupart d'entre eux se soucient peu de la matière, quelle qu'elle soit, qu'ils enseignent. Qu'on prenne Juanita, qui a choisi l'espagnol parce que cela va avec son prénom (elle est irlandaise) et qui veut le parler bien pour s'en servir dans ses voyages. On ne peut pas dire que l'espagnol est son trésor.

Peu de gens, très peu, ont un trésor. Et quand on en a un, il faut s'y accrocher. Il ne faut pas se laisser prendre au piège et permettre qu'on vous l'enlève.

Le Tía Maria a produit un certain effet avec le café. Il la fait se sentir insouciante mais puissante. Il lui permet de penser qu'Eric n'est pas tellement important après tout. C'est quelqu'un avec qui elle pourrait avoir une passade. Passade, c'est le mot. Comme Aphrodite avec Anchise. Et puis un beau matin, elle s'éclipsera.

Elle se lève et trouve la salle de bains, puis revient s'étendre sur le divan et se couvre de l'édredon — trop ensommeillée pour y voir les poils de Corky ou y sentir son odeur.

Quand elle s'éveille il fait grand jour alors qu'il n'est que six heures vingt à la pendule de la cuisine.

Elle a la migraine. Il y a un flacon d'aspirine dans la salle de bains — elle en prend deux, se lave et se coiffe, prend sa brosse à dents dans son sac et se brosse les dents. Puis elle prépare du café et mange une tranche de pain fait maison sans prendre la peine de la chauffer ou de la beurrer. Elle s'est installée à la table de la cuisine. La lumière du soleil, qui se glisse à travers les arbres, éclabousse de cuivre le tronc lisse des arbousiers. Corky se met à aboyer et aboie vraiment longtemps avant que la camionnette entre dans le jardin et la fasse taire.

Juliet entend la portière se fermer. Elle l'entend, lui, parler au chien, et la frayeur s'abat sur elle. Elle veut se cacher quelque part (elle dit plus tard, *J'aurais pu me réfugier sous la table,* mais bien sûr elle ne songe pas à faire quoi que ce soit d'aussi ridicule). C'est comme l'instant qui précède à l'école l'annonce du nom de l'élève qui a remporté le premier prix. Mais encore pire, parce qu'elle n'a aucun espoir raisonnable. Et parce que jamais une chance aussi considérable ne se représentera dans sa vie.

Quand la porte s'ouvre, elle ne peut pas lever les yeux. Sur ses genoux, les doigts de ses deux mains sont entrelacés, crispés les uns contre les autres.

« Vous êtes là », dit-il. Il a un rire de triomphe et d'admiration, comme devant le plus spectaculaire exemple d'impudence et d'audace. Quand il ouvre les bras, c'est comme si un vent s'était engouffré dans la pièce qui la contraignait à lever les yeux.

Il y a six mois, elle ne savait pas que cet homme existait. Il y a six mois, celui qui est mort sous le train vivait encore et peut-être choisissait-il les vêtements pour son voyage.

« Vous êtes là. »

Au son de sa voix, elle sait qu'il fait valoir son droit sur elle. Elle se lève, tout engourdie, et voit qu'il est plus âgé, plus lourd, plus impétueux que dans son souvenir. Il s'avance droit sur elle et elle se sent ravagée de haut en bas, inondée de soulagement, assaillie de bonheur. Que cela est donc étonnant. Que cela est proche du désarroi.

Il s'avère qu'Eric n'a pas été aussi surpris qu'il l'a fait croire. Ailo lui a téléphoné la veille, pour l'avertir de la présence de l'inconnue, Juliet, et lui a proposé d'aller voir pour lui si elle avait repris le car. Il avait sans savoir pourquoi trouvé juste de prendre le risque qu'elle le fasse — mettre le sort à l'épreuve, peut-être — mais, quand Ailo a rappelé pour dire que la fille n'était pas partie, il a lui-même été ébahi de la joie qu'il ressentait. N'empêche, il n'était pas rentré tout de suite, et n'en avait pas parlé à Christa, alors qu'il savait qu'il aurait à le faire, très vite.

Tout cela Juliet l'absorbe petit à petit au cours des semaines et des mois qui suivent. Certaines données lui arrivent accidentellement, et d'autres sont le résultat de ses explorations imprudentes.

Sa propre révélation (de n'être pas vierge) est considérée comme mineure.

Christa ne ressemble en rien à Ailo. Elle n'a pas les hanches larges ni les cheveux blonds. Elle est brune, mince, spirituelle et parfois morose, et va devenir la grande amie de Juliet et son soutien pendant les années qui suivront — sans pourtant jamais se départir d'une habitude de taquinerie un peu sournoise, reflet intermittent et ironique d'une rivalité immergée.

Bientôt

Deux profils se font face. L'un, celui d'une génisse toute blanche avec une expression particulièrement douce et tendre, l'autre celui d'un homme au visage vert, qui n'est ni jeune ni vieux. On dirait un fonctionnaire subalterne, peut-être un postier — il porte ce genre de casquette. Il a les lèvres pâles, le blanc des yeux brillant. Une main qui est probablement la sienne élève pour l'offrir, depuis le bord inférieur de la peinture, un petit arbre ou une branche exubérante, dont les fruits sont des joyaux.

Au bord supérieur de la peinture, il y a des nuages sombres, et, en dessous, quelques petites maisons de guingois et une église jouet avec sa croix jouet, perchée à la surface arrondie de la terre. À l'intérieur de cet arrondi, un petit homme (représenté toutefois à une plus grande échelle que les bâtiments) marche plein de détermination avec une faux à l'épaule, et une femme, représentée à la même échelle que lui, semble l'attendre. Mais elle est suspendue la tête en bas.

Il y a d'autres choses aussi. Par exemple, une fille occupée à traire une vache, à l'intérieur de la joue de la génisse.

Juliet prit aussitôt la décision d'acheter cette reproduction comme cadeau de Noël pour ses parents.

« Parce qu'il me fait penser à eux », dit-elle à Christa, son amie qui l'avait accompagnée depuis Whale Bay pour faire quelques courses. Elles étaient dans la boutique de la Vancouvert Art Gallery.

Christa éclata de rire. « Le bonhomme vert et la vache ? Ils seront flattés. »

Christa ne prenait jamais rien au sérieux pour commencer, il fallait d'abord qu'elle trouve une plaisanterie. Juliet ne se troubla pas. Enceinte de trois mois du bébé qui allait devenir Penelope, elle était soudain débarrassée des nausées et, pour cette raison, ou une autre, était sujette à des accès d'euphorie. Elle pensait à manger tout le temps et n'avait même pas eu envie d'entrer dans la boutique parce qu'elle avait repéré un restaurant.

Elle adorait tout ce qu'il y avait dans le tableau, mais en particulier les petites silhouettes et les constructions bancales de la partie supérieure. L'homme à la faux et la femme suspendue à l'envers.

Elle chercha le titre. *Moi et le village.*

C'était si exquisément approprié.

« Chagall. J'aime bien Chagall, dit Christa. Picasso était un salaud. »

Juliet était si contente de ce qu'elle avait trouvé qu'elle avait le plus grand mal à fixer son attention.

« Tu sais ce qu'il est censé avoir dit ? Chagall c'est pour les midinettes, dit Christa. Et alors, qu'est-ce qu'il leur reproche aux midinettes ? Chagall aurait dû dire, Picasso est pour les gens qui ont une drôle de figure. »

« Non, parce que ça me fait penser à leur vie, dit Juliet. Je ne sais pas pourquoi, mais c'est un fait. »

Elle avait déjà raconté à Christa certaines choses au sujet de ses parents. Raconté qu'ils vivaient dans un curieux isolement, mais sans en être malheureux, alors que son père était un professeur très aimé. C'était en partie à cause des ennuis cardiaques de Sara qu'ils étaient coupés des autres, mais aussi parce qu'ils étaient abonnés à des magazines que personne ne lisait dans leur entourage, qu'ils écoutaient des émissions de la radio nationale que personne n'écoutait dans leur entourage. Parce que Sara faisait ses propres vêtements — parfois des accoutrements — d'après *Vogue*, plutôt qu'avec des patrons Butterick. Et même à cause de cette façon qu'ils avaient de préserver une certaine allure de jeunesse au lieu de s'épaissir et de s'affaisser comme les parents des condisciples de Juliet. Juliet avait décrit Sam comme lui ressemblant — long cou, légère bosse au menton, cheveux raides et châtain clair — et Sara comme une blonde frêle et pâle, une beauté menue et brouillonne.

Quand Penelope eut treize mois, Juliet l'emmena en avion à Toronto, puis prit le train. C'était en 1969. Elle descendit dans une ville distante d'une trentaine de kilomètres de celle où elle avait grandi, et où Sam et Sara vivaient encore. Selon toute apparence le train ne s'arrêtait plus là-bas.

Elle fut déçue de descendre dans cette gare qui ne lui était pas familière et de ne voir pas réapparaître, aussitôt, les arbres, les trottoirs et les maisons qu'elle se rappelait — puis, très vite, sa propre maison, la maison de Sam et Sara, spacieuse mais quelconque, avec, à n'en pas douter, sa même peinture blanche cloquée et miteuse, derrière le feuillage généreux de son érable.

Sam et Sara, dans cette ville où elle ne les avait encore jamais vus, souriaient mais étaient inquiets, diminués.

Sara poussa un drôle de petit cri, comme si elle avait reçu un coup de bec. Une ou deux personnes sur le quai se tournèrent pour la regarder.

Mais non, ce n'était qu'un cri de joie.

« L'une grande, l'autre petite, n'empêche qu'on reste assorties », dit-elle.

Au début, Juliet ne comprit pas ce que cela voulait dire. Puis la lumière se fit dans son esprit — Sara portait une jupe de toile noire qui lui descendait au mollet et une veste assortie. Le col et les manchettes de la veste étaient taillés dans un tissu brillant, d'un vert acide, à pois noirs. Un turban de la même étoffe verte lui couvrait les cheveux. Elle devait avoir fait cette tenue elle-même, ou se l'être fait faire par une couturière. Les couleurs n'avantageaient pas sa peau qui semblait saupoudrée d'une fine poussière de craie.

Juliet portait une minirobe noire.

« Je me demandais ce que tu allais penser de moi, du noir en été, comme si j'étais en grand deuil, dit Sara. Et qu'est-ce que je vois, tu es en noir toi aussi. Ce que tu es élégante, je suis à fond pour les robes courtes. »

« Et les cheveux longs, dit Sam. Totalement hippie. » Il se pencha pour scruter le visage du bébé. « Bonjour, Penelope. »

Sara dit, « Une vraie poupée. »

Elle tendit les mains pour prendre Penelope — alors que les bras qui glissèrent hors de ses manches étaient des allumettes, trop débiles pour un tel fardeau. Et ils n'eurent pas à le faire, parce que Penelope, qui s'était tendue au premier son de la voix de sa grand-mère, se mit à glapir et se détourna pour cacher son visage dans le cou de Juliet.

Sara éclata de rire. « Suis-je donc un tel épouvantail ? » De nouveau elle maîtrisa mal sa voix, qui monta dans des aigus perçants puis retomba, attirant des regards lourds. C'était nouveau — encore que pas tout à fait. Juliet avait comme une idée que, depuis toujours peut-être, on regardait sa mère quand elle riait ou parlait, mais autrefois ç'aurait été une bouffée d'hilarité, qu'on remarquait, quelque chose de juvénile et de séduisant (qui n'aurait d'ailleurs pas plu à tout le monde, certains auraient dit qu'elle cherchait toujours à se faire remarquer).

Juliet dit, « Elle est très fatiguée. »

Sam présenta la jeune femme qui se tenait derrière eux, gardant ses distances comme si elle prenait soin de ne pas avoir l'air d'appartenir à leur groupe. Et de fait, Juliet ne s'était pas avisée que tel était le cas.

« Juliet, je te présente Irene. Irene Avery. »

Juliet tendit la main de son mieux tout en tenant Penelope et le sac de couches, et quand il devint évident qu'Irene ne comptait pas la lui serrer — ou peut-être n'avait pas remarqué l'intention — elle sourit. Irene ne lui rendit pas son sourire. Elle se tenait parfaitement immobile mais donnait l'impression d'avoir envie de détaler.

« Bonjour », dit Juliet.

Irene dit, « Enchantée de faire votre connaissance », avec assez de voix pour être audible mais dépourvue d'expression.

« Irene est notre bonne fée », dit Sara. Et là le visage d'Irene changea. Elle fronça un peu les sourcils avec une gêne perceptible.

Elle n'était pas aussi grande que Juliet — qui était grande — mais elle était plus large d'épaules et de hanches avec des bras vigoureux et un menton volontaire. Elle avait d'épais cheveux, noirs et souples, tirés en arrière et réunis en une courte queue-de-cheval, d'épais sourcils noirs et plutôt hostiles, le genre de peau qui brunit facilement. Ses yeux étaient verts ou bleus, d'une couleur claire qui surprenait avec une telle peau, et difficiles à regarder, parce que profondément enfoncés. Et aussi parce qu'elle tenait la tête légèrement baissée et le visage un peu tordu de côté. Cette méfiance semblait endurcie et délibérée.

« Elle abat une sacrée quantité de boulot, pour une fée, dit Sam, avec son grand sourire stratégique. J'aime autant te le dire. »

Et à présent bien sûr Juliet se rappela ces lettres qui avaient mentionné qu'une femme était venue les aider parce que les forces de Sara avaient drastiquement décliné. Mais elle s'était imaginé quelqu'un de beaucoup plus âgé. Irene n'était certainement pas plus vieille qu'elle.

La voiture était la même Pontiac que Sam avait achetée d'occasion il y avait peut-être dix ans. Le bleu de la peinture d'origine apparaissait en traînées çà et là, mais s'était en grande partie estompé, virant au gris, et les effets du salage hivernal des routes se voyaient dans la frange de rouille au bas de la carosserie.

« La vieille jument grise », dit Sara, presque hors d'haleine, après la courte marche depuis le quai de la gare.

« Elle ne vous a pas laissés tomber », dit Juliet. Elle avait parlé avec admiration, comme on semblait l'attendre d'elle. Elle avait oublié que c'était le nom qu'ils donnaient à la voiture, alors que c'était elle-même qui l'avait imaginé.

« Oh, elle n'est pas du genre à laisser tomber, dit Sara une fois qu'elle fut installée avec l'aide d'Irene sur le siège arrière. Et jamais nous ne la laisserions tomber. »

Juliet monta à l'avant, s'efforçant de ne pas trop remuer Penelope, qui recommençait à pleurnicher. La chaleur qui régnait à l'intérieur de la voiture était terrible, alors qu'elle avait été garée fenêtres ouvertes dans l'ombre chiche des peupliers de la gare.

« À vrai dire, j'envisage… dit Sam, manœuvrant en marche arrière, j'envisage de la changer pour une camionnette. »

« Il ne parle pas sérieusement », s'égosilla Sara.

« Pour mes nouvelles activités, poursuivit Sam. Ce serait beaucoup plus pratique. Et cela ferait un peu de publicité chaque fois qu'on roulerait dans la rue grâce au nom écrit sur la portière. »

« Il nous taquine, dit Sara. Comment pourrais-je me déplacer dans un véhicule qui dit *Légumes frais*. Qu'est-ce que je suis censée être, le chou ou la courgette ? »

« Mettez-la en sourdine, ma petite dame, dit Sam. Ou vous serez complètement hors d'haleine quand on arrivera à la maison. »

Après une carrière de trente ans ou presque dans l'enseignement public qui l'avait promené à travers tout le comté — dix ans dans son dernier poste —, Sam avait soudain décidé de démissionner pour se consacrer au commerce des légumes. Il avait toujours cultivé un grand potager et des rangées de framboisiers dans une parcelle située juste derrière celle de la maison et ils vendaient leur surplus à quelques personnes en ville. Mais dorénavant, semblait-il, cela allait devenir son nouveau gagne-pain, il vendrait aux commerçants et finirait peut-être par installer un étal devant l'entrée de la maison.

« Alors c'est sérieux, cette histoire ? » dit Juliet à voix basse.

« Et comment que c'est sérieux. »

« L'enseignement ne va pas te manquer ? »

« Ça tu peux le dire. J'en avais jusque-là. J'en avais par-dessus la tête. »

Il était vrai qu'après tant d'années il ne s'était jamais vu offrir, dans aucun établissement, le poste de principal. Elle supposait que cela expliquait sa lassitude. C'était un professeur remarquable, dont les bouffonneries et l'énergie étaient inoubliables, sa classe de sixième année ne ressemblant à aucune autre dans la vie de ses élèves. Pourtant on l'avait privé d'avancement, à répétition, et probablement pour cette raison même. Ses méthodes pouvaient sembler saper l'autorité. On n'avait donc pas de mal à imaginer l'Autorité déclarant que ce n'était pas l'homme à mettre aux commandes, qu'il ferait moins de dégâts là où il était.

Il aimait travailler en plein air, avait l'art de parler aux gens, et excellerait probablement dans le commerce des légumes.

Mais Sara allait avoir cela en horreur.

Et Juliet n'appréciait pas non plus. Pourtant, s'il fallait choisir un camp, elle serait contrainte de choisir celui de son père. Elle ne voulait pas qu'on puisse la taxer de snobisme.

Et la vérité était qu'elle s'estimait — elle s'estimait et elle estimait Sam et Sara, mais plus particulièrement elle-même et Sam — à leur façon supérieurs à tous ceux qui les entouraient. Alors quelle importance pourrait bien avoir ce colportage de légumes ?

Sam baissa ensuite la voix et parla comme un conspirateur.

« Comment s'appelle-t-elle ? »

Il s'agissait du bébé.

« Penelope. Jamais nous ne l'appellerons Penny. Penelope. »

« Non, je sais — son nom de famille. »

« Ah. Bah, Henderson-Porteous, j'imagine. Ou Porteous-Henderson. Mais peut-être que ça fait un peu beaucoup, déjà qu'elle s'appelle Penelope ? On le savait mais on tenait à Penelope. Il va falloir régler ça. »

« Donc, il lui a donné son nom, dit Sam. Ma foi, c'est quelque chose. Enfin, c'est-à-dire, c'est bien. »

Juliet fut surprise, brièvement, puis cessa de l'être.

« Bien sûr qu'il lui a donné son nom », dit-elle. Elle fit mine d'être perplexe et amusée. « C'est sa fille. »

« Oh oui. Oui. Mais vu les circonstances. »

« J'oublie les circonstances, dit-elle. Si tu entends par là le fait que nous ne soyons pas mariés, ça n'entre même pas en ligne de compte. Là où nous vivons, les gens que nous connaissons, on n'y pense même pas. »

« J'imagine, dit Sam. Était-il marié à la première ? »

Juliet leur avait parlé de la femme d'Eric, qu'il avait soignée pendant les huit ans qu'elle avait survécu à l'accident de la route.

« Ann ? Oui. Bah, je ne le sais pas vraiment. Mais oui. Je crois. Oui. »

Sara leur lança depuis la banquette arrière, « Si on s'arrêtait pour manger une glace ? »

« On a des glaces dans le congélateur à la maison », lança Sam en réponse. Et il ajouta à voix basse, à l'adresse de Juliet qui en fut choquée, « Il suffit de l'emmener quelque part manger quelque chose pour qu'elle se donne en spectacle. »

Les vitres étaient encore baissées, le vent chaud soufflait dans la voiture. C'était le plein été — saison qui n'atteignait jamais, à ce que Juliet croyait voir, la côte Ouest. Les feuillus moutonnaient à la lisière lointaine des champs, formant des cavernes d'ombre bleu-noir, et les cultures et les prairies qui s'étendaient devant étaient vert et or sous la dure lumière du soleil. De jeunes pousses vigoureuses de blé, d'orge, de maïs et de soja — qui vous brûlaient presque les yeux.

Sara dit, « Quel est au juste le sujet de cette conférence ? Sur la banquette avant ? On n'entend rien ici, avec le vent. »

Et Sam, « Rien d'intéressant. Je demande à Juliet si son copain est toujours pêcheur. »

Eric gagnait sa vie en pêchant la crevette, et ce depuis longtemps. Il avait autrefois commencé des études de médecine. Elles s'étaient interrompues parce qu'il avait pratiqué un avortement pour une amie (pas une petite amie). Tout s'était bien passé mais l'histoire s'était ébruitée on ne savait trop comment.

C'était une chose que Juliet avait songé à révéler à ses parents, qui avaient l'esprit ouvert. Elle pensait peut-être montrer ainsi qu'il avait fait des études, qu'il n'était pas un simple pêcheur. Mais quelle importance, surtout à présent que Sam vendait des légumes ? Et puis il se pouvait que leur ouverture d'esprit ne fût pas aussi fiable qu'elle l'avait cru.

Il y avait plus à vendre que les légumes frais et les fruits rouges. Confitures, jus en bouteille, conserves au vinaigre, qu'on produisait dans la cuisine. Le premier matin du séjour de Juliet, des confitures de framboises étaient en préparation. Irene s'en chargeait, son chemisier humide de vapeur ou de sueur lui collait à la peau entre les omoplates. De temps en temps, elle jetait un regard au téléviseur, qu'on avait roulé dans le couloir jusqu'au seuil de la cuisine, de telle sorte qu'il fallait le contourner en se faufilant pour entrer dans la pièce. Sur l'écran, passait une émission enfantine matinale, un dessin animé de Bullwinkle l'orignal. Par moments, Irene riait bruyamment d'une des singeries du dessin animé et Juliet riait un peu, par souci de convivialité. Ce dont Irene ne s'apercevait pas le moins du monde.

Il fallut dégager de l'espace sur la paillasse afin que Juliet puisse faire durcir et écraser un œuf pour le petit déjeuner de Penelope et préparer du café et du pain grillé pour elle-même. « Vous avez assez de place ? » lui demanda Irene, d'une voix pleine de doute, comme si Juliet était une intruse aux exigences imprévisibles.

De près, on voyait qu'un grand nombre de fins poils noirs poussaient sur les avant-bras d'Irene. Elle en avait d'autres sur les joues, aussi, juste en avant des oreilles.

À sa manière oblique, elle surveillait tout ce que faisait Juliet, la regarda tripoter les boutons de la cuisinière à gaz (ne se rappelant pas d'emblée à quels brûleurs ils correspondaient), la regarda sortir l'œuf de la casserole et l'écaler (la coquille collait, cette fois, et ne se détacha que par tout petits morceaux et non par pans entiers), puis la regarda choisir la soucoupe dans laquelle elle l'écraserait. « Il vaudrait mieux qu'elle ne la jette pas par terre. » Il s'agissait de la soucoupe de porcelaine. « Vous n'avez pas une assiette en plastique pour elle ? »

« Je ferai attention », dit Juliet.

Il s'avéra qu'Irene était mère elle aussi. Elle avait un garçon de trois ans et une fille d'un peu moins de deux. Ils s'appelaient Trevor et Tracy. Leur père avait été tué l'été précédent dans un accident à l'élevage de poulets où il travaillait. Elle-même avait trois ans de moins que Juliet. Vingt-deux. Ces informations concernant les enfants et le mari furent fournies en réponse aux questions de Juliet, quant à l'âge, elle put le déduire de ce qu'Irene dit ensuite.

Quand Juliet déclara, « Oh, j'en suis désolée » — parlant de l'accident et se sentant grossière d'avoir posé ces questions et jugeant qu'à présent cet apitoiement était hypocrite de sa part —, Irene dit, « Ouais. Juste à temps pour mes vingt et un ans », comme si les malheurs étaient une chose à collectionner, à la manière des breloques qu'on accroche à un bracelet.

Lorsque Penelope eut mangé tout ce qu'elle était prête à accepter de son œuf, Juliet la souleva sur une hanche et l'emporta à l'étage.

Parvenue à la moitié de l'escalier, elle se rendit compte qu'elle n'avait pas lavé la soucoupe.

Elle n'avait nulle part où laisser la petite, qui ne marchait pas encore mais savait ramper fort vite. On ne pouvait certainement pas la laisser ne fût-ce que cinq minutes dans la cuisine, avec l'eau qui bouillait dans le stérilisateur et la confiture brûlante et les hachoirs — elle se voyait mal demander à Irene de la surveiller. Et au réveil, elle avait encore refusé les avances de Sara. Juliet l'emporta donc dans l'escalier fermé qui menait au grenier — ayant tiré la porte derrière elle — et l'installa sur les marches pour jouer pendant qu'elle-même se mettait à chercher le vieux parc. Heureusement, Penelope était experte dans l'art de se déplacer sur les marches.

La maison avait un étage et un grenier. Les chambres du premier étaient hautes de plafond mais ressemblaient à des boîtes, du moins était-ce l'impression qu'elles produisaient sur Juliet à présent. La double pente du toit était forte, de sorte qu'on pouvait circuler debout au milieu du grenier. Juliet le faisait quand elle était enfant. Elle s'y promenait en se racontant telle ou telle histoire qu'elle avait lue, avec des additions ou des altérations. Elle y dansait — cela aussi — devant un public imaginaire. Le public réel était constitué de meubles cassés ou simplement mis au rancart, de vieilles malles, d'un manteau de bison inimaginablement pesant, de la cabane à hirondelles (cadeau que ses élèves avaient fait à Sam il y avait fort longtemps et qui n'avait jamais attiré une seule hirondelle), le casque allemand censé avoir été rapporté à la maison par le père de Sam au retour de la Première Guerre mondiale, et une toile d'amateur d'un comique involontaire représentant l'*Empress of Ireland* coulant dans le golfe du Saint-Laurent, environnée de silhouettes filiformes qui sautaient à l'eau dans toutes les directions.

Et là, appuyé contre un mur, *Moi et le village*. Tourné vers l'extérieur — on n'avait pas cherché à le dissimuler. Et pour ainsi dire pas de poussière, il n'y avait donc pas longtemps que la reproduction était là.

Elle trouva le parc après quelques instants de recherche. C'était un bel objet lourd avec un fond de bois et des côtés à colonnettes fuselées. Et la voiture d'enfant. Ses parents avaient tout gardé, avaient espéré un autre enfant. Il y avait eu une fausse couche au moins. Le rire dans leur lit, le dimanche matin, avait donné à Juliet l'impression que la maison était envahie par une perturbation insidieuse, et même honteuse, qui ne lui était pas favorable.

La voiture d'enfant était du genre qui se repliait pour devenir une poussette. C'était une chose que Juliet avait oubliée ou n'avait jamais sue. En nage à présent, et couverte de poussière, elle se mit à l'œuvre pour accomplir cette transformation. Ce genre de tâche n'était jamais facile pour elle, jamais elle ne saisissait d'emblée la manière dont les choses étaient assemblées et elle aurait probablement traîné le tout dans l'escalier puis au jardin pour demander à Sam de l'aider si la pensée d'Irene ne l'avait retenue. Irene et les regards de ses yeux pâles, indirects mais qui semblaient prendre sa mesure, ses mains compétentes. Sa vigilance, dans laquelle entrait quelque chose qu'on ne pouvait pas tout à fait appeler mépris. Juliet ne savait pas comment on pouvait l'appeler. Une attitude indifférente mais sans concession, comme celle d'un chat.

Elle finit par se débrouiller pour donner forme à la poussette. Elle était encombrante, une fois et demie plus grosse que celle à laquelle elle était habituée. Et très sale, bien sûr. Comme elle l'était elle-même, maintenant, et Penelope, sur les marches, plus encore. Et juste à côté de la main du bébé, il y avait une chose que Juliet n'avait même pas remarquée. Un clou. Le genre de choses auxquelles on ne prête pas attention jusqu'à ce qu'on ait un bébé dans la phase où il porte tout à la bouche et où il faut rester sans arrêt sur le qui-vive.

Ce qu'elle n'avait pas fait. Tout ici la distrayait. La chaleur, Irene, ce qui lui était familier et ce qui ne l'était pas.

Moi et le village.

« Oh, dit Sara, j'espérais que tu ne t'en apercevrais pas. Ne le prends pas trop à cœur. »

Le petit salon solarium était maintenant la chambre à coucher de Sara. On avait accroché à toutes les fenêtres des stores de bambou qui emplissaient la pièce — autrefois une partie de la véranda — d'une lumière brun-jaune et d'une chaleur uniforme. Sara n'en portait pas moins un pyjama de laine rose. La veille, à la gare, avec ses sourcils crayonnés et son rouge à lèvres framboise, son turban et son tailleur, Juliet lui avait trouvé un air de vieille dame française (non que Juliet eût vu beaucoup de vieilles dames françaises), mais là, avec ses cheveux blancs qui rebiquaient, ses yeux brillant d'anxiété sous des sourcils presque inexistants, elle ressemblait plus à une enfant bizarrement âgée. Elle était assise adossée aux oreillers, l'édredon remonté jusqu'à la ceinture. Quand Juliet l'avait accompagnée à la salle de bains, plus tôt dans la matinée, elle avait pu constater que malgré la chaleur elle portait ses chaussettes et ses pantoufles dans le lit.

On avait placé près de son lit une chaise dont le siège était plus facile à atteindre pour elle qu'une table. Il y avait dessus des comprimés et des médicaments, du talc, une lotion hydratante, une tasse à moitié bue de thé au lait, un verre recouvert d'une pellicule sombre, trace d'un quelconque remontant, probablement à base de fer. Sur le lit, des magazines, de vieux exemplaires de *Vogue* et du *Ladies' Home Journal*.

« Je ne le prends pas à cœur », dit Juliet.

« On l'avait accroché, tu sais. Dans le couloir du fond près de la porte de la salle à manger. Et puis papa l'a enlevé. »

« Pourquoi ? »

« Il ne m'en a pas dit un mot. Il n'a pas dit qu'il comptait l'enlever. Et puis un jour il avait disparu. »

« Pourquoi voulait-il l'enlever ? »

« Oh, tu sais, une de ces idées qu'il a. »

« Quel genre d'idées ? »

« Tu sais, je crois que ça avait probablement à voir avec Irene. Que ça risquait de troubler Irene. »

« Il n'y a pas le moindre nu dedans. Pas comme le Botticelli. »

Car il est vrai qu'il y avait une reproduction de *La Naissance de Vénus* au mur du salon de Sam et Sara. Elle avait fait l'objet de plaisanteries un peu crispées, il y avait de cela des années, quand ils recevaient les autres professeurs à dîner.

« Non. Mais c'est moderne. Je crois que cela mettait papa mal à l'aise. Ou peut-être que le regarder en même temps qu'Irene le regardait — c'était ça qui le mettait mal à l'aise. Il a dû avoir peur que cela la conduise à… enfin, à nous mépriser, en somme. Tu sais — à nous trouver bizarres. Il n'aimerait pas qu'Irene nous prenne pour des gens de ce genre. »

« Le genre de gens qui mettraient ce genre de tableau au mur ? Tu crois qu'il s'en fait tellement pour ce qu'elle peut bien penser de nos reproductions ? »

« Tu connais papa. »

« Il n'a pas peur d'être en désaccord avec les gens. Ce n'est pas ça qui lui a attiré des ennuis dans son travail ? »

« Quoi ? dit Sara. Ah, oui. Il n'a pas peur d'être en désaccord. Mais il fait attention, parfois. Et Irene. Irene est… il fait attention à elle. Elle est très précieuse, pour nous, Irene. »

« Il a cru qu'elle laisserait tomber son emploi parce qu'elle trouverait que nous avons un tableau bizarre ? »

« Moi je l'aurais laissé, chérie. Tout ce qui vient de toi est précieux pour moi. Mais papa… »

Juliet ne dit rien. Depuis ses neuf ou dix ans et jusqu'à ce qu'elle en eût peut-être quatorze, Sara et elle étaient d'accord au sujet de Sam. *Tu connais papa.*

Ç'avait été leur période femmes entre elles. On essayait des permanentes maison sur les fins cheveux rebelles de Juliet, des séances de couture produisaient des tenues qui ne ressemblaient à celles de nulle autre, on dînait de sandwichs beurre de cacahuète-tomate-mayonnaise les soirs où Sam rentrait tard, retenu par une réunion, à l'école. On faisait et refaisait le récit des aventures de Sara avec ses petits amis et ses copines, les bons tours qu'ils jouaient, les parties de rigolade, du temps où Sara était maîtresse d'école elle aussi, avant que sa maladie de cœur s'aggrave trop. Le récit aussi de l'époque qui avait précédé, quand le rhumatisme articulaire lui faisait garder le lit et que ses amis imaginaires Rollo et Maxine résolvaient des énigmes, et même des affaires de meurtres, comme les personnages de certains livres d'enfants. Des aperçus de la cour éperdue que lui avait faite Sam, les désastres avec la voiture empruntée, la fois où il était venu sonner à la porte de Sara déguisé en clochard.

Sara et Juliet faisant des caramels et enfilant des rubans dans les œillets des volants de leurs jupons, si proches l'une de l'autre, entrelacées. Et puis, abruptement, Juliet en avait perdu l'envie, remplacée par l'envie de bavarder avec Sam tard le soir dans la cuisine. De l'interroger sur les trous noirs, la période glaciaire, Dieu. Elle détestait la façon qu'avait Sara de saboter leurs conversations par des questions ingénues, en ouvrant de grands yeux, sa façon de toujours essayer de ramener les choses à elle d'une manière ou d'une autre. C'est pourquoi les conversations devaient avoir lieu tard le soir et qu'il avait fallu établir cette entente dont ni elle ni Sam ne parlaient jamais. *Attendons d'être débarrassés de Sara.* Provisoirement, bien entendu.

Il y avait un rappel qui y était toujours associé. *Sois gentille avec Sara. Elle a risqué sa vie pour t'avoir, ça mérite qu'on s'en souvienne.*

« Ça ne dérange pas papa d'être en désaccord avec des gens qui sont au-dessus de lui, dit Sara en prenant une profonde inspiration. Mais tu sais comment il est avec les gens qui sont en dessous de lui. Il est prêt à tout pour s'assurer qu'il ne leur donne pas l'impression d'être différent d'eux, il faut absolument qu'il se mette à leur niveau… »

Juliet le savait, évidemment. Elle connaissait la façon qu'avait Sam de parler au gamin de la station-service, de plaisanter à la quincaillerie. Mais elle ne dit rien.

« Il faut qu'il leur fasse de la lèche », dit Sara avec un changement de ton soudain, où tremblait une pointe de méchanceté, et un petit gloussement.

Juliet nettoya la poussette, et Penelope, et elle-même, et partit faire une promenade en ville. Elle avait un prétexte : il lui fallait une marque précise de savon désinfectant très doux avec lequel laver les couches — si elle se servait de savon ordinaire, le bébé ferait une éruption. Mais elle avait d'autres raisons, irrésistibles encore que gênantes.

C'était le chemin par lequel elle était allée à l'école pendant des années. Même quand elle allait à l'université et revenait à la maison en vacances, rien n'avait changé — elle demeura une fille qui allait à l'école. N'en aurait-elle jamais fini d'aller à l'école? Quelqu'un avait posé cette question à Sam quand elle venait de remporter le premier prix du concours interuniversitaire de version latine, et il avait répondu, « Ça se pourrait bien. » Il racontait cette histoire à ses propres dépens. Pour rien au monde il n'eût mentionné le prix. Il laissait cela à Sara — encore que Sara risquait d'avoir oublié ce que le prix récompensait au juste.

Et voilà qu'elle avait accédé à la rédemption. Comme n'importe quelle autre jeune femme, elle promenait son bébé. Se préoccupait du savon pour laver les couches. Et ce n'était pas seulement son bébé à elle. Une enfant de l'amour. C'était ainsi qu'elle parlait parfois de Penelope, à Eric seulement. Il le prenait à la blague, elle le disait à la blague, évidemment puisqu'ils vivaient ensemble, et ce depuis un certain temps, et avaient l'intention de poursuivre ensemble. Le fait qu'ils n'étaient pas mariés ne signifiait rien pour lui, elle croyait le savoir, et elle-même l'oubliait souvent. Mais à l'occasion — et tout spécialement pour l'heure, de retour chez elle — c'était le fait de n'être pas mariée qui faisait surgir en elle le sentiment d'avoir accompli quelque chose, une félicité un peu sotte.

« Alors, tu es allée au bout de la rue, aujourd'hui, dit Sam (avait-il toujours dit *au bout de la rue*? *Sara et Juliet disaient* en ville). Tu as rencontré des gens que tu connaissais? »

« Il fallait que j'aille à la pharmacie, dit Juliet. Alors j'ai bavardé avec Charlie Little. »

Cette conversation avait lieu dans la cuisine, le soir, à onze heures passées. Juliet avait décidé que c'était le meilleur moment pour préparer les biberons qu'elle donnerait à Penelope le lendemain.

« Mini Charlie? dit Sam — qui avait depuis toujours cette autre habitude qu'elle ne se rappelait pas, l'habitude de continuer d'appeler les gens par leur surnom d'adolescent. A-t-il admiré ta progéniture? »

« Bien sûr. »

« Il aurait fait beau voir. »

Sam était assis à la table devant un verre de whisky et fumait une cigarette. C'était nouveau, le whisky. Parce que le père de Sara était un ivrogne — pas un cas désespéré d'ivrognerie, il avait pu poursuivre sa pratique de vétérinaire, mais il avait fait régner une telle terreur chez lui que sa fille était horrifiée par la boisson — Sam n'avait jamais bu ne fût-ce qu'une bière, du moins à la connaissance de Juliet, dans la maison.

Juliet était allée à la pharmacie parce que c'était le seul endroit où l'on vendait ce savon pour les couches. Elle ne s'était pas attendue à y voir Charlie, alors que le magasin appartenait à sa famille. La dernière fois qu'elle avait entendu parler de lui, il allait devenir ingénieur. Peut-être avait-elle manqué de tact en lui en reparlant le matin à la pharmacie, mais il ne s'était pas formalisé et lui avait répondu sans se départir de sa bonne humeur que cela n'avait pas marché. Sa taille avait épaissi, ses cheveux commençaient à se clairsemer et avaient perdu leurs ondulations et leur brillant. Il avait salué Juliet avec enthousiasme, n'avait pas été avare de flatteries pour elle et son bébé, ce qui n'avait pas manqué de la troubler, elle avait senti son visage et sa nuque devenir brûlants, transpirer un peu, et cela avait duré tout le temps qu'il lui avait parlé. À l'école, il ne lui aurait pas accordé un instant — sinon pour la saluer correctement, parce que ses manières étaient toujours affables, démocratiques. Il sortait avec les filles les plus désirables de l'établissement et était à présent, comme il le lui dit, marié à l'une d'entre elles. Janey Peel. Ils avaient deux enfants, un qui avait à peu près le même âge que Penelope, et un plus grand. C'était la raison, dit-il avec une honnêteté qui semblait devoir quelque chose à la situation de Juliet elle-même — c'était la raison pour laquelle il n'était pas devenu ingénieur.

Il sut donc s'y prendre pour obtenir un sourire et un petit gargouillis de Penelope et bavarda avec Juliet sur un pied d'égalité, entre parents. Et elle en fut flattée comme une idiote, cela lui fit plaisir. Mais il entrait autre chose dans l'intérêt empressé qu'il lui manifesta — le rapide coup d'œil à sa main gauche dépourvue d'anneau, la blague sur son propre mariage. Et autre chose encore. Il l'observait, à la dérobée, la jaugeait, peut-être voyait-il en elle, à présent, une femme qui n'hésitait pas à montrer le fruit d'une vie sexuelle pleine d'audace. Elle, Juliet! La godiche, l'intello.

« Est-ce qu'elle te ressemble? » avait-il demandé, quand il s'était accroupi pour regarder Penelope.

« Elle ressemble plus à son père », dit Juliet d'un air détaché, mais inondée de fierté, la sueur perlant maintenant à sa lèvre supérieure.

« Ah oui? dit Charlie, et, se redressant, il parla du ton de la confidence. Je vais te dire une bonne chose, en tout cas. J'ai trouvé que c'était une honte… »

Juliet dit à Sam, « Il m'a dit qu'il trouvait que c'était une honte, ce qui t'est arrivé. »

« Il t'a dit ça, hein? Et toi, qu'as-tu répondu? »

« Je ne savais pas quoi dire. Je ne savais pas de quoi il parlait. Mais je ne voulais pas qu'il s'en aperçoive. »

« Non. »

Elle s'assit à la table. « Je boirais bien quelque chose mais je n'aime pas le whisky. »

« Alors maintenant tu bois, en plus? »

« Du vin. Nous faisons notre vin. Tout le monde le fait, dans la baie. »

Il lui raconta une blague, alors, le genre de blague qu'il ne lui aurait jamais racontée avant. Il s'agissait d'un couple qui allait dans un motel et la chute était la suivante : « C'est bien ce que je dis toujours aux filles du patronage — on n'est pas obligé de boire et de fumer pour bien s'amuser. »

Elle rit mais sentit son visage devenir brûlant, comme avec Charlie.

« Pourquoi as-tu arrêté? dit-elle. Est-ce qu'on t'a lâché à cause de moi? »

« Oh, s'il te plaît ! » Sam rit. « Ne te donne pas tant d'importance. On ne m'a pas lâché. On ne m'a pas renvoyé. »

« Alors très bien. Tu es parti. »

« Je suis parti. »

« Est-ce que cela avait quoi que ce soit à voir avec moi ? »

« Je suis parti parce que j'en avais ma claque de porter toujours ce fichu collier. Ça faisait des années que j'avais envie de m'arrêter. »

« Ça n'avait rien à voir avec moi ? »

« Oui, bon, dit Sam. Je me suis disputé. Des choses ont été dites. »

« Quelles choses ? »

« Tu n'as pas besoin de le savoir. Et ne t'inquiète pas, reprit-il au bout d'un moment. On ne m'a pas renvoyé. On n'aurait pas pu me renvoyer. Il y a des règles. C'est comme je te l'ai dit — j'étais prêt à partir, de toute façon. »

« Mais tu ne te rends pas compte, dit Juliet. Tu ne te rends pas, mais alors absolument pas compte. Tu ne te rends pas compte combien tout cela peut être idiot, combien c'est dégoûtant de vivre ici, dans un bled où les gens disent ce genre de choses. Si je le racontais aux gens que je connais, ils n'arriveraient pas à le croire. Ils croiraient que c'est une blague. »

« Ça se peut. Malheureusement ta mère et moi ne vivons pas là où tu vis. C'est ici que nous vivons. Et ton copain, là, il pense aussi que c'est une blague ? Je ne veux plus parler de ça ce soir, je vais me coucher. Je vais passer voir si ta mère va bien et puis je vais me coucher. »

« Le train… dit Juliet avec autant d'énergie et même de mépris. Il s'arrête encore ici. N'est-ce pas ? Vous ne vouliez pas que j'arrive à la gare ici. N'est-ce pas, c'est bien ça ? »

Son père était déjà en train de quitter la pièce, il ne répondit pas.

La lumière du dernier réverbère de la ville tombait maintenant en plein sur le lit de Juliet. Le grand érable avait été abattu, remplacé par un carré de rhubarbe de Sam. La veille, elle avait laissé les rideaux fermés pour protéger le lit mais, cette nuit, elle sentit qu'elle avait besoin de l'air extérieur. Elle dut donc faire passer l'oreiller au pied du lit en même temps que Penelope qui avait jusque-là dormi comme un ange avec toute la lumière dans la figure.

Elle regretta de n'avoir pas bu un peu de whisky.

Elle était couchée, raide de frustration et de colère, et composait dans sa tête une lettre à Eric. *Je ne sais pas ce que je fais ici, je n'aurais jamais dû y venir, je suis impatiente d'être chez moi.*

Chez moi.

La lumière commençait à peine à poindre quand elle s'éveilla au bruit d'un aspirateur. Puis une voix — celle de Sam — interrompit ce bruit et elle se rendormit sans doute. Quand elle se réveilla plus tard, elle pensa avoir rêvé. Autrement, Penelope se serait réveillée, et elle ne l'avait pas fait.

La cuisine était plus fraîche ce matin, l'odeur des fruits qui mijotaient avait cessé de l'emplir. Irene mettait des petites coiffes de vichy et des étiquettes sur tous les bocaux.

« J'ai cru vous entendre passer l'aspirateur, dit Juliet, s'efforçant de puiser en elle-même un semblant de gaieté. J'ai dû rêver. Il ne devait pas être beaucoup plus de cinq heures ce matin. »

Irene ne répondit pas pendant un certain temps. Elle écrivait sur une étiquette. Elle y mettait beaucoup de concentration, les lèvres serrées entre les dents.

« C'était elle, dit-elle quand elle eut fini. Elle a réveillé votre père et il a dû y aller pour la faire arrêter. »

Ce n'était guère vraisemblable. La veille, Sara n'avait quitté son lit que pour aller à la salle de bains.

« Il me l'a raconté, dit Irene. Elle se réveille au milieu de la nuit et s'imagine qu'elle va faire quelque chose et il doit se lever pour lui dire d'arrêter. »

« Elle a probablement une montée d'énergie dans ces moments-là », dit Juliet.

« Mouais. » Irene attaquait une nouvelle étiquette. Cela fait, elle se tourna face à Juliet.

« Ce qu'elle veut, c'est réveiller votre papa pour qu'il s'occupe d'elle. Voilà ce qu'elle veut. Lui qui est crevé, il doit se lever pour aller s'occuper d'elle. »

Juliet se détourna. Ne voulant pas poser Penelope par terre — comme si la petite n'était pas en sécurité à cet endroit —, elle la maintint en équilibre sur une hanche pendant qu'elle repêchait l'œuf avec une cuillère, le tapait pour l'écaler et l'écrasait d'une seule main.

Pendant qu'elle nourrissait Penelope, elle eut peur de parler, peur que le ton de sa voix inquiète la petite et la fasse vagir. Quelque chose se communiqua cependant à Irene. Elle dit d'une voix plus basse — mais avec une nuance sous-jacente de défi —, « C'est comme ça qu'elles deviennent. Quand elles sont malades à ce point-là, elles peuvent pas s'en empêcher. Elles peuvent penser qu'à elles et à personne d'autre. »

Les yeux de Sara étaient clos mais elle les ouvrit immédiatement. « Oh, voici les êtres qui me sont chers, dit-elle comme pour se moquer d'elle-même. Ma Juliet. Ma Penelope. »

Penelope semblait commencer à s'habituer à elle. En tout cas ce matin elle ne pleurait pas, ne détournait pas son visage.

« Tiens, dit Sara, prenant un de ses magazines. Pose-la qu'elle s'occupe avec ça. »

Penelope eut l'air de douter un moment puis saisit une page et la déchira vigoureusement.

« Et voilà, dit Sara. Les tout-petits adorent tous déchirer les magazines. Je me le rappelle. »

Sur la chaise de chevet, il y avait un bol de crème de céréales à peine entamé.

« Tu n'as pas mangé ton petit déjeuner ? demanda Juliet. Ce n'était pas ce dont tu avais envie ? »

Sara considéra le bol comme s'il s'agissait de réfléchir sérieusement mais qu'elle n'y arrivait pas.

« Je ne me rappelle pas. Non, je crois que je ne devais pas en avoir envie. » Elle fut prise d'un accès de rire gloussant entre-coupé de hoquets. « Qui sait ? Ça m'est passé par la tête — si elle voulait m'empoisonner ? »

« Je plaisante, dit-elle quand elle se remit. Mais elle est très farouche, Irene. Il ne faut pas sous-estimer — Irene. Tu as vu les poils sur ses bras ? »

« Comme des poils de chat », dit Juliet.

« De mouffette. »

« Espérons qu'il n'en tombe aucun dans la confiture. »

« Ne me fais pas… rire encore… »

Penelope finit par s'absorber à un tel point dans la lacéra-tion des magazines que Juliet put la laisser dans la chambre de Sara pour emporter la crème de céréales à la cuisine. Sans un mot, elle se mit à confectionner un lait de poule. Irene entrait et sortait, portant des cartons de bocaux de confiture à la voi-ture. Sur les marches, derrière la maison, Sam passait au jet, pour les débarrasser de la terre qui y était collée, les patates qu'il venait de récolter. Il s'était mis à chanter — trop bas d'abord pour qu'on entende les paroles. Puis, alors qu'Irene montait les marches, plus fort.

« Irene, good ni-i-ight,
Irene, good night,
Good night, Irene, good night, Irene,
I'll see you in my dreams. »

Irene, dans la cuisine, pivota sur elle-même et hurla, « Arrê-tez de chanter cette chanson sur moi. »

« Une chanson sur vous ? dit Sam, feignant l'ébahissement. Qui chante une chanson sur vous ? »

« Vous ! Ce que vous chantiez, là, tout de suite. »

« Ah, celle-là. Cette chanson-là, *Good night Irene* ? La fille de la chanson ? Ben mince — j'avais oublié que vous vous appelez comme ça aussi. »

Il reprit du début, mais en fredonnant, en douce. Irene tendait l'oreille, toute rouge, la poitrine se soulevant et descendant, prête à bondir si elle entendait un seul mot.

« Ne chantez pas sur moi. Du moment qu'il y a mon nom dedans, c'est sur moi. »

Soudain Sam reprit à pleine gorge.

« Last Saturday night I got married,
Me and my wife settled down[1]*... »*

« Arrêtez. Je vous dis d'arrêter, cria Irene, les yeux agrandis, en fureur. Si vous n'arrêtez pas, je vais venir vous arroser avec le tuyau. »

Sam livrait des confitures, l'après-midi, à plusieurs boutiques d'alimentation et à quelques épiceries fines qui avaient passé commande. Il invita Juliet à l'accompagner. Il était allé au bazar acheter un siège bébé tout neuf pour Penelope.

« Voilà une chose que nous n'avons pas au grenier, dit-il. Quand tu étais petite, je ne sais pas si ça existait. D'ailleurs ça n'a pas d'importance. On n'avait pas de voiture. »

Irene était au jardin et cueillait encore des framboises. Celles-là serviraient à confectionner des tartes. Sam donna deux coups d'avertisseur et agita le bras en partant, et Irene se décida à répondre, levant un bras comme pour chasser une mouche.

« C'est une fille épatante, dit Sam. Je ne sais pas comment nous aurions survécu sans elle. Mais j'imagine qu'elle doit te paraître plutôt rugueuse. »

« Je la connais à peine. »

« Oui. Elle a une trouille bleue de toi. »

« Sûrement pas. » Et s'efforçant de trouver quelque chose

---

1. Samedi soir je me suis marié / Moi et ma femme on s'est installés...

de positif ou au moins neutre à dire à propos d'Irene, Juliet demanda comment son mari avait été tué à l'élevage de poulets.

« Je ne sais pas si c'était un délinquant ou s'il manquait simplement de maturité. Quoi qu'il en soit, il y est allé avec quelques voyous qui pensaient se faire un petit à-côté en volant des poulets et bien sûr ils se sont débrouillés pour déclencher l'alarme, l'éleveur est sorti avec un fusil, et qu'il ait eu ou non l'intention de l'abattre, c'est ce qu'il a fait... »

« Mon Dieu. »

« Alors Irene et ses beaux-parents sont allés en justice mais le type s'en est sorti. Bah, c'était couru. Ça a dû être assez dur, pour elle. Même si le mari n'avait pas l'air d'être un cadeau. »

Juliet dit qu'évidemment ça avait dû être dur et lui demanda si Irene avait été une de ses élèves.

« Non, non, non. Elle est à peine allée à l'école, d'après ce que j'ai cru comprendre. »

Il dit que sa famille vivait plus au nord, quelque part vers Huntsville. Oui. Dans ce coin-là. Un beau jour, ils étaient tous allés en ville. Le père, la mère et les enfants. Et le père leur dit qu'il avait des choses à faire et qu'il les retrouverait plus tard. Il leur dit où. Quand. Et elles s'étaient promenées, sans un sou, jusqu'à l'heure dite. Et lui n'était jamais revenu.

« N'avait jamais eu l'intention de revenir. Il les avait larguées. Elles ont donc dû vivre de l'aide publique, s'installer dans une cabane à la campagne, où c'était bon marché. La sœur aînée d'Irene, qui était le principal soutien de famille, plus que la mère, j'ai cru comprendre — elle est morte d'une péritonite. Il leur fut impossible de l'amener en ville, tempête de neige, et elles n'avaient pas le téléphone. Irene n'avait plus voulu retourner à l'école après ça, parce que sa sœur l'avait en quelque sorte protégée de la manière dont les autres enfants agissaient envers elle. Elle a peut-être l'air d'avoir la peau dure aujourd'hui mais il n'en a pas toujours été ainsi. Peut-être que, même à présent, c'est plutôt une mascarade. »

Et maintenant, dit-il, maintenant la mère d'Irene s'occupait du petit garçon et de la petite fille. Mais figure-toi qu'après tant d'années le père a réapparu et tente de convaincre la mère de se remettre en ménage avec lui. Si cela arrivait, Irene ne savait pas ce qu'elle pourrait faire, parce qu'elle ne voulait pas que ses enfants aient le moindre contact avec lui.

« Ils sont mignons ces enfants, d'ailleurs. La fillette a un petit problème de bec-de-lièvre et a déjà subi une opération mais il lui en faudra une autre plus tard. Ça s'arrangera. Mais ça fait une chose de plus, tout de même. »

Une chose de plus.

Qu'est-ce qui n'allait pas chez Juliet? Elle n'éprouvait aucune compassion réelle. Elle sentait qu'elle se rebellait, au plus profond, contre cette litanie de misère. C'était trop. Avant que le bec-de-lièvre fasse son apparition dans le récit, elle avait déjà envie de protester. C'est trop.

Elle savait qu'elle avait tort. Mais son sentiment refusait absolument de céder. Elle avait peur de prononcer une seule parole de plus, craignant que sa bouche trahisse la dureté de son cœur. Elle craignait de ne pas pouvoir s'empêcher de dire à Sam, « Qu'y a-t-il au juste de si merveilleux à tous ces malheurs, cela fait-il d'elle une sainte? » À moins qu'elle ne dise, encore plus impardonnable : « J'espère que tu n'as pas l'intention de nous impliquer avec des gens pareils? »

« Autant te dire, poursuivit Sam, qu'au moment où elle est venue nous aider, je ne savais absolument plus quoi faire. L'automne dernier, ta mère était une vraie calamité. Et ce n'était pas exactement qu'elle avait lâché prise. Non. Il eût mieux valu qu'elle lâche prise. Mieux valu qu'elle ne fasse rien. Ce qu'elle faisait, c'était qu'elle commençait une tâche, et puis ne pouvait pas la poursuivre. Ça n'arrêtait pas. Ce n'était pas non plus entièrement nouveau. Parce que enfin, j'ai toujours dû finir ce qu'elle avait commencé, et veiller sur elle, et l'aider à tenir la maison. Nous deux, toi et moi — tu te rappelles? Elle a toujours été une douce et jolie femme au cœur fragile, habituée à être servie. De temps à autre, au long des années, je me suis bien dit qu'elle aurait pu faire un peu plus d'efforts.

« Mais c'est devenu de plus en plus grave, dit-il. C'en était venu au point où je rentrais à la maison pour trouver la machine à laver au milieu de la cuisine et des vêtements trempés répandus un peu partout. Et on ne sait quelle catastrophe pâtissière qu'elle avait commencée avant d'y renoncer, réduite à un débris carbonisé dans le four. J'avais peur qu'elle mette le feu à sa robe. À la maison. Cent fois, je lui ai dit et répété de rester au lit. Mais rien à faire. Et puis elle se mettait toute sens dessus dessous, et elle pleurait. J'ai essayé de faire venir une ou deux jeunes femmes mais elles ne s'en sortaient pas avec elle. Et puis donc — Irene.

« Irene, dit-il avec un robuste soupir. Je bénis le jour. Moi, je te le dis. Je bénis le jour. »

Mais comme toutes les bonnes choses, dit-il, cela devait avoir une fin. Irene allait se marier. À un veuf de quarante ou cinquante ans. Cultivateur. Il était censé avoir de l'argent et pour le bien d'Irene Sam ne pouvait qu'espérer que c'était vrai, quoi. Parce que le bonhomme n'avait pas grand-chose d'autre de recommandable.

« Ce n'est rien de le dire. J'ai cru voir qu'il ne lui reste plus qu'une dent. C'est mauvais signe, à mon avis. Trop fier ou trop avare pour s'offrir un râtelier. Tu te rends compte — une fille belle comme ça. »

« La noce est pour quand? »

« Cet automne je ne sais quand. Cet automne. »

Penelope n'avait pas cessé de dormir pendant tout ce temps — elle s'était endormie sur son siège bébé sitôt qu'ils s'étaient mis en route ou presque. Les vitres avant étaient baissées et Juliet sentait l'odeur du foin qui venait d'être coupé et mis en balles — personne ne faisait plus de meules. Quelques ormes étaient encore debout, devenus des merveilles, dans leur isolement.

Ils s'arrêtèrent dans un village bâti tout entier le long d'une rue unique dans une étroite vallée. Le socle rocheux faisait saillie aux flancs de la vallée — unique lieu à bien des kilomètres à la ronde où l'on pouvait voir de telles masses de roche. Juliet se rappelait y être venue quand il y avait là un parc pas comme les autres dont l'entrée était payante. Dans le parc il y avait une fontaine, une maison de thé où l'on servait des sablés à la fraise et de la crème glacée — et certainement d'autres choses qu'elle ne se rappelait pas. Des grottes dans la roche portaient le nom de chacun des sept nains. Sam et Sara s'étaient assis par terre près de la fontaine pour manger de la crème glacée pendant qu'elle se précipitait explorer les grottes (qui n'étaient pas grand-chose, en réalité — bien peu profondes). Elle avait voulu qu'ils viennent avec elle mais Sam avait dit, « Tu sais que ta mère ne peut pas faire d'escalade. »

« Vas-y, toi, avait dit Sara. En revenant tu nous raconteras tout. » Elle était sur son trente et un. Une jupe de taffetas noir s'étalait en corolle autour d'elle sur l'herbe. C'était ce qu'on appelait une jupe ballerine.

On fêtait sans doute quelque chose, ce jour-là.

Juliet interrogea Sam à ce sujet quand il sortit de la boutique. Au début ça ne lui rappela aucun souvenir. Puis cela lui revint. « Un piège à touristes », dit-il. Il ne savait pas quand il avait disparu. Juliet ne vit nulle trace dans la rue d'une fontaine ou d'une maison de thé.

« On lui doit le retour à l'ordre et à la paix, dit Sam, et il fallut un moment à Juliet pour comprendre qu'il parlait encore d'Irene. Elle apporte la même énergie à tout ce qu'elle fait. Tondre la pelouse et sarcler le potager. Quoi qu'elle fasse, elle fait de son mieux et se conduit comme si c'était une chance pour elle de le faire. C'est ce qui ne cesse jamais de m'ébahir. »

Quel avait pu être le prétexte de cette journée insouciante ? Un anniversaire, de naissance, ou de mariage ?

Sam parlait avec insistance, et même une certaine solennité, couvrant le bruit de la voiture qui peinait dans la côte.

« Elle a restauré ma foi dans les femmes. »

Sam entrait au pas de course dans chaque magasin après avoir dit à Juliet qu'il n'en avait pas pour une minute et revenait à la voiture assez longtemps après, expliquant qu'il n'avait pas pu s'en dépêtrer. Les gens avaient envie de bavarder, les gens avaient appris des blagues qu'ils voulaient lui raconter. Quelques-uns le suivaient à l'extérieur pour voir sa fille et son bébé.

« Alors voilà la fille qui parle latin », dit une femme.

« Il doit être un peu rouillé, aujourd'hui, dit Sam. Aujourd'hui, elle a autre chose à faire. »

« Je veux bien le croire, dit la femme, se démanchant le cou pour apercevoir Penelope. Mais n'est-ce pas que c'est un bonheur ? Ah, les tout-petits. »

Juliet avait pensé parler peut-être à Sam de la thèse qu'elle projetait de reprendre — encore que pour l'heure ce fût seulement un rêve. Ce genre de sujet surgissait naturellement entre eux. Pas avec Sara. Sara disait, « Allez, il faut que tu me racontes ce que tu fais dans tes études », et Juliet lui résumait les choses et Sara lui demandait parfois comment elle faisait pour garder en mémoire tous ces noms grecs sans s'embrouiller. Mais Sam, lui, avait toujours été un interlocuteur. À la fac, elle avait raconté que son père lui avait expliqué le sens de *thaumaturge* quand elle avait rencontré ce mot à l'âge de douze ou treize ans. On lui avait demandé si son père était un savant.

« Oui, avait-elle dit, prof de sixième. »

À présent, elle avait l'impression qu'il essayait subtilement de lui mettre des bâtons dans les roues. Et peut-être pas si subtilement. Il utilisait le mot *farfelu*. Ou prétendait avoir oublié des choses qu'elle ne pouvait croire qu'il eût oubliées.

Mais peut-être était-ce vrai. Des salles se fermaient dans son esprit, les fenêtres s'en obscurcissaient — ce qu'elles contenaient étant jugé par lui trop inutile, trop compromettant pour rester au grand jour.

Juliet reprit la parole plus durement qu'elle n'en avait eu l'intention.

« A-t-elle envie de se marier ? Irene ? »

Cette question fit sursauter Sam, venant comme elle était venue, sur ce ton et après un silence considérable.

« Je ne sais pas », fit-il.

Et au bout de quelques instants, « Je vois mal comment elle pourrait en avoir envie. »

« Demande-le-lui, dit Juliet. Ça doit t'intéresser, étant donné ce que tu éprouves pour elle. »

Ils roulèrent deux ou trois kilomètres avant qu'il reprenne la parole. Elle l'avait manifestement froissé.

« Je ne comprends rien à ce que tu racontes », dit-il.

« Joyeux, Grincheux, Simplet, Dormeur, Atchoum », dit Sara.

« Prof », dit Juliet.

« Prof. Prof ! Joyeux, Atchoum, Prof, Grincheux, Timide, Atchoum… non. Atchoum, Timide, Prof, Grincheux… Dormeur, Joyeux, Prof, Timide… »

Ayant compté sur ses doigts, Sara dit, « Ça ne fait pas huit ? »

« On y est allés plus d'une fois, dit-elle. On l'avait baptisé le Temple du Sablé à la fraise — oh, comme j'aimerais y retourner. »

« Bof, il n'y a plus rien, dit Juliet. Je n'ai même pas réussi à voir où c'était. »

« Je suis sûre que moi, j'aurais vu. Pourquoi ne suis-je pas allée avec vous ? Une promenade d'été. Quelle force faut-il pour se promener en voiture ? Papa dit toujours que je n'ai pas la force. »

« Tu es venue me chercher à la gare. »

« Bien sûr, dit Sara. Mais il ne voulait pas. J'ai dû faire une scène. »

Elle tendit la main derrière elle pour remonter les oreillers sous sa tête mais n'y parvint pas et Juliet le fit donc pour elle.

« Flûte, dit Sara. Quelle bonne à rien je fais. Je crois que je serais de taille à prendre un bain, pourtant. Mais si on venait me voir ? »

Juliet demanda si elle attendait quelqu'un.

« Non. Mais on ne sait jamais. »

Juliet l'emmena donc à la salle de bains et Penelope rampa sur leurs talons. Puis quand l'eau fut prête et sa grand-mère hissée dedans, Penelope décréta que le bain devait être aussi pour elle. Juliet la déshabilla et le bébé et la vieille dame furent baignés ensemble. Encore que Sara, nue, ne ressemblât pas tant à une vieille dame qu'à une vieille petite fille — une fillette, disons, qui aurait souffert d'on ne sait quelle maladie inconnue, épuisante, desséchante.

Penelope accepta sa présence sans inquiétude, mais garda jalousement, d'une main ferme, sa savonnette jaune en forme de canard.

Ce fut au bain que Sara trouva finalement le courage de poser des questions, circonspectes, à propos d'Eric.

« Je suis sûre qu'il est gentil », dit-elle.

« Ça lui arrive », dit Juliet d'un air détaché.

« Il s'est si bien conduit avec sa première femme. »

« Sa seule femme, corrigea Juliet. Jusqu'ici. »

« Mais je suis sûre que maintenant que tu as ce bébé, tu es heureuse, quoi. Je suis sûre que tu es heureuse. »

« Aussi heureuse qu'on peut l'être en vivant dans le péché », dit Juliet, qui surprit sa mère en tordant un gant de toilette trempé, le faisant dégoutter sur sa tête savonnée.

« C'est bien ce que je dis », fit Sara après avoir enfoncé la tête dans les épaules et s'être couvert la figure avec un glapissement joyeux, puis, « Juliet ? »

« Oui ? »

« Tu sais que ce n'est pas sérieux quand il m'arrive de dire des choses méchantes sur papa. Je sais qu'il m'aime. Il est malheureux, voilà tout. »

Juliet se rêva redevenue enfant et dans cette maison, bien que la disposition des pièces fût un peu différente. Regardant par la fenêtre d'une de ces pièces qui ne lui étaient pas familières, elle vit un jet d'eau décrire un arc étincelant à travers les airs. L'eau surgissait du tuyau d'arrosage. Son père, qu'elle voyait de dos, était en train d'arroser le jardin. Une silhouette circulait parmi les rangées de framboisiers qui s'avéra au bout d'un certain temps être celle d'Irene — encore que d'une Irene plus enfantine, souple et joyeuse. Elle esquivait l'eau qui jaillissait du tuyau. Se cachant, réapparaissant, réussissant presque mais toujours reprise l'espace d'un instant avant de s'enfuir. Le jeu était censé être joyeux mais Juliet, à la fenêtre, y assistait avec dégoût. Son père gardait le dos tourné, pourtant elle croyait — en quelque sorte, elle voyait — qu'il tenait le tuyau bas, devant son corps, et que c'était seulement l'embout qu'il manipulait, lui imprimant un mouvement de va-et-vient.

Le rêve était tout imprégné d'une horreur gluante. Pas le genre d'horreur dont les formes se bousculent à l'extérieur de vous, mais celle qui s'insinue jusque dans les plus étroits vaisseaux de votre sang.

Quand elle s'éveilla, ce sentiment était encore avec elle. Elle trouva le rêve honteux. Évident, banal. Sale petit assouvissement d'une cochonnerie personnelle.

On heurta à la porte de devant au milieu de l'après-midi. Personne ne passait jamais par là — Juliet la trouva un peu difficile à ouvrir.

L'homme qui se tenait sur le seuil portait une chemisette jaune bien repassée et un pantalon brun. Il avait peut-être quelques années de plus qu'elle, était grand mais semblait plutôt frêle, la poitrine un peu creuse, il la salua pourtant avec vigueur et ne cessait jamais de sourire.

« Je viens voir la maîtresse de maison », dit-il.

Juliet le planta là et passa au salon.

« Y a un type à la porte, dit-elle. Il doit vendre quelque chose. Tu veux que je m'en débarrasse ? »

Sara faisait des efforts pour se redresser dans le lit. « Non, non, dit-elle, hors d'haleine. Aide-moi un peu à m'arranger, tu veux ? J'ai entendu sa voix. C'est Don. C'est mon ami Don. »

Don était déjà entré dans la maison, on l'entendit devant la porte du salon.

« Pas de chichis, Sara. Ce n'est que moi. Vous êtes visible ? »

Sara, l'air égaré et heureux, tendit la main vers la brosse qu'elle ne pouvait manier, puis y renonça et se passa les doigts dans les cheveux. Sa voix résonna gaiement. « Je suis aussi visible que je le serai jamais, hélas ! Entrez, entrez. »

Le visiteur parut, se hâta jusqu'à elle et elle lui tendit les bras. « Vous sentez l'été, dit-elle. Comment ça se fait ? » Elle tripota sa chemise. « Le repassage. Le coton repassé. Mmm. Ce que c'est agréable. »

« Je l'ai fait moi-même, dit-il. Sally est à l'église, elle chamboule toute la décoration florale. Joli travail, non ? »

« Magnifique, dit Sara. Mais vous avez bien failli ne pas entrer. Juliet vous a pris pour un représentant. C'est ma fille, Juliet. Ma fille chérie. Je vous l'avais dit, non ? Je vous avais dit qu'elle venait. Juliet, Don est mon pasteur. Mon ami et pasteur. »

Don se redressa, saisit la main de Juliet.

« C'est bien que vous soyez là — je suis très heureux de faire votre connaissance. Et vous n'étiez pas si loin du compte, à vrai dire. Je suis bien une espèce de représentant. »

Juliet sourit poliment à cette plaisanterie pastorale.

« De quelle église êtes-vous le pasteur ? »

La question fit rire Sara. « Toi, alors — quand il s'agit de vendre la mèche... »

« Je suis de la Trinité, dit Don avec son imperturbable sourire. Et quant à vendre la mèche — je sais bien que Sara et Sam n'appartenaient à aucune des églises de notre ville. J'ai commencé à venir en visite quand même, parce que votre mère est une dame si charmante. »

Juliet ne se rappelait plus si c'était l'Église anglicane ou l'Église unie, qu'on appelait Trinité.

« Tu veux bien donner à Don un siège raisonnable, chérie, dit Sara. Il est là courbé sur moi comme une cigogne. Et un rafraîchissement, Don ? Que diriez-vous d'un lait de poule ? Juliet me prépare des laits de poule absolument délicieux. Non. Non, c'est probablement trop lourd. Vous arrivez au moment le plus chaud de la journée. Un thé ? C'est chaud aussi. Ginger ale ? Je ne sais pas, un jus de fruits ? Juliet, qu'est-ce qu'on a comme jus ? »

« Rien, merci, un simple verre d'eau. Un verre d'eau serait le bienvenu. »

« Pas de thé, vraiment ? » Sara était tout à fait hors d'haleine. « Mais moi, j'en prendrais volontiers. Tu en boiras bien une demi-tasse, n'est-ce pas, Juliet ? »

À la cuisine, une fois seule — on voyait Irene au jardin, c'était un jour où elle binait autour des haricots —, Juliet se demanda si le thé était une ruse pour lui faire quitter la pièce le temps d'échanger quelques mots en privé. Quelques mots en privé, peut-être même quelques mots de prière ? Cette idée lui soulevait le cœur.

Sam et Sara n'avaient jamais appartenu à aucune Église, toutefois Sam avait dit à quelqu'un, au début de leur installation ici, qu'ils étaient druides. Le mot s'était répandu qu'ils appartenaient à une Église dont il n'y avait pas de représentant en ville, ce qui valait un peu mieux que de n'avoir pas de religion du tout. Juliet elle-même était allée à l'école du dimanche de l'Église anglicane pendant quelque temps mais c'était surtout parce qu'elle avait une amie anglicane. Sam, à l'école, ne s'était jamais rebellé contre l'obligation de donner lecture de la Bible et de dire la prière tous les matins, pas plus qu'il n'avait élevé d'objection au *God Save the Queen*.

« Il y a un temps pour se mouiller et un temps pour ne pas le faire, avait-il dit. Donnons-leur cette satisfaction, cela nous permettra peut-être de communiquer aux élèves un certain nombre de faits sur l'évolution. »

Sara s'était autrefois intéressée au bahaïsme mais Juliet pensait que cet intérêt avait disparu.

Elle fit assez de thé pour eux trois et trouva des biscuits dans le placard — ainsi que le plateau de cuivre que Sara sortait d'ordinaire dans les grandes occasions.

Don accepta une tasse et engloutit l'eau glacée qu'elle s'était rappelé de lui apporter, mais secoua la tête pour refuser les gâteaux secs.

« Pas pour moi, merci. »

Il sembla dire ces mots avec une emphase particulière, comme si sa religion les lui interdisait.

Il demanda à Juliet où elle vivait, le genre de temps qu'il faisait sur la côte Ouest, la profession qu'exerçait son mari.

« Il est pêcheur de crevettes mais, en fait, ce n'est pas mon mari », dit aimablement Juliet.

Don approuva de la tête. Ah, bon.

« La mer est agitée, là-bas ? »

« Cela arrive. »

« Whale Bay. Je n'en avais jamais entendu parler mais je me rappellerai ce nom, désormais. À quelle église allez-vous, à Whale Bay ? »

« Nous n'y allons pas. Nous n'allons pas à l'église. »

« Il n'y a pas d'église de votre culte dans les parages ? »

Juliet sourit et secoua la tête.

« Il n'existe pas d'église de notre culte. Nous ne croyons pas en Dieu. »

La tasse de Don tinta un peu contre la soucoupe quand il la reposa. Il dit que cela lui faisait de la peine d'entendre cette réponse.

« De la peine, vraiment. Depuis combien de temps est-ce votre opinion ? »

« Je ne sais pas. Depuis la première fois que j'y ai pensé sérieusement. »

« Et votre maman me dit que vous avez une enfant. Vous avez une petite fille, n'est-ce pas ? »

Juliet dit que oui, elle en avait une.

« Et elle n'est pas baptisée ? Vous avez l'intention de l'élever dans le paganisme ? »

Juliet dit qu'elle comptait bien que Penelope tranche elle-même la question un jour.

« Mais nous avons l'intention de l'élever sans religion, oui. »

« Voilà qui est triste, dit Don à voix basse. Pour vous-mêmes, c'est triste. Vous et votre — quel que soit le nom que vous lui donnez — vous avez décidé de refuser la grâce de Dieu. Bah. Vous êtes adultes. Mais la refuser pour votre enfant — c'est comme la priver de nourriture. »

Juliet sentit son calme se fissurer. « Mais puisque nous ne sommes pas croyants, dit-elle, nous ne croyons pas à la grâce de Dieu. Ce n'est pas comme la priver de nourriture, c'est refuser de l'élever avec des mensonges. »

« Des mensonges. Ce à quoi croient des millions de gens à travers le monde, vous l'appelez mensonges. Ne pensez-vous pas que c'est un peu présomptueux de votre part, de traiter Dieu de mensonge ? »

« Des millions de gens n'y croient pas, ils se contentent d'aller à l'église, dit Juliet dont la voix s'échauffait. Ils ne réfléchissent pas, voilà tout. Si Dieu existe, alors c'est Dieu qui m'a donné un esprit. N'avait-il pas l'intention que je m'en serve ? Et puis, dit-elle en cherchant à garder son calme, et puis, des millions de gens croient à des choses différentes. Ils croient en Bouddha, par exemple. En quoi le fait que des millions de gens y croient suffit-il à rendre vrai quelque chose ? »

« Christ est vivant, dit Don sans une hésitation. Pas Bouddha. »

« Ce n'est qu'une formule, quelque chose à dire. Qu'est-ce que cela signifie ? Je ne vois pas la moindre preuve du fait que l'un ou l'autre soit vivant, si vous allez par là. »

« Vous, peut-être, vous ne la voyez pas. Mais d'autres la voient. Savez-vous que Henry Ford — Henry Ford II, qui a tout ce que quiconque peut désirer avoir dans la vie — n'en tombe pas moins à genoux pour prier Dieu tous les soirs ? »

« Henry Ford ? cria Juliet. Henry Ford ? Qu'est-ce que ça peut bien me fiche ce que fait ou ne fait pas Henry Ford ? »

La discussion prenait la tournure que les discussions de ce genre sont condamnées à prendre. La voix du prêtre, qui au début était plus chagrine que coléreuse — sans cesser de faire preuve d'une conviction inébranlable — montait dans les aigus et adoptait le ton de la réprimande, tandis que Juliet, qui avait commencé, pensait-elle, par résister raisonnablement — calme, sagace, d'une politesse plutôt exaspérante — était à présent en proie à une rage froide et mordante. L'un et l'autre cherchaient des arguments et des réfutations qui seraient plus insultants qu'utiles.

Pendant ce temps, Sara grignotait un biscuit, sans lever les yeux sur eux. De temps à autre elle frissonnait, comme si leurs paroles la frappaient, mais ils n'étaient plus en état de s'en apercevoir.

Ce qui eut le pouvoir de leur faire mettre fin à cette scène, ce furent les braillements de Penelope, qui s'était réveillée mouillée et s'était plainte doucement pendant quelque temps, puis plus vigoureusement, et avait fini par céder à la rage. Sara l'entendit la première et tenta d'attirer leur attention.

« Penelope », dit-elle faiblement, puis, au prix d'un plus grand effort, « Juliet, Penelope. » Juliet et le pasteur jetèrent tous deux un regard distrait sur Sara puis le pasteur dit, baissant soudain la voix, « Votre bébé. »

Juliet sortit de la pièce à la hâte. Elle tremblait quand elle prit Penelope, faillit la transpercer avec les épingles de la couche sèche. Penelope cessa de pleurer, pas parce qu'elle était réconfortée mais parce qu'elle perçut la rudesse des soins qu'elle recevait et s'en alarma. Ses grands yeux mouillés, leur regard fixe et étonné, atteignirent Juliet malgré sa préoccupation et elle essaya de se calmer, parlant avec toute la douceur dont elle était capable puis prenant son enfant dans les bras pour aller et venir avec elle dans le couloir du premier étage. Penelope ne fut pas immédiatement rassurée, mais au bout de quelques minutes la tension de son corps commença à se dissiper. Juliet sentit la même chose lui arriver et, quand elle estima qu'elles avaient l'une et l'autre retrouvé un peu de maîtrise et de calme, elle emmena Penelope au rez-de-chaussée.

Le pasteur était sorti de la chambre de Sara et l'attendait. D'une voix qui était peut-être contrite mais semblait plutôt effrayée, il dit, « Quel charmant bébé. »

« Merci », dit Juliet.

Elle crut qu'ils allaient maintenant se dire poliment au revoir, mais quelque chose le retenait. Il continua de la regarder, ne fit pas mine de s'éloigner. Il tendit la main comme pour lui saisir l'épaule puis la laissa retomber.

« Vous n'auriez pas… » dit-il, puis il secoua un peu la tête. Le *pas* avait plutôt été prononcé *bas*.

« Dusufruit », reprit-il en s'appliquant violemment la main contre la gorge. D'un geste, il désigna la direction de la cuisine.

Juliet pensa d'abord qu'il devait être ivre. Sa tête se balançait un peu d'avant en arrière, ses yeux semblaient recouverts d'une pellicule. Était-il ivre en arrivant, avait-il apporté de l'alcool dans sa poche ? Puis cela lui revint. Une fille, élève de l'école où elle avait autrefois enseigné pendant six mois. Diabétique, cette fille était sujette à des espèces de crises, son élocution devenait pâteuse, elle semblait égarée, titubait, quand elle était restée trop longtemps sans prendre d'aliments.

Faisant passer Penelope sur sa hanche, elle saisit le bras du pasteur et le guida en le soutenant jusqu'à la cuisine. Du jus de fruits. C'était ce qu'on donnait à cette fille, c'était ce qu'il avait voulu dire.

« Une minute, une minute, tout ira bien », dit-elle. Il se maintint debout, les mains appuyées sur la paillasse, la tête baissée.

Il n'y avait pas de jus d'orange — elle se rappelait en avoir donné les dernières gouttes à Penelope le matin, en pensant qu'il lui faudrait en acheter. Mais il y avait une bouteille de soda au raisin que Sam et Irene aimaient boire quand ils rentraient du travail dans le potager.

« Tenez », dit-elle. Se débrouillant avec une seule main, comme elle était accoutumée à le faire, elle emplit un verre. « Tenez. » Et tandis qu'il buvait elle ajouta, « Désolée qu'il n'y ait pas de jus de fruits. Mais c'est le sucre, n'est-ce pas ? Vous avez besoin de sucre ? »

Il but d'un trait et dit, « Oui. Le sucre. Merci. » Déjà sa voix s'éclaircissait. Cela lui revint aussi, le souvenir de cette fille à l'école — la vitesse à laquelle elle se remettait, apparemment miraculeuse. Mais avant qu'il fût tout à fait remis, ou tout à fait lui-même, alors que sa tête était encore vaguement inclinée, ses yeux croisèrent ceux de Juliet. Pas intentionnellement, semblat-il, simplement par hasard. Son regard n'exprimait pas la gratitude, ou le pardon — il n'avait rien de vraiment personnel, ce n'était que le regard brut d'une bête effarée, prête à se raccrocher à tout ce qu'elle trouverait.

Et en quelques secondes, les yeux, le visage, devinrent le visage de l'homme, du pasteur, qui posa son verre et, sans ajouter un mot, s'enfuit de la maison.

Sara dormait ou faisait semblant de dormir quand Juliet alla chercher le plateau du thé. Son sommeil, sa somnolence et son éveil avaient désormais des frontières si fluctuantes et délicates qu'il était difficile de distinguer ces états les uns des autres. En tout cas elle parla, elle dit dans ce qui était à peine plus qu'un souffle, « Juliet ? »

Juliet s'immobilisa sur le seuil.

« Tu as dû trouver Don… un peu bébête, dit Sara. Mais il ne se porte pas bien. Il est diabétique. C'est grave. »

« Oui », dit Juliet.

« Il a besoin de sa foi. »

« Bien sûr, si c'est médical », dit Juliet, mais à voix basse, et peut-être Sara ne l'entendit-elle pas car elle continua de parler.

« Ma foi à moi n'est pas aussi simple, dit-elle, d'une voix toute tremblante (et, sembla-t-il à Juliet sur le moment, stratégiquement pitoyable). Je ne peux pas la décrire. Mais c'est — tout ce que je peux dire — c'est quelque chose. C'est un… merveilleux — quelque chose. Quand ça va vraiment mal pour moi… quand ça va si mal que je… tu sais ce que je pense alors? Je pense, bon. Je pense… Bientôt. Bientôt je verrai Juliet. »

Redoutable (si cher) Eric,

Par où commencer? Je vais bien et Penelope va bien. Vu les circonstances. Elle fait maintenant le tour du lit de Sara en marchant avec confiance mais répugne encore à se lancer sans soutien. La chaleur estivale est effarante comparée à celle de la côte Ouest. Même quand il pleut. C'est une bonne chose qu'il pleuve d'ailleurs, parce que Sam s'est lancé à plein régime dans le maraîchage. L'autre jour j'ai fait la tournée avec lui dans la vieille bagnole pour livrer des framboises, fraîches et en confiture (confectionnée par une espèce d'Ilse Koch en plus jeune qui a élu domicile dans notre cuisine), et les premières pommes de terre nouvelles de la saison. Il se donne à fond. Sara garde le lit et somnole ou feuillette des vieux magazines de mode. Un pasteur est venu la voir et je me suis disputée avec lui, le genre de grande discussion idiote sur l'existence de Dieu ou autres sujets passionnants. Mais le séjour se passe bien…

Cette lettre, Juliet la retrouva des années plus tard. Eric devait l'avoir conservée par hasard — elle n'avait pas d'importance particulière dans leur vie.

Elle était retournée une fois encore dans la maison de son enfance, pour l'enterrement de Sara, quelques mois après avoir écrit cette lettre. Irene n'était plus là, et Juliet n'avait aucun souvenir d'avoir demandé, ou qu'on lui ait dit, où elle était. Le plus probable était qu'elle s'était mariée. Comme Sam le fit, un ou deux ans plus tard. Il épousa une collègue enseignante, femme compétente, belle, d'un naturel enjoué. Ils s'installèrent chez elle — Sam démolit la maison où Sara et lui avaient vécu pour agrandir le potager. Quand sa femme prit sa retraite, ils achetèrent une caravane et se mirent à faire de longs voyages en hiver. Ils allèrent voir Juliet deux fois, à Whale Bay. Eric les emmena dans son bateau. Sam et lui s'entendirent très bien. Comme dit Sam, « On s'est plu tout de suite. »

Quand elle lut la lettre, Juliet fit la grimace que tout le monde fait en découvrant la voix préservée et déconcertante d'un moi passé et artificiel. Elle s'étonna de cette légèreté de façade, si contradictoire avec les souvenirs douloureux qu'elle gardait. Puis elle songea qu'un déplacement avait dû intervenir, à cette époque-là, et qu'elle ne se rappelait pas. Un déplacement concernant son foyer. Pas à Whale Bay avec Eric, mais le lieu où elle avait été chez elle avant, toute sa vie d'avant.

Parce que c'est ce qui arrive au chez-soi qu'on essaie de protéger, de son mieux, aussi longtemps qu'on peut.

Mais elle n'avait pas protégé Sara. Quand Sara avait dit, *Bientôt je verrai Juliet,* Juliet n'avait rien trouvé à répondre. N'aurait-elle pu y arriver ? Pourquoi fallait-il que ce soit si difficile ? De dire oui, tout simplement. Pour Sara cela aurait signifié tant de choses — pour elle-même, sans aucun doute, si peu. Mais elle s'était détournée, elle avait emporté le plateau à la cuisine et là elle avait lavé et séché les tasses et aussi le verre qui avait contenu le soda au raisin. Elle avait tout remis dans les placards.

Silence

Pendant le court trajet du bac de Buckley Bay à l'île de Denman, Juliet descendit de sa voiture pour aller se poster debout à l'avant du bateau dans la brise d'été. Une femme qui se tenait là la reconnut et elles se mirent à bavarder. Il n'est pas inhabituel que des gens regardent Juliet à deux fois et se demandent où ils l'ont déjà vue et il arrive qu'ils s'en souviennent. Elle fait des apparitions régulières sur la chaîne de la télévision provinciale, où elle interviewe des gens qui mènent une vie singulière ou remarquable et dirige adroitement des débats, dans une émission intitulée *Questions d'aujourd'hui*. Sa chevelure, qu'elle porte coupée court à présent, aussi court que possible, a pris une teinte acajou très foncé assortie à la monture de ses lunettes. Elle s'habille souvent d'un pantalon noir — comme aujourd'hui — et d'un chemisier de soie ivoire, avec parfois une veste noire. Elle est ce que sa mère aurait appelé une femme qui a beaucoup de chien.

« Pardonnez-moi. Les gens ne doivent pas arrêter de vous importuner. »

« Ça ne me dérange pas, dit Juliet. Sauf quand je sors de chez le dentiste ou quelque chose du même genre. »

La femme a à peu près le même âge que Juliet. De longs cheveux noirs avec des mèches grisonnantes, pas de maquillage, longue jupe de jean. Elle vit sur l'île de Denman, Juliet lui demande donc ce qu'elle sait du Centre d'équilibre spirituel.

« Parce que ma fille y est, dit Juliet. Elle y fait une retraite ou y suit un cours, je ne sais pas comment ils appellent ça. Depuis six mois. C'est la première fois que je peux la voir, en six mois. »

« Il y a deux ou trois établissements de ce genre, dit la femme. Ils apparaissent et ils disparaissent. Je ne le dis pas pour suggérer qu'ils ont quoi que ce soit de suspect. Simplement qu'ils sont installés dans les bois, vous savez, et n'ont pas grand-chose à faire avec le reste de la population. D'ailleurs, s'il en était autrement, à quoi rimerait d'y faire retraite ? »

Elle dit que Juliet doit être impatiente de revoir sa fille et Juliet dit, oui, très impatiente.

« J'ai été trop gâtée, dit-elle. Elle a vingt ans, ma fille — elle aura vingt et un ans ce mois-ci, en fait — et nous n'avons guère été séparées. »

La femme dit qu'elle a un fils de vingt ans, une fille de dix-huit et une autre de quinze, et qu'il y a des jours où elle serait prête à les payer pour qu'ils partent en retraite, séparément ou tous ensemble.

Juliet rit. « Bah, je n'en ai qu'une. Bien sûr, je ne garantis pas que je n'aurai pas envie de la réexpédier, d'ici quelques semaines. »

C'est le genre de discours maternel exaspéré mais débordant d'affection dans lequel elle peut entrer sans effort (Juliet est experte en réponses rassurantes), mais la vérité, c'est que Penelope ne lui a pour ainsi dire jamais donné de raison de se plaindre et que, pour être d'une franchise totale, elle devrait avouer qu'en ce moment elle a du mal à supporter une seule journée sans contact avec sa fille, pour ne rien dire de six mois. Penelope a travaillé en été dans un hôtel du parc national Banff comme femme de chambre, elle est allée quelquefois en auto-car au Mexique, et une fois en auto-stop à Terre-Neuve. Mais elle a toujours vécu avec Juliet et il n'y a jamais eu d'interruption de six mois.

Elle m'enchante, aurait pu dire Juliet. *Non qu'elle soit une de ces créatures d'opérette, joyeuse, lumineuse, voyant toujours le bon côté des choses. J'espère l'avoir élevée mieux que ça. Elle a de* la grâce et de la compassion, et est aussi sage que si elle avait vécu quatre-vingts ans sur notre terre. Elle est d'une nature réfléchie, pas dispersée et impulsive comme la mienne. Assez taciturne, comme celle de son père. Elle est aussi jolie comme un ange, elle ressemble à ma mère, blonde comme ma mère, mais pas aussi fragile. Forte et noble. Tournée, devrais-je dire, comme une caryatide. Et contrairement aux idées répandues, je n'en suis pas jalouse le moins du monde. Pendant tout ce temps passé sans elle — et sans un mot d'elle, parce que l'Équilibre Spirituel n'autorise ni les lettres ni les coups de téléphone — pendant tout ce temps, j'ai été dans une espèce de désert, et quand son message est arrivé, j'étais comme un vieux lopin de terre tout craquelé recevant une pluie qu'il boit à longs traits.

J'espère te voir dimanche après-midi. Le moment est venu.
Le moment de rentrer à la maison, voilà ce que Juliet espérait que ces mots signifiaient mais elle laisserait bien sûr Penelope en décider.

Penelope avait dessiné un plan rudimentaire et Juliet ne tarda pas à se retrouver rangée devant une vieille église — c'est-à-dire un bâtiment de soixante-quinze ou quatre-vingts ans, couvert de crépi, pas aussi vieux et loin d'être aussi impressionnant que les églises l'étaient d'ordinaire dans la région du Canada où Juliet avait grandi. Derrière, il y avait une construction plus récente, au toit pentu et à la façade tout en fenêtres, ainsi qu'une scène toute simple, quelques bancs et ce qui avait l'air d'un terrain de volley-ball au filet avachi. L'ensemble ne payait pas de mine et la parcelle naguère défrichée était en train d'être réenvahie par des genévriers et des peupliers.

Deux personnes — elle ne voyait pas si c'étaient des hommes ou des femmes — se livraient à un quelconque travail de menuiserie sur la scène, et d'autres étaient assises sur les bancs par petits groupes séparés. Toutes portaient des vêtements ordinaires, pas des robes jaunes ni rien de ce genre.

Pendant quelques minutes, nul ne remarqua la voiture de Juliet. Puis une des personnes assises sur les bancs se leva pour marcher sans hâte dans sa direction. Un petit homme d'une cinquantaine d'années portant des lunettes.

Elle descendit de voiture pour le saluer et demanda Penelope. Il ne dit rien — peut-être y avait-il une règle de silence — mais fit oui de la tête, tourna les talons et alla dans l'église. D'où surgit bientôt non Penelope, mais une grosse femme aux mouvements lents, aux cheveux blancs, vêtue d'un jean et d'un chandail informe.

« Quel honneur de faire votre connaissance, dit-elle. Donnez-vous la peine d'entrer. J'ai demandé à Donny de nous faire du thé. »

Elle avait le visage large et frais, un sourire à la fois espiègle et tendre, et ce que Juliet pensa qu'on devait appeler des yeux pétillants. « Je m'appelle Jeanne », dit-elle. Juliet s'était attendue à quelque nom d'emprunt comme Sérénité, ou teinté d'orientalisme, rien d'aussi quelconque et familier que Jeanne. Par la suite, bien sûr, elle songea à la papesse Jeanne.

« J'espère que je ne me trompe pas d'adresse ? Je ne suis jamais venue à Denman, dit-elle avec candeur. Vous savez que c'est Penelope que je viens voir ? »

« Bien sûr. Penelope. » Jeanne s'attarda sur le nom, comme pour une célébration.

L'intérieur de l'église était plongé dans l'obscurité par des pans d'étoffe violette qui en masquaient les hautes fenêtres. Les bancs et autres meubles d'église avaient été ôtés et des rideaux blancs unis avaient été disposés pour ménager des compartiments comme dans une salle d'hôpital. Le compartiment dans lequel Juliet fut introduite ne comportait toutefois pas de lit, rien qu'une petite table et deux chaises en plastique ainsi que quelques étagères où s'empilaient en désordre des feuilles volantes.

« Nous n'avons pas encore terminé l'installation, ici, dit Jeanne. Juliet, je peux vous appeler Juliet ? »

« Oui, bien sûr. »

« Je n'ai pas l'habitude de parler à des célébrités. » Jeanne avait les mains jointes sous le menton comme pour prier. « Je ne sais pas s'il faut être familière ou pas. »

« Une célébrité, c'est beaucoup dire. »

« Oh, pas du tout, à qui ferez-vous croire ça ? D'ailleurs, autant que vous sachiez tout de suite combien je vous admire pour le travail que vous faites. C'est un rayon de lumière dans les ténèbres. Les seuls programmes de télévision qui vaillent d'être regardés. »

« Merci, dit Juliet. J'ai reçu un mot de Penelope… »

« Je sais. Mais je regrette d'avoir à vous le dire, Juliet, je le regrette beaucoup, et je ne veux pas que vous soyez trop déçue — Penelope n'est pas ici. »

La femme prononça ces mots — *Penelope n'est pas ici* — avec toute la légèreté possible. À croire que l'absence de Penelope pouvait se muer en objet de réflexion amusée, voire en source de joie ineffable pour elles deux.

Juliet doit prendre une profonde inspiration. Pendant un moment elle ne peut pas parler. La terreur l'inonde. Elle sait déjà. Puis elle se reprend pour considérer raisonnablement cette situation. Elle farfouille dans son sac.

« Elle disait qu'elle espérait… »

« Je sais. Je sais, dit Jeanne. Elle avait bien l'intention d'être ici mais le fait est qu'elle n'a pas pu… »

« Où est-elle ? Où est-elle allée ? »

« Ça, je ne peux pas vous le dire. »

« Vous ne pouvez pas ou vous ne voulez pas ? »

« Je ne peux pas. Je ne le sais pas. Mais je peux vous dire une chose qui devrait vous mettre l'esprit en repos. Où qu'elle soit allée, quoi qu'elle ait décidé, ce sera ce qu'il lui fallait. Ce qu'il lui fallait pour sa spiritualité et son développement. »

Juliet décide de faire l'impasse là-dessus. Le mot *spiritualité* lui reste en travers de la gorge, il semble tout englober — comme elle le dit souvent — des moulins à prières jusqu'à la grand-messe. Jamais elle ne se serait attendue à ce que Penelope, avec son intelligence, s'implique dans quoi que ce soit de cette nature.

« Je me suis dit qu'il fallait que je le sache, dit-elle, au cas où elle aurait besoin que je lui envoie certaines de ses affaires. »

« Ses possessions ? » Jeanne semble incapable de réprimer un large sourire qu'elle modifie toutefois aussitôt avec une expression de tendresse. « Penelope ne se soucie guère pour l'heure de ses possessions. »

Parfois Juliet a eu le sentiment, au milieu d'une interview, que son vis-à-vis a des réserves d'agressivité qui n'étaient pas apparentes avant que les caméras se mettent à tourner. Quelqu'un que Juliet a sous-estimé, qu'elle a cru plutôt bête, peut avoir ce genre de force. Une agressivité enjouée mais mortelle. Il convient alors de ne jamais montrer qu'on est décontenancé, de ne jamais faire preuve de la moindre agressivité en retour.

« Quand je dis développement, il s'agit bien sûr de notre développement intérieur », dit Jeanne.

« Je comprends », dit Juliet en la regardant dans les yeux.

« Penelope a eu tant d'occasions merveilleuses de rencontrer des gens intéressants — que dis-je, elle n'a pas eu besoin de rencontrer des gens intéressants, elle a grandi avec une personne intéressante, puisque vous êtes sa mère — mais voyez-vous, parfois, il y a une dimension qui manque et, devenus adultes, les enfants ont le sentiment que quelque chose leur a manqué… »

« Oh oui, dit Juliet. Je sais que les enfants, devenus adultes, ont toutes sortes de raisons de se plaindre. »

Jeanne a décidé de frapper un grand coup.

« La dimension spirituelle — je me vois contrainte de le dire —, n'est-ce pas ce qui a entièrement fait défaut dans la vie de Penelope ? Je crois savoir qu'elle n'a pas grandi dans un foyer fondé sur la foi. »

« La religion n'était pas un sujet interdit. Nous pouvions en parler. »

« Mais peut-être était-ce la façon dont vous en parliez. Purement intellectuelle ? Vous voyez ce que je veux dire. Vous êtes tellement intelligente », ajoute-t-elle, avec bonté.

« C'est vous qui le dites. »

Juliet se rend compte que sa maîtrise de l'entretien et d'elle-même vacille et risque de lui échapper.

« Ce n'est pas moi qui le dis, Juliet. C'est Penelope qui le dit. Cette chère Penelope est une belle jeune femme mais elle nous est arrivée affamée. Affamée des choses qui ne lui étaient pas accessibles dans son foyer. Vous étiez là, avec votre merveilleuse réussite, votre vie débordante d'activité — mais Juliet, je dois vous dire que votre fille a connu la solitude. Elle a été malheureuse. »

« Est-ce que cela n'arrive pas à la plupart des gens, à un moment ou un autre ? De se sentir seul et malheureux ? »

« Ce n'est pas à moi de le dire. Oh, Juliet, vous êtes d'une si merveilleuse perspicacité. Je vous ai souvent regardée à la télévision et je pensais, comment fait-elle pour aller droit au cœur des choses, comme ça, sans jamais cesser d'être gentille et polie avec les gens ? Je n'aurais jamais cru que je vous parlerais ainsi face à face un jour. Et qui plus est, que ce serait moi qui serais en position de vous venir en aide… »

« Je crois que c'est peut-être ce qui vous trompe. »

« Vous êtes blessée. C'est naturel que vous vous sentiez blessée. »

« Cela aussi, c'est mon affaire. »

« Ah bah. Peut-être qu'elle vous contactera. Après tout. »

Penelope contacta effectivement Juliet, deux semaines plus tard. Une carte d'anniversaire arriva le jour du sien — celui de Penelope — le 19 juin. Le jour de ses vingt et un ans. C'était le genre de carte qu'on envoie à une relation dont on ignore les goûts. Ni une grosse blague ni un vrai mot d'esprit ni une carte sentimentale. Elle s'ornait d'un petit bouquet de pensées lié par un mince ruban violet dont l'extrémité formait les mots *Joyeux*

Anniversaire. Ces mots étaient répétés à l'intérieur avec, ajouté au-dessus en lettres d'or, *Avec tous mes vœux de.*

Et il n'y avait pas de signature. Juliet pensa d'abord que quelqu'un avait envoyé cette carte à Penelope, en oubliant de la signer, et qu'elle, Juliet, l'avait ouverte par erreur. Quelqu'un qui avait le nom et la date de naissance de Penelope dans un dossier. Son dentiste, peut-être, ou son moniteur d'auto-école. Mais quand elle vérifia l'écriture sur l'enveloppe, elle vit qu'il n'y avait pas eu d'erreur — c'était bel et bien son nom à elle, de l'écriture de Penelope.

Les cachets de la poste ne fournissaient plus d'indice désormais. Ils disaient tous *Ministère des Postes.* Juliet avait vaguement l'idée qu'il existait des moyens de savoir au moins de quelle province provenait une lettre, mais pour cela il fallait consulter le service postal, aller au guichet avec la lettre et s'entendre très probablement enjoindre de prouver sa bonne foi, son droit à obtenir cette information. Et quelqu'un ne manquerait pas de la reconnaître.

Elle alla voir sa vieille amie Christa, qui avait vécu à Whale Bay au temps où Juliet y vivait, avant même la naissance de Penelope. Christa était à Kitsilano, dans un lieu de vie spécialisé. Elle était atteinte de sclérose en plaques. Sa chambre était au rez-de-chaussée, avec un petit patio privé, et Juliet s'y installa avec elle, les yeux sur un bout de pelouse ensoleillé et la glycine tout en fleur, le long de la clôture qui dissimulait les poubelles.

Juliet fit à Christa le récit complet du voyage à Denman. Elle n'en avait parlé à personne d'autre et avait espéré peut-être n'avoir à en parler à personne. Chaque jour pendant le trajet qui la ramenait chez elle depuis le travail elle s'était demandé si peut-être Penelope ne l'attendrait pas à la maison. Ou au moins s'il y aurait une lettre. Et puis il y en avait eu une — cette méchante carte — et elle avait éventré l'enveloppe les mains tremblantes.

« Ça veut dire quelque chose, affirma Christa. Elle te fait savoir qu'elle va bien. Quelque chose va suivre. Forcément. Sois patiente. »

Juliet vitupéra un moment Mère Shipton. C'était ainsi qu'elle avait fini par décider de l'appeler, ayant joué avec l'idée de Papesse Jeanne puis l'ayant rejetée. Quelle fichue mauvaise foi, dit-elle. Quelle horreur, quelle méchanceté, derrière la façade mielleusement religieuse à deux sous. Il était impossible d'imaginer Penelope succombant à un tel piège.

Christa suggéra que peut-être Penelope s'était rendue dans l'établissement parce qu'elle envisageait d'écrire à son sujet. Une espèce d'enquête journalistique. Du travail de terrain. L'angle personnel — le genre d'article de longue haleine, très personnel, dont l'époque raffolait.

« Six mois d'enquête ? » dit Juliet. Penelope aurait pu démasquer Mère Shipton en dix minutes.

« C'est bizarre », reconnut Christa.

« Tu n'en sais pas plus long que tu ne veux bien le dire, par hasard ? demanda Juliet. Penser que j'en suis réduite à poser ce genre de questions. Faut-il que je sois paumée. Je me sens idiote. Cette bonne femme voulait que je me sente idiote, bien sûr. Comme ces personnages qui lâchent étourdiment une réplique au théâtre et dont tout le monde se détourne parce que tous savent quelque chose qu'ils ignorent… »

« On ne monte plus ce genre de pièces aujourd'hui, dit Christa. Personne ne sait plus rien. Non — Penelope ne m'a pas mise dans la confidence plus que toi. Pourquoi l'aurait-elle fait ? Elle aurait su que je finirais par te le dire. »

Juliet garda quelques instants le silence puis marmonna, boudeuse, « Il y a eu des choses que tu ne m'as pas dites. »

« Oh, au nom du ciel, dit Christa, mais sans animosité. On ne va pas remettre ça. »

« On ne va pas remettre ça, répéta Juliet. Je suis d'une humeur massacrante, c'est tout. »

« Il faut tenir le coup. Une des épreuves de la vie de parent.

Elle ne t'en a pas imposé beaucoup, après tout. Dans un an, ce ne sera plus que de l'histoire ancienne. »

Juliet ne lui dit pas que pour finir elle n'avait pas été capable de repartir avec dignité. Elle s'était retournée pour crier, implorante, furieuse.

« Que vous a-t-elle dit ? »

Et Mère Shipton, qui était restée sur place comme si elle s'y était attendue, l'avait dévisagée, immobile. Un large sourire apitoyé avait étiré ses lèvres closes tandis qu'elle secouait la tête.

Au cours de l'année qui suivit, Juliet recevait des appels téléphoniques, de temps à autre, de gens qui avaient été des amis de Penelope. Sa réponse à leurs interrogations était toujours la même. Penelope avait décidé de prendre une année de congé. Elle voyageait. Son itinéraire n'était absolument pas fixé d'avance et Juliet n'avait aucun moyen d'entrer en contact avec elle ni aucune adresse à fournir.

Elle ne reçut d'appel d'aucun des amis les plus proches. Cela pouvait signifier que les gens qui avaient été proches de Penelope savaient fort bien où elle était. Mais il se pouvait aussi qu'eux-mêmes soient partis en voyage à l'étranger, aient trouvé un emploi dans d'autres provinces, se soient lancés dans une nouvelle vie, trop encombrée de relations ou trop hasardeuse à présent pour leur permettre de s'interroger au sujet d'anciens amis.

(Un ancien ami, à ce stade de la vie, signifie quelqu'un qu'on n'a pas vu depuis six mois.)

Chaque fois qu'elle rentrait, la première chose que faisait Juliet était de chercher des yeux le voyant qui clignotait sur son répondeur — cela même qu'elle évitait autrefois, dans l'idée que ce serait un quelconque fâcheux appelant à propos d'une de ses déclarations publiques. Elle s'essaya à divers petits jeux idiots, concernant le nombre de pas qu'elle faisait jusqu'au téléphone, sa manière de le décrocher, de respirer. *Faites que ce soit elle.*

Rien ne fonctionnait. Au bout de quelque temps, le monde sembla s'être vidé des gens que Penelope avait connus, des petits amis qu'elle avait largués et de ceux qui l'avaient larguée, des filles avec lesquelles elle avait échangé des ragots et probablement des confidences. Elle avait été pensionnaire dans un collège privé — Torrance House — plutôt que dans une école publique, et cela signifiait que la plupart de ses amies de longue date — même celles qui étaient demeurées ses amies à l'université — n'étaient pas de la ville, certaines étant venues d'Alaska ou de Prince George ou du Pérou.

Il n'y eut pas de message à Noël. Mais en juin, une nouvelle carte, dans un style très proche de la première, sans un mot écrit à l'intérieur. Juliet but un verre de vin avant de l'ouvrir puis la jeta aussitôt. Elle avait des crises de larmes et, de temps en temps, de tremblements irrépressibles, mais elle en sortait par de brefs accès de fureur, parcourant la maison en martelant du poing la paume de son autre main. La fureur était dirigée contre Mère Shipton mais l'image de cette femme s'était estompée et Juliet finit par être contrainte de s'avouer qu'elle n'était plus qu'un exutoire.

Toutes les photos de Penelope furent exilées dans sa chambre, avec les dessins et les coloriages qu'elle avait faits avant qu'elles quittent Whale Bay, ses livres, et la petite machine à espresso européenne à piston qu'elle avait offerte à Juliet avec le premier argent gagné pendant son travail d'été au McDo. Et aussi le genre de petits cadeaux de fantaisie pour l'appartement comme ce minuscule ventilateur de plastique à coller sur le réfrigérateur, le tracteur à ressort qu'on remontait avec une clé, un rideau de perles de verre à accrocher devant la fenêtre de la salle de bains. La porte de cette chambre était fermée et avec le temps il lui devint possible de passer devant sans en être troublée.

Juliet songeait souvent à quitter cet appartement pour profiter d'un changement de décor. Mais elle dit à Christa qu'elle ne pouvait le faire parce que c'était l'adresse qu'avait Penelope et qu'on ne pouvait faire suivre le courrier que pendant trois mois, de sorte qu'il n'y aurait plus d'endroit où sa fille pourrait la retrouver.

« Elle pourrait toujours te toucher à ton travail », dit Christa.

« Qui sait combien de temps j'y serai encore ? répondit Juliet. Elle vit probablement dans je ne sais quelle communauté où on ne leur permet pas de communiquer avec l'extérieur. Avec un gourou qui couche avec toutes les femmes et les envoie mendier dans la rue. Si je l'avais inscrite à l'école du dimanche et que je lui avais appris à faire sa prière, ce ne serait sans doute jamais arrivé. J'aurais dû. J'aurais dû. Ç'aurait agi comme un vaccin. J'ai négligé sa spiritualité. C'est ce qu'a dit la Mère Shipton. »

Penelope avait à peine treize ans quand elle était allée camper dans les monts Kootenay en Colombie-Britannique, avec une amie de Torrance House et ses parents. Juliet était tout à fait pour. Penelope était à Torrance House depuis un an seulement (inscrite dans des conditions financières favorables parce que sa mère y avait autrefois enseigné), et Juliet était contente qu'elle se soit déjà liée d'une amitié solide avec une camarade dont la famille l'avait accueillie sans réserve. Et aussi qu'elle aille camper — une activité normale pour les enfants ordinaires, qu'elle-même, dans son enfance, n'avait jamais eu l'occasion de pratiquer. Elle n'en aurait d'ailleurs pas eu envie, étant déjà enterrée dans les livres, mais elle voyait avec satisfaction les signes qui révélaient en Penelope une fillette plus normale qu'elle-même ne l'avait été.

Eric envisageait le tout avec appréhension. Il trouvait Penelope trop jeune. Il n'aimait pas qu'elle parte en vacances avec des gens dont il savait si peu de choses. Et maintenant qu'elle était pensionnaire, ils la voyaient déjà trop peu. Alors pourquoi raccourcir encore cette période ?

Juliet avait une autre raison — elle voulait tout simplement être débarrassée de Penelope pendant les deux premières semaines de vacances d'été, parce que l'atmosphère était chargée entre Eric et elle-même. Elle avait envie que les choses soient résolues et elles ne l'étaient pas. Elle ne voulait pas être contrainte de faire à cause de l'enfant comme si tout allait bien.

Eric, pour sa part, ne demandait qu'à se comporter comme si de rien n'était, il aurait voulu qu'ils cachent leurs ennuis sous le tapis pour en être débarrassés. Selon sa façon de penser, la courtoisie restaurerait les bons sentiments, l'apparence de l'amour suffirait à tenir jusqu'à la possibilité de redécouvrir l'amour vrai. Et s'il n'y avait plus jamais rien d'autre qu'une apparence — ma foi, il faudrait s'en contenter. Eric pouvait s'en accommoder.

Ô combien, songeait Juliet, découragée.

Avoir Penelope à la maison, raison pour eux de bien se tenir — pour Juliet de bien se tenir, puisque c'était elle, d'après lui, qui remuait toute cette rancœur —, cela aurait fait l'affaire d'Eric.

Juliet ne le lui envoya pas dire, créant une nouvelle source de colère et de reproches, parce que Penelope manquait terriblement à son père.

La raison de leur querelle était ancienne et ordinaire. Au printemps, du fait d'une quelconque révélation banale — et de la franchise, voire de la malice, de leur voisine de longue date Ailo, qui gardait une certaine fidélité à l'épouse défunte d'Eric et quelques réserves à l'encontre de Juliet — cette dernière avait découvert qu'Eric avait couché avec Christa. Christa était depuis longtemps son amie intime mais elle avait été, auparavant, la copine d'Eric, sa *maîtresse* (alors que personne ne se servait plus de ce mot). Il avait renoncé à elle quand il avait demandé à Juliet de vivre avec lui. Elle n'ignorait rien de Christa à l'époque et ne pouvait raisonnablement objecter à ce qui s'était passé avant qu'elle et Eric soient ensemble. Et elle n'en fit rien. Ce à quoi elle objecta — et qui, dit-elle, l'avait rendue très malheureuse — était arrivé par la suite. (Mais il y avait quand même longtemps, dit Eric.) C'était arrivé quand Penelope avait un an et que Juliet l'avait emmenée en Ontario. Quand Juliet était retournée chez elle voir ses parents. Voir — comme elle le soulignait toujours à présent — sa mère mourante. Pendant qu'elle était absente, aimant et regrettant Eric de toutes les fibres de son être (elle le croyait désormais), il avait tout simplement renoué avec ses vieilles habitudes.

Au début il n'avoua qu'une seule fois (ivre), mais à force de le tarabuster, et aidé par la boisson mais cette fois dans le présent, il dit que ç'avait peut-être eu lieu plus souvent.

Peut-être? Il ne se rappelait pas? Plusieurs fois et il ne se rappelait pas?

Il se rappelait.

Christa vint voir Juliet pour l'assurer que cela n'avait pas été sérieux. (C'était le refrain d'Eric, également.) Juliet lui dit de s'en aller pour ne plus jamais revenir. Christa décida que le moment était venu de partir voir son frère en Californie.

À vrai dire l'indignation de Juliet contre Christa était presque de pure forme. Elle comprenait bien que quelques galipettes dans le foin avec une ancienne copine (selon la désastreuse description d'Eric, sa tentative maladroite de minimiser les choses) étaient loin d'être aussi menaçantes qu'une étreinte brûlante avec une femme rencontrée depuis peu. Et puis, son indignation contre Eric était si farouche et irrépressible qu'elle laissait peu de place à des reproches contre qui que ce soit d'autre. Elle se mit à soutenir qu'il ne l'aimait pas, ne l'avait jamais aimée, s'était moquée d'elle, avec Christa, dans son dos. Il en avait fait un objet de risée devant des gens comme Ailo (qui l'avait toujours détestée). Qu'il l'avait traitée avec mépris, qu'il considérait l'amour qu'elle éprouvait (ou avait éprouvé) pour lui avec mépris, qu'il avait vécu un mensonge avec elle. Faire l'amour ne signifiait rien pour lui, et en tout cas pas la même chose que cela signifiait (avait signifié) pour elle. Il pouvait le faire avec la première qui lui tombait sous la main.

Seule la dernière de ces assertions renfermait un semblant de vérité, et quand elle se calmait elle le savait. Mais cette petite vérité elle-même suffisait à tout détruire autour d'elle. Cela n'aurait pas dû, mais c'était un fait. Et Eric n'était pas capable — en toute franchise il n'était pas capable — de voir comment et pourquoi cela était possible. Il n'était pas surpris qu'elle récrimine, qu'elle fasse une histoire, qu'elle sanglote même (encore qu'une femme comme Christa ne l'aurait jamais fait), mais qu'elle puisse en être réellement entamée, qu'elle puisse se considérer comme dépouillée de tout ce qui l'avait soutenue — et par quelque chose qui était arrivé douze ans auparavant —, cela il ne pouvait le comprendre.

Par moments il croyait qu'elle jouait la comédie, profitait de la situation, et à d'autres il était plein d'un vrai chagrin d'avoir pu la faire souffrir. Leur chagrin les stimulait, et ils faisaient l'amour magnifiquement. Et chaque fois il croyait que cela allait tout arranger, que c'était la fin de leurs malheurs. Chaque fois il se trompait.

Au lit, Juliet rit et lui parla de Pepys, et de Mrs Pepys enflammée de passion dans des circonstances similaires. (Depuis qu'elle avait plus ou moins renoncé à ses études classiques, elle lisait énormément, et ces derniers temps tout ce qu'elle lisait semblait avoir affaire avec l'adultère.) Jamais plus souvent ni plus passionnément, avait dit Pepys, notant toutefois aussi que son épouse avait envisagé de l'assassiner dans son sommeil. Juliet en rit mais, une demi-heure plus tard, quand il vint lui dire au revoir avant de prendre le bateau pour aller relever ses casiers, elle lui présenta un visage buté et lui donna un baiser résigné comme s'il sortait pour un rendez-vous avec une femme au beau milieu de la baie et sous un ciel pluvieux.

Il y eut plus que de la pluie. L'eau clapotait à peine quand Eric partit, mais dans l'après-midi un vent se leva soudain, du sud-est, qui déchaîna les eaux de Desolation Sound et de Malaspina Strait. Cela continua presque jusqu'à la nuit — qui en cette dernière semaine de juin ne tombait vraiment qu'aux alentours de onze heures. Heure à laquelle on était encore sans nouvelles d'un voilier de Campbell River avec trois adultes et deux enfants à son bord. Et aussi de deux bateaux de pêche — l'un avec deux hommes à bord et l'autre avec un seul — Eric.

Le lendemain matin était calme et ensoleillé — les montagnes, les eaux, les rivages, tout était net et étincelant.

Il était possible, bien sûr, qu'aucun parmi ces gens ne soit perdu, qu'ils aient trouvé refuge pour la nuit dans une des innombrables petites baies de la côte. Cela était plus vraisemblable pour les pêcheurs que pour la famille de plaisanciers, qui n'était pas du coin mais venait de Seattle pour les vacances. Des bateaux sortirent aussitôt, ce matin-là, afin de commencer les recherches le long des côtes, autour des îles et au large.

Les enfants furent retrouvés noyés les premiers, avec leur gilet de sauvetage, et à la fin de la journée les corps de leurs parents furent repérés aussi. Un grand-père qui les accompagnait ne fut remonté que le lendemain. Les corps des hommes qui étaient sortis pêcher ensemble ne réapparurent jamais, alors que les débris de leur bateau furent rejetés à la côte près de Refuge Cove.

Le corps d'Eric fut retrouvé le troisième jour. Juliet ne fut pas autorisée à le voir. Quelque chose s'en était pris à lui, disait-on (cela voulait dire une bête), après que la mer l'avait rejeté sur le rivage.

Et ce fut peut-être à cause de cela — parce qu'il n'était pas question de voir le corps et inutile de faire appel aux pompes funèbres — que l'idée s'installa parmi ses vieux amis et ses collègues pêcheurs d'incinérer Eric sur la plage. Juliet n'y fit pas d'objection. Un certificat de décès était requis, aussi téléphonat-on à Powell River, au cabinet du médecin qui venait à Whale Bay une fois par semaine, et il délégua à Ailo, qui l'assistait à chacun de ses passages et était infirmière diplômée, le pouvoir de s'en charger.

Il y avait beaucoup de bois flottés alentour, beaucoup

d'écorces salées par la mer, qui faisaient un combustible supérieur. En l'espace de deux heures tout fut prêt. La nouvelle s'était répandue et, comme par enchantement, des femmes commencèrent à arriver avec de quoi manger. Ce fut Ailo qui prit les choses en main — son sang scandinave, son port altier et sa longue chevelure blanche semblant la préparer tout naturellement au rôle de Veuve de la Mer. Des enfants couraient sur le tas de bois et on les chassait à l'écart du bûcher qui s'amoncelait et du suaire renfermant les restes étonnamment réduits de ce qui avait été Eric. Il y avait une fontaine à café fournie pour cette cérémonie à demi païenne par les paroissiennes d'une des Églises, et des cartons de bière, des boissons de toute sorte, attendaient discrètement, pour le moment, dans le coffre des voitures et la cabine des camionnettes.

On commença à se demander qui prendrait la parole et qui allumerait le bûcher. On s'adressa à Juliet, voulait-elle s'en charger ? Et Juliet — crispée, s'affairant à distribuer des tasses de café — répondit qu'on se trompait, étant la veuve elle était censée se jeter dans les flammes. Elle trouva le moyen de rire en le disant, et ceux qui le lui avaient demandé s'empressèrent de battre en retraite, craignant de la voir faire une crise de nerfs. Celui qui s'était associé le plus souvent à Eric sur le bateau accepta d'allumer le bûcher mais dit qu'il n'était pas orateur. Certains s'avisèrent que mieux valait ne pas le choisir d'ailleurs, parce que sa femme allait à l'église anglicane évangélique et qu'il risquait de se sentir obligé de dire des choses qu'Eric aurait mal supportées s'il avait pu les entendre. Puis le mari d'Ailo se porta volontaire — c'était un petit homme défiguré par le feu qui avait éclaté sur un bateau, des années auparavant, un socialiste ronchon et athée, et dans son allocution il ne fut guère question d'Eric, sauf qu'il se l'annexa comme frère de combat. Il tint des propos d'une longueur surprenante qu'on attribua, par la suite, au refoulement imposé par l'existence qu'il menait sous la férule d'Ailo. Il y eut peut-être bien quelques mouvements d'impatience dans la foule avant qu'on eût mis un terme à son énumération de doléances, un vague sentiment que l'occasion ne se révélait pas aussi magnifique, ou solennelle, ou déchirante, qu'on avait pu s'y attendre. Mais quand le feu se mit à brûler, ce sentiment se dissipa et il y eut beaucoup de concentration, même, ou particulièrement, parmi les enfants, jusqu'au moment où l'un des hommes s'écria, « Emmenez les gamins. » Cela eut lieu quand les flammes eurent atteint le corps et qu'on se rendit compte, un peu tard, que la combustion de la graisse, du cœur et des reins et du foie, risquait de produire des bruits, petites explosions et grésillements, qu'on serait troublé d'entendre. Si bien que bon nombre d'enfants partirent entraînés par leur mère — certaines ne demandaient pas mieux mais d'autres en furent consternées. Si bien que le dernier acte du feu devint une cérémonie presque uniquement masculine, et un peu scandaleuse, même si elle n'était pas, en l'occurrence, illégale.

Juliet resta, les yeux écarquillés, se balançant sur les hanches, le visage appuyé contre la chaleur. Elle n'était pas entièrement là. Elle pensait à celui, qui était-ce déjà — Trelawny ? — qui avait arraché le cœur de Shelley aux flammes. Le cœur, avec la longue histoire de ses significations. C'était bizarre quand on y pensait, que même à l'époque, il n'y avait pas si longtemps, un organe de chair pût paraître si précieux, siège du courage et de l'amour. Ce n'était que de la chair qui brûlait. Aucun rapport avec Eric.

Penelope n'était au courant de rien. Il y eut un entrefilet dans le journal de Vancouver — pas au sujet de la crémation sur la plage, évidemment, seulement de la noyade — mais on ne recevait ni les journaux ni la radio là où elle était au cœur des monts Kootenay. Quand elle fut de retour à Vancouver, elle téléphona de la maison de son amie Heather. Christa répondit — elle était revenue trop tard pour la cérémonie mais s'était installée chez Juliet et l'aidait comme elle pouvait. Christa dit que Juliet n'était pas là — c'était un mensonge — et demanda à parler à la mère de Heather. Elle expliqua ce qui s'était passé et dit qu'elle allait amener Juliet en voiture à Vancouver, elles se mettraient en route aussitôt, et que Juliet dirait tout elle-même à Penelope à leur arrivée.

Christa déposa Juliet devant la maison où était Penelope et Juliet entra seule. La mère de Heather la laissa au salon où Penelope attendait. Penelope accueillit la nouvelle avec une expression de frayeur, puis — quand Juliet l'entoura un peu cérémonieusement de ses bras — de quelque chose qui ressemblait à de la gêne. Peut-être que dans la maison de Heather, dans ce salon blanc, vert et orange, avec les frères de Heather qui jouaient au basket dans l'arrière-cour, on ne pouvait se pénétrer d'une nouvelle si affreuse. La crémation ne fut pas mentionnée — dans cette maison et ce quartier, elle aurait certainement paru grotesque, pas civilisée. Dans cette maison, aussi, le comportement de Juliet fut d'un enjouement qui dépassait de loin son intention — sa conduite était presque celle de la bonne copine. La mère de Heather entra après avoir frappé un coup minuscule — elle apportait des verres de thé glacé. Penelope avala le sien d'un trait et alla rejoindre Heather qui n'avait cessé de rôder dans le couloir.

La mère de Heather eut alors une conversation avec Juliet. Elle s'excusa de devoir aborder des questions pratiques importunes mais dit qu'il ne restait guère de temps. Elle et le père de Heather se rendraient en voiture dans l'Est d'ici quelques jours pour voir des parents. Ils s'absenteraient un mois et avaient prévu d'emmener Heather avec eux. (Les garçons allaient en colonie de vacances.) Mais à présent Heather avait décidé qu'elle ne voulait pas partir, elle avait supplié qu'on la laisse rester là, dans la maison, avec Penelope. À quatorze et treize ans, on ne pouvait vraiment pas les laisser seules, et elle s'était avisée que Juliet aurait peut-être envie de s'éloigner pendant quelque temps, envie d'un répit, après ce qu'elle avait traversé. Après ce deuil tragique.

Juliet se mit donc bientôt à vivre dans un monde différent,

dans une grande maison immaculée, soigneusement et gaiement décorée, dotée de ce qu'on appelle tout le confort — mais qui pour elle était un luxe — dans tous les domaines. Et cela dans une rue en arc de cercle bordée de demeures similaires, derrière des arbustes bien taillés et d'éclatants parterres de fleurs. Même le temps, pendant ce mois, fut sans défaut — chaud, éventé, ensoleillé. Heather et Penelope allaient se baigner, jouaient au badminton dans le jardin derrière la maison, allaient au cinéma, faisaient des gâteaux, s'empiffraient, se mettaient au régime, soignaient leur bronzage, passaient à tue-tête des chansons dont les paroles semblaient à Juliet bébêtes et agaçantes, invitaient parfois des copines, et, sans inviter précisément de garçons, avaient de longues conversations railleuses et décousues avec ceux qui passaient devant la maison ou se rassemblaient dans celle d'à côté. Par hasard, Juliet entendit Penelope dire à l'une des visiteuses, « Bah, je le connaissais à peine, en fait. »

Elle parlait de son père.

Comme c'était bizarre.

Elle n'avait jamais eu peur de partir en bateau, contrairement à Juliet, quand la mer était agitée. Elle le tannait pour aller avec lui et y parvenait souvent. Quand elle emboîtait le pas à Eric, sérieuse comme un pape dans son gilet de sauvetage orange, chargée du matériel que ses forces lui permettaient de porter, c'était toujours avec une expression de gravité et de concentration professionnelle. Elle observait soigneusement la pose des casiers et devint adroite, rapide et sans merci, dans la décapitation et l'ensachage des prises. À un moment donné de son enfance — entre huit et onze ans plus ou moins — elle disait toujours qu'elle serait pêcheuse quand elle serait grande, et Eric avait déclaré qu'il y avait de nos jours des filles dans le métier. Juliet avait cru y voir une possibilité, parce que Penelope était intelligente mais n'aimait guère les livres, adorait les activités physiques et débordait de courage. Mais Eric, quand Penelope ne pouvait l'entendre, disait espérer que ça lui passerait, car il ne souhaitait cette vie à personne. Il parlait toujours de cette façon, des rigueurs et de l'incertitude du métier qu'il avait choisi, mais s'enorgueillissait, pensait Juliet, de ces choses mêmes.

Et voilà qu'il était rejeté. Par Penelope, qui avait récemment passé du vernis violet sur ses ongles de pieds et arborait un faux tatouage sur le ventre. Lui qui avait empli sa vie. Elle le rejetait.

Mais Juliet avait l'impression d'en faire autant. Évidemment, elle s'affairait à chercher du travail et un logement. Elle avait déjà mis la maison de Whale Bay en vente — elle ne pouvait imaginer demeurer là. Elle avait vendu la camionnette et donné le matériel d'Eric, ceux des casiers qu'on avait récupérés et le dinghy. Le fils adulte d'Eric était venu de la Saskatchewan prendre le chien.

Elle avait présenté sa candidature à la bibliothèque de l'université pour un emploi dans la section des ouvrages de référence et aussi à la bibliothèque publique, et elle avait l'impression qu'elle obtiendrait l'un ou l'autre. Elle visitait des appartements dans les quartiers de Kitsilano, Dunbar et Point Grey. La propreté, l'ordre et la commodité de la vie citadine ne cessaient de la surprendre. C'était donc ainsi que vivaient les gens quand l'homme n'exerçait pas à l'extérieur une activité qui débouchait sur diverses opérations se déroulant à l'intérieur. Et que le temps qu'il faisait pouvait avoir une influence sur votre humeur mais pas sur votre vie, que des questions aussi terribles que le changement des habitudes et des quantités accessibles des crevettes et du saumon étaient seulement intéressantes, quand elles ne passaient pas totalement inaperçues. L'existence qu'elle avait menée à Whale Bay, si peu de temps auparavant, semblait hasardeuse, pleine de désordre, épuisante, par comparaison. Et elle-même était purgée des humeurs de ces derniers mois — elle était vive et compétente, et avait embelli.

Si Eric avait pu la voir.

Elle pensait à Eric de cette façon tout le temps. Ce n'était pas qu'elle ne parvenait pas à se rendre compte qu'Eric était mort — cela n'arrivait jamais. Mais elle n'en continuait pas moins de s'en référer constamment à lui, par l'esprit, comme s'il était encore la personne pour laquelle son existence à elle comptait plus que pour quiconque. Comme s'il était encore la personne aux yeux de laquelle elle espérait briller. Et aussi la personne à laquelle elle présentait des arguments, des informations, des surprises. C'était une telle habitude chez elle, un tel automatisme, que le fait de sa mort ne semblait pas interférer.

Et leur dernière querelle n'était pas non plus entièrement résolue. Elle lui demandait encore des comptes de sa trahison. Quand elle manifestait un peu de coquetterie à présent, c'était par mesure de rétorsion contre cette trahison.

La tempête, la récupération du corps, la crémation sur la plage — tout cela était comme un simulacre auquel elle avait été contrainte d'assister et contrainte de croire, qui continuait de n'avoir rien à faire avec Eric et elle.

Elle obtint l'emploi à la bibliothèque de l'université, trouva un trois pièces qui était tout juste dans ses moyens, Penelope retourna à Torrance House comme externe. Elles récupérèrent les affaires qu'elles avaient encore à Whale Bay, leur vie là-bas était finie. Même Christa allait déménager, venir à Vancouver au printemps.

Un jour, un peu avant cette date, un jour de février, Juliet attendait l'autobus dans l'abri à l'arrêt du campus, à la fin de son après-midi de travail. La pluie, qui était tombée toute la journée, s'était arrêtée, il y avait une bande de ciel clair à l'ouest, rouge là où le soleil s'était couché, à l'horizon sur le détroit de Georgie. Ce signe de l'allongement des jours, promesse du changement de saison, produisit sur elle un effet inattendu et écrasant.

Elle se rendit compte qu'Eric était mort.

Comme si tout ce temps, tandis qu'elle était à Vancouver, il avait attendu quelque part, attendu de voir si elle reprendrait la vie avec lui. Comme si être avec lui était une option demeurée ouverte. Sa vie depuis qu'elle était venue ici n'avait cessé d'être vécue sur fond d'Eric, sans qu'elle comprenne jamais tout à fait qu'Eric n'existait pas. Rien de lui n'existait. Le souvenir de lui dans le monde ordinaire et quotidien battait en retraite.

C'est donc cela le chagrin. Elle a l'impression qu'un sac de ciment déversé en elle a rapidement durci. Elle peut à peine bouger. Monter dans l'autobus, descendre de l'autobus, parcourir la centaine de mètres qui la sépare de son immeuble (pourquoi habite-t-elle là?), c'est comme escalader une paroi. Et maintenant il faut qu'elle cache cela à Penelope.

À la table du dîner elle se mit à trembler mais ne put ouvrir les doigts pour lâcher le couteau et la fourchette. Penelope contourna la table pour lui faire ouvrir les mains. Elle dit, « C'est papa, hein ? »

Juliet raconta par la suite à quelques personnes — comme Christa — que cela lui avait paru les mots les plus tendres, l'absolution la plus entière, que quiconque lui ait jamais adressés.

Penelope passa ses mains fraîches de haut en bas à l'intérieur des bras de Juliet. Elle téléphona à la bibliothèque le lendemain pour dire que sa mère était souffrante et prit soin d'elle pendant deux jours, restant à la maison au lieu d'aller en classe jusqu'à ce que Juliet se remette. Ou, du moins, jusqu'à ce que le pire soit passé.

Au cours de ces journées, Juliet raconta tout à Penelope. Christa, la dispute, la crémation sur la plage (qu'elle s'était jusque-là débrouillée, presque miraculeusement, pour lui dissimuler). Tout.

« Je ne devrais pas faire peser ce poids sur toi. »

Penelope dit, « Non, c'est vrai, peut-être pas. » Mais ajouta, avec une solide loyauté, « Je te pardonne. Je ne suis pas un bébé. »

Juliet retourna dans le monde extérieur. Le genre d'accès qu'elle avait eu à l'arrêt d'autobus se reproduisit plusieurs fois mais jamais aussi puissamment. Dans le cadre de son travail de recherche à la bibliothèque, elle fit connaissance avec des gens de la chaîne de télévision de la province et prit l'emploi qu'ils lui offrirent. Elle travaillait là depuis un an environ quand elle commença à faire des interviews. L'éclectisme avec lequel elle avait multiplié les lectures pendant des années (lectures qu'Ailo avait tant désapprouvées à l'époque de Whale Bay), tous les petits bouts d'information qu'elle avait glanés, dévorant au hasard et assimilant rapidement, se révélaient fort utiles à présent. Et elle cultivait un style plutôt effacé, à peine taquin, qui semblait d'ordinaire fort bien passer. Devant la caméra, peu de choses la dérangeaient. Alors qu'en fait, rentrée chez elle, elle marchait de long en large en lâchant de petits gémissements ou des jurons à mesure qu'elle se rappelait tel ou tel moment où elle s'était emmêlé les pédales ou laissé démonter ou, pire encore, avait commis une erreur de prononciation.

Au bout de cinq ans, les cartes d'anniversaire cessèrent d'arriver.

« Ça ne veut rien dire, fit Christa. Elles servaient seulement à te faire savoir qu'elle était vivante quelque part. Elle se dit maintenant que tu dois commencer à le savoir. Elle compte sur toi pour ne pas lancer un limier à sa recherche. C'est tout. »

« Est-ce que je lui en ai fait trop supporter ? »

« Oh, Jul. »

« Je ne pense pas seulement à la mort d'Eric. D'autres types, par la suite. Je lui ai trop fait voir que j'étais malheureuse. Malheureuse comme une idiote. »

Car Juliet avait eu deux aventures au cours des années où Penelope avait entre quatorze et vingt et un ans, et les deux fois elle s'était débrouillée pour tomber follement amoureuse, alors qu'elle en avait honte par la suite. Un des deux types était beaucoup plus âgé qu'elle, et solidement marié. L'autre était nettement plus jeune, et s'alarmait de la voir si émotive. Plus tard, elle s'était demandé pourquoi elle l'avait été. À vrai dire elle n'éprouvait strictement rien pour lui, déclara-t-elle.

« C'était bien l'impression que j'avais, dit Christa, qui était fatiguée. Je ne sais pas. »

« Bon Dieu. Ce que j'ai pu être bête. Je ne me mets plus dans cet état pour les hommes. Non ? »

Christa se garda de dire que cela pouvait être dû au manque de candidats.

« Non, Jul. Non. »

« D'ailleurs, je n'ai rien fait de si terrible, dit alors Juliet, rassérénée. Pourquoi est-ce que je n'arrête pas de me lamenter que c'est ma faute ? Penelope est une énigme, voilà tout. Autant le voir en face. »

« Une énigme et elle n'a pas de cœur », ajouta-t-elle, faisant mine d'en prendre son parti.

« Non », dit Christa.

« Non, dit Juliet. Non — ce n'est pas vrai. »

Quand le deuxième mois de juin eut passé sans un mot, Juliet décida de déménager. Pendant les cinq premières années, raconta-t-elle à Christa, elle avait attendu le mois de juin, se demandant ce qui pouvait arriver. L'état des choses étant ce qu'il était désormais, elle était contrainte de se le demander tous les jours. Et d'être déçue tous les jours.

Elle emménagea dans une tour du West End. Elle avait eu l'intention de jeter le contenu de la chambre de Penelope mais, pour finir, fourra le tout dans des sacs-poubelle qu'elle emporta avec elle. Elle n'avait plus qu'un deux pièces, désormais, mais il y avait de la place au sous-sol.

Elle prit l'habitude de faire du jogging à Stanley Park. Désormais il était rare qu'elle mentionne Penelope, même avec Christa. Elle avait un copain — c'était comme ça qu'on les appelait, à présent — qui n'avait jamais entendu parler de sa fille.

Christa maigrit et son humeur s'assombrit. D'un seul coup, c'était en janvier, elle mourut.

On ne passe pas éternellement à la télévision. Aussi agréable que les téléspectateurs aient pu trouver un visage, il vient un temps où ils préféreraient quelqu'un d'autre. Juliet se vit offrir diverses options — dans la recherche, l'écriture de commentaires pour des émissions sur la nature — mais elle les refusa joyeusement, se décrivant comme ayant besoin d'un changement total. Elle retourna aux études classiques — département devenu encore plus petit qu'autrefois — elle comptait reprendre la rédaction de sa thèse de doctorat. Elle quitta l'appartement de la tour et emménagea dans un studio, pour faire des économies.

Son copain avait décroché un boulot d'enseignant en Chine.

Son studio était au sous-sol d'une maison mais les portes coulissantes de derrière donnaient sur le rez-de-chaussée. Et là elle avait un petit patio pavé de briques, un treillage sur lequel grimpaient des pois de senteur et des clématites, quelques pots de fleurs et de fines herbes. Pour la première fois de sa vie, et sur une très petite échelle, elle était jardinière, comme son père l'avait été.

Parfois des gens lui disaient — dans les magasins, ou l'autobus du campus — « Excusez-moi, mais votre visage m'est vraiment familier », ou « Vous n'êtes pas la dame qu'on voyait à la télévision ? » Mais au bout d'un an à peu près, c'en fut fini. Elle passait beaucoup de temps assise à lire en buvant du café à la terrasse d'un bistrot et personne ne la remarquait. Elle se laissa pousser les cheveux. Au cours des années où elle les avait teints en roux, ils avaient perdu la vigueur de leur châtain naturel — ils étaient châtain argenté désormais, fins et ondulés. Cela lui rappelait sa mère, Sara. Sara et ses cheveux rebelles, blonds, soyeux, qui étaient devenus gris, et puis blancs.

Elle n'avait plus assez de place pour inviter les gens à dîner et avait perdu son intérêt pour les recettes. Elle faisait des repas qui étaient assez nourrissants mais monotones. Sans en avoir eu exactement l'intention, elle perdit contact avec la plupart de ses amis.

Ce n'était pas étonnant. Elle menait désormais une existence aussi différente que possible de celle de la personne publique, femme sempiternellement bien informée, vive et soucieuse du bien de tous, qu'elle avait été. Elle vivait parmi les livres, consacrant presque tout son temps à la lecture, et se sentant contrainte d'approfondir, de modifier, l'ensemble des prémisses avec lesquelles elle avait commencé. Elle manquait souvent les nouvelles du monde pendant toute une semaine.

Elle avait renoncé à sa thèse pour s'intéresser à quelques auteurs, connus comme les *romanciers grecs,* dont l'œuvre était venue relativement tard dans l'histoire de la littérature grecque (commençant au premier siècle avant l'ère chrétienne, ainsi qu'elle avait appris à la nommer, et se poursuivant jusqu'au début du Moyen Âge). Aristide, Longos, Héliodore, Achille Tatios. Une bonne part de leur œuvre est perdue ou fragmentaire, et aussi, dit-on, indécente. Mais il y a un roman écrit par Héliodore et intitulé les *Éthiopiques* (à l'origine dans une bibliothèque privée, récupéré pendant le siège de Buda), qui est connu en Europe depuis son impression à Bâle en 1534.

Dans ce récit, la reine d'Éthiopie donne naissance à un enfant blanc et craint d'être accusée d'adultère. Elle confie donc l'enfant — une fille — aux soins des gymnosophistes — c'est-à-dire les philosophes nus, qui sont des ermites et des mystiques. La fille, nommée Chariclée, finit par être conduite à Delphes, où elle devient l'une des prêtresses d'Artémis. Là, elle fait la connaissance d'un noble thessalien du nom de Théagène, qui tombe amoureux d'elle et, avec l'aide d'un rusé Égyptien, l'enlève. La reine d'Éthiopie, ainsi qu'il s'avère, n'a jamais cessé de penser à sa fille et a engagé ce même Égyptien pour la rechercher. Aventures et mésaventures se poursuivent jusqu'à ce que tous les principaux personnages se retrouvent à Méroé, où Chariclée est sauvée — encore une fois — à l'instant où elle était sur le point d'être sacrifiée par son propre père.

Les thèmes intéressants pullulaient dans ce conte, qui ne cessait d'exercer sur Juliet une fascination naturelle. En particulier le passage concernant les gymnosophistes. Elle s'efforça de découvrir tout ce qu'elle put au sujet de ces gens qu'on appelait d'ordinaire les philosophes hindous. L'Inde était-elle, en l'occurrence, censée jouxter l'Éthiopie ? Non — Héliodore était venu assez tard pour connaître un peu mieux que cela sa géographie. Les gymnosophistes devaient être des vagabonds, loin de leur pays d'origine, attirant et repoussant ceux parmi lesquels ils vivaient, avec leur dévotion rigoureuse à la pureté de la vie et de la pensée, leur mépris des possessions, et même des vêtements et des aliments. Une belle vierge élevée parmi eux risquait fort d'en demeurer affectée d'une aspiration perverse à une vie extatique et dépouillée.

Juliet s'était fait un nouvel ami du nom de Larry. Il enseignait le grec et avait permis à Juliet d'entreposer les sacs-poubelle dans le sous-sol de sa maison. Il se plaisait à imaginer la façon dont ils pourraient faire des *Éthiopiques* une comédie musicale. Juliet collaborait à cette chimère, jusqu'à inventer des chansons d'une merveilleuse sottise et des effets scéniques absurdes. Mais en secret elle était portée à concevoir une nouvelle fin, une fin comportant une renonciation, et une quête en sens inverse au cours de laquelle la jeune fille serait assurée de rencontrer des faussaires et des charlatans, des imposteurs, pâles imitations de ce qu'elle cherchait en réalité. C'est-à-dire la réconciliation, enfin, avec la reine d'Éthiopie, grand cœur, au fond, qui se repentait de ses erreurs.

Juliet était presque certaine d'avoir vu Mère Shipton à Vancouver. Elle avait emporté des vêtements qu'elle ne mettrait jamais plus (sa garde-robe était devenue de plus en plus fonctionnelle) dans une friperie de l'Armée du Salut et, en posant le sac au comptoir, avait vu une grosse vieille en boubou qui fixait des étiquettes sur des pantalons. Elle bavardait avec les autres travailleurs. Elle avait l'air d'une espèce de superviseur, de surveillante enjouée mais vigilante — ou peut-être l'air d'une femme qui jouerait ce rôle qu'elle possédât ou non une quelconque supériorité officielle.

Si c'était bien Mère Shipton, elle était descendue dans l'échelle sociale. Mais pas de beaucoup. Car étant Mère Shipton, ne devait-elle pas posséder d'amples réserves d'insubmer-sibilité et d'autosatisfaction qui rendraient une véritable chute impossible?

Des réserves de conseils, de conseils pernicieux, aussi.

Elle nous est arrivée affamée.

Juliet avait parlé de Penelope à Larry. Elle avait besoin qu'une personne le sache. « Aurais-je dû lui parler d'une exis-tence noble? avait-elle dit. Du sacrifice? D'ouvrir sa vie aux besoins d'inconnus? Je n'y ai jamais pensé. J'ai dû agir comme si ça m'aurait suffi qu'elle devienne comme moi. Est-ce que ça a pu la dégoûter? »

Larry n'était pas homme à vouloir autre chose de Juliet que son amitié et sa bonne humeur. C'était ce qu'on appelait naguère encore un célibataire endurci, asexué dans la mesure où elle pouvait le dire (mais c'était probablement une mesure insuffisante), s'effarouchant devant toute révélation person-nelle, éternel boute-en-train.

Deux autres hommes avaient fait leur apparition, qui vou-laient d'elle comme partenaire. Avec l'un d'eux elle avait lié connaissance quand il s'était assis à sa table en terrasse. C'était un veuf de fraîche date. Elle l'aimait bien mais sa solitude était tellement à vif et il lui faisait une cour si désespérée qu'elle en fut alarmée.

Le second était le frère de Christa, qu'elle avait rencontré plusieurs fois du vivant de cette dernière. Sa compagnie lui convenait — par bien des côtés il ressemblait à Christa. Il était séparé de sa femme depuis longtemps, n'était pas désespéré — elle savait, par Christa, qu'il y avait eu des femmes prêtes à l'épouser qu'il avait évitées. Mais il était trop rationnel, c'était tout juste s'il ne l'avait pas choisie de sang-froid, cela avait quelque chose d'humiliant.

Mais pourquoi humiliant? Ce n'était pas comme si elle était amoureuse de lui.

Ce fut pendant qu'elle voyait encore le frère de Christa — il s'appelait Gary Lamb — qu'elle croisa Heather, dans une rue du centre de Vancouver. Gary et Juliet venaient de sortir d'une salle où ils avaient vu un film en début de soirée et ils se demandaient où aller dîner. C'était une chaude nuit d'été, la lumière n'avait pas encore déserté le ciel.

Une femme se détacha d'un groupe sur le trottoir. Elle vint droit sur Juliet. Une femme mince, qui pouvait avoir entre trente-cinq et quarante ans, à la mode, avec des mèches caramel dans ses cheveux noirs.

« Madame Porteous. Madame Porteous. »

Juliet reconnut la voix, alors qu'elle n'eût jamais reconnu le visage. Heather.

« C'est incroyable, dit Heather. Je suis ici pour trois jours et je pars demain. Mon mari est à une conférence. J'étais en train de me dire que je ne connais plus personne ici, je me retourne, et je vous vois. »

Juliet lui demanda où elle habitait à présent et elle dit dans le Connecticut.

« Et il y a à peu près trois semaines, j'étais allée voir Josh — vous vous rappelez, mon frère Josh? — j'étais allée voir mon frère Josh et sa famille à Edmonton et j'ai rencontré Penelope. Comme maintenant, dans la rue. Non — en fait c'était au centre commercial, ce centre gigantesque qu'ils ont à Edmonton. Elle avait deux de ses enfants avec elle, elle les avait amenés acheter leur uniforme pour l'école à laquelle ils vont. Les garçons. On n'en revenait pas toutes les deux. Je ne l'avais pas reconnue tout de suite mais elle oui. Elle était venue en avion, évidemment. Du Grand Nord. Mais elle dit que c'est tout à fait civilisé, en fait. Et elle a dit que vous habitiez toujours ici. Mais je suis avec ces gens — des amis de mon mari — et je n'ai vraiment pas eu le temps de vous donner un coup de téléphone... »

Juliet fit un vague geste pour dire que bien sûr il n'y avait pas le temps, qu'elle ne s'était pas attendue à un coup de téléphone.

Elle demanda combien d'enfants avait Heather.

« Trois. Tous des monstres. J'espère qu'ils vont grandir vite. Et encore, moi c'est le rêve, à côté de Penelope. Cinq ! »

« Oui. »

« Il faut que je me sauve, on va au cinéma. Un film dont je ne sais absolument rien, je n'aime pas les films français, de toute façon. Mais c'était formidable de vous rencontrer comme ça. Ma mère et papa se sont installés à White Rock. Ils vous voyaient tout le temps à la télé. Ils étaient tout contents de dire à leurs amis que vous aviez habité chez nous. Ils disent qu'on ne vous y voit plus, vous en aviez assez ? »

« Plus ou moins, oui. »

« J'arrive, j'arrive. » Elle étreignit Juliet et l'embrassa, comme tout le monde faisait désormais, et courut rejoindre ses compagnons.

Donc. Penelope ne vivait pas à Edmonton — elle était *descendue* à Edmonton. En avion. Cela voulait dire qu'elle devait vivre à Whitehorse ou Yellowknife. Quel autre endroit existait-il qu'elle aurait pu décrire comme *tout à fait civilisé* ? Peut-être était-elle ironique, pour se moquer un peu de Heather, quand elle avait dit ça.

Elle avait cinq enfants et deux au moins étaient des garçons. Ils allaient être équipés d'uniformes scolaires. Ce qui voulait dire une école privée. Ce qui voulait dire de l'argent.

Heather ne l'avait pas reconnue tout de suite. Cela signifiait-il qu'elle avait vieilli ? Qu'elle était déformée par cinq grossesses, qu'elle n'avait pas pris soin d'elle-même ? Contrairement à Heather. Et à Juliet, dans une certaine mesure. Qu'elle était une de ces femmes aux yeux desquelles l'idée tout entière d'un tel combat semblait ridicule, un aveu d'incertitude ? À moins qu'elle n'ait pas le temps d'y penser — quelque chose qui ne l'avait jamais effleurée.

Juliet avait imaginé Penelope engagée dans un mouvement transcendentaliste, ou devenue mystique, passant sa vie dans la contemplation. Ou alors — plutôt à l'opposé mais toujours radicalement simple et spartiate — gagnant sa vie dans un métier rude et risqué, la pêche, peut-être avec un mari, peut-être aussi avec des petits enfants robustes, dans les eaux froides du Passage Intérieur au large des côtes de la Colombie-Britannique.

Pas du tout. Elle menait la vie d'une mère de famille prospère et pratique. Mariée à un médecin, peut-être, ou à un de ces fonctionnaires responsables des régions septentrionales du pays pendant la transition qui voit graduellement, prudemment, mais tout de même en fanfare, leur gestion passer aux mains des indigènes. Si jamais elle revoyait Penelope, elles riraient peut-être que Juliet ait pu se tromper à ce point. Quand elles se raconteraient comment elles avaient rencontré Heather chacune de leur côté, l'étrangeté de cette coïncidence, elles riraient.

Non. Non. Le fait était sûrement qu'elle avait déjà trop ri devant Penelope. Trop de choses avaient été prises à la blague. Tout comme trop de choses — des choses personnelles, des amours qui n'étaient peut-être que gratifications — avaient été prises au tragique. Elle avait manqué de la retenue, de la pudeur et de la maîtrise de soi d'une mère comme il faut.

Penelope avait dit qu'elle, Juliet, vivait toujours à Vancouver. Elle n'avait pas parlé à Heather de la rupture. Sûrement pas. Si elle avait été au courant, Heather n'aurait pas été aussi à l'aise.

Comment Penelope savait-elle qu'elle vivait encore là, à moins de l'avoir vérifié dans l'annuaire? Et si elle l'avait vérifié, qu'est-ce que cela voulait dire?

Rien. N'y cherche aucune signification.

Elle rejoignit au bord du trottoir Gary, qui, plein de tact, s'était éloigné de cette scène de retrouvailles.

Whitehorse, Yellowknife. Qu'il était donc douloureux de connaître le nom de ces villes — pour lesquelles elle pouvait prendre l'avion. Où elle pourrait traîner dans les rues, concevoir des plans pour entrapercevoir.

Mais elle n'était pas si folle. Il ne fallait pas qu'elle soit si folle.

Pendant le dîner, elle songea que la nouvelle dont elle venait de se pénétrer la mettait dans une meilleure situation pour épouser Gary, ou pour vivre avec lui — selon ce qu'il voulait. Elle n'avait plus aucune inquiétude à se faire, rien à attendre, concernant Penelope. Penelope n'était pas un fantôme, elle était en sûreté, dans la mesure où quiconque peut l'être, et probablement aussi heureuse que quiconque peut l'être. Elle s'était détachée de Juliet et très vraisemblablement du souvenir de Juliet, et Juliet ne pouvait mieux faire que se détacher à son tour.

Mais elle avait dit à Heather que Juliet vivait à Vancouver. Avait-elle dit *Juliet*? Ou *maman*? *Ma mère*.

Juliet dit à Gary que Heather était la fille de vieux amis. Elle ne lui avait jamais parlé de Penelope et il n'avait jamais donné aucun signe de connaître l'existence de Penelope. Il était possible que Christa lui en ait parlé, et qu'il ait gardé le silence en considérant que ça ne le regardait pas. Ou que Christa lui en ait parlé et qu'il ait oublié. Ou que Christa n'ait jamais fait la moindre allusion à Penelope, pas même son nom.

Si Juliet vivait avec lui, ce qui concernait Penelope ne viendrait jamais à la surface, Penelope n'existerait pas.

Et Penelope n'existait pas. La Penelope que cherchait Juliet n'était plus. La femme que Heather avait retrouvée à Edmonton, la mère qui avait amené ses fils à Edmonton pour acheter leurs uniformes d'écoliers, qui avait tant changé de visage et de corps que Heather ne l'avait pas reconnue, était quelqu'un que Juliet ne connaissait pas.

Juliet le croit-elle?

Si Gary vit qu'elle était agitée, il fit mine de ne pas le remarquer. Mais ce fut probablement ce soir-là que tous deux comprirent qu'ils ne seraient jamais ensemble. S'il leur avait été possible d'être ensemble, elle lui aurait peut-être dit, *Ma fille est partie sans me dire au revoir et en fait elle ne savait probablement*

pas alors qu'elle partait. Elle ne savait pas que c'était pour de bon.
Puis peu à peu, je crois, elle a découvert à quel point elle voulait
rester éloignée. Ce n'est qu'une façon qu'elle a découverte de gérer
sa vie.

Peut-être est-ce de me l'expliquer, qu'elle se sent incapable.
Ou alors elle n'en a pas le temps, en fait. Tu sais, nous avons tou-
jours l'idée qu'il y a telle ou telle raison et nous n'arrêtons pas de
chercher des raisons. Et je pourrais te faire un tas de récits de mes
erreurs. Mais je crois que la raison peut être quelque chose de pas
si facile à déterrer. Quelque chose comme la pureté de sa nature.
Oui. Une espèce d'excellence et de rigueur et de pureté, une espèce
d'honnêteté dure comme la pierre en elle. Mon père avait l'habi-
tude de dire de quelqu'un qu'il n'aimait pas qu'il n'avait rien à
faire de cette personne. Et si ces mots signifiaient simplement ce
qu'ils disent ? Penelope n'a rien à faire de moi.

Peut-être qu'elle ne peut pas me supporter. C'est possible.

Juliet a des amis. Pas tellement nombreux désormais —
mais des amis. Larry continue de venir la voir et de faire des
blagues. Elle poursuit ses études. Le mot *études* ne semble pas
très bien décrire ce qu'elle fait — *investigations* conviendrait
mieux.

Et, manquant d'argent, elle travaille quelques heures par
semaine au café à la terrasse duquel elle passait autrefois tant de
temps. Elle trouve que ce travail équilibre bien son engagement
avec les Grecs anciens — à tel point qu'elle croit qu'elle le
conserverait même si elle cessait d'en avoir besoin.

Elle continue d'espérer un mot de Penelope, mais sans
aucun acharnement. Elle espère comme les gens espèrent sans
se faire d'illusions des aubaines imméritées, des rémissions
spontanées, des choses comme ça.

Passion

Voilà déjà quelque temps, Grace se mit à la recherche de la maison d'été des Travers dans la vallée de l'Outaouais. Elle n'était pas allée dans cette région du pays depuis bien des années, et il y avait évidemment eu des changements. La route contournait à présent des villes qu'elle traversait autrefois, et était souvent rectiligne là où, dans son souvenir, existaient des virages. Et cette région du Bouclier canadien compte de nombreux petits lacs que les cartes routières courantes n'ont pas la place de nommer. Même quand elle eut, ou crut avoir, repéré le lac Little Sabot, il lui sembla que trop de routes y conduisaient à partir de la route principale, puis, quand elle eut choisi une de ces routes, trop de routes asphaltées la traversaient, portant toutes des noms qu'elle ne se rappelait pas. En fait les rues n'avaient pas de nom quand elle avait séjourné là plus de quarante ans auparavant. Et les routes pas de revêtement. Une seule route en terre menait vers le lac, puis une seule autre en longeait la rive un peu au petit bonheur.

À présent il y avait un village. Ou un lotissement, on pouvait peut-être l'appeler ainsi, parce qu'elle n'apercevait pas de bureau de poste, ni même le plus minimaliste des dépanneurs. Quatre ou cinq rues s'étageaient au bord du lac, alignements de petites maisons proches les unes des autres sur leur petite parcelle. Certaines étaient sans aucun doute des résidences d'été — leurs fenêtres déjà masquées de planches comme on le faisait toujours pour la saison d'hiver. Mais beaucoup d'autres montraient tous les signes d'être habitées à l'année — habitées, dans bien des cas, par des gens qui emplissaient les jardins de portiques en plastique, de barbecues et de vélos d'appartement, de motocyclettes et de tables de pique-nique, auxquelles certains d'entre eux étaient installés pour déjeuner ou boire une bière, en cette journée de septembre qui était encore chaude. Et par d'autres gens, moins visibles — des étudiants peut-être, ou de vieux hippies solitaires — qui se faisaient des rideaux avec des drapeaux ou des feuilles de papier d'aluminium. De petites maisons bon marché, correctement entretenues pour la plupart, certaines fermées et calfeutrées pour affronter l'hiver, et d'autres pas.

Grace aurait décidé de faire demi-tour si elle n'avait vu la maison octogonale, avec le toit ceint d'une corniche de bois découpé, et un mur sur deux percé d'une porte. La maison des Woods. Elle aurait juré qu'elle avait huit portes. Mais apparemment il n'y en avait que quatre. Elle n'y était jamais entrée pour voir comment l'espace était, ou n'était pas, divisé en pièces. Elle ne croyait pas non plus qu'aucun membre de la famille Travers y fût jamais entré. La maison était entourée de grandes haies à l'époque et de peupliers étincelants que la brise faisait sans cesse frissonner le long de la rive. M. et Mme Woods étaient vieux — comme Grace l'était à présent — et ne recevaient jamais, semblait-il, la visite d'amis ou d'enfants. Leur maison originale et pittoresque avait aujourd'hui l'air abandonné comme une erreur à laquelle on aurait renoncé. Des voisins avec leurs grosses radios stéréo et leurs véhicules parfois en pièces détachées, leurs jouets et leur lessive, l'assiégeaient de part et d'autre.

La maison des Travers avait subi le même sort, comme elle le constata en y arrivant, à quatre ou cinq cents mètres plus loin sur cette route. Laquelle passait devant, désormais, au lieu d'y aboutir, et d'autres maisons se dressaient de chaque côté, à quelques mètres pas plus de la véranda profonde qui l'entourait.

Cette maison était la première que Grace ait vue bâtie sur ce plan — sans étage, les quatre pans du toit recouvrant d'un seul tenant la véranda sur les quatre côtés. Par la suite elle en avait vu souvent de semblables, en Australie. Leur style évoquait des étés chauds.

On pouvait autrefois courir depuis la véranda, à travers l'extrémité poussiéreuse de l'allée et le sable mille fois piétiné d'un lopin de mauvaises herbes et de fraises sauvages, appartenant aussi aux Travers, pour se jeter — non, en réalité, pour entrer en pataugeant — dans le lac. Le lac qu'on entrevoyait à peine désormais, à cause d'une grosse bâtisse — une des rares demeures de banlieue proprement dites, avec un garage pour deux voitures — qui barrait précisément cet itinéraire.

Qu'est-ce que Grace pouvait bien chercher quand elle avait entrepris cette expédition ? Peut-être le pire eût-il été d'obtenir justement ce qu'elle avait cru désirer. Un toit protecteur, des fenêtres masquées de moustiquaires, le lac devant, le bosquet d'érables et de cèdres et de balsamiers derrière. Le passé parfaitement préservé, intact, alors que rien de tel n'aurait pu être dit d'elle-même. Découvrir quelque chose de si diminué, existant encore mais rendu incongru — comme semblait l'être à présent la maison des Travers, avec les chiens-assis qu'on y avait ajoutés, et le bleu choquant de sa façade — s'avérerait peut-être moins douloureux à la longue.

Mais si on découvre que tout a disparu ? On fait une histoire. Si quelqu'un nous a accompagné qui peut nous écouter, on se répand en lamentations. Pourtant, n'éprouve-t-on pas comme un soulagement passager, que de vieux imbroglios, ou de vieilles dettes, soient abolis ?

M. Travers avait bâti la maison — c'est-à-dire, l'avait fait bâtir — comme cadeau de noces surprise à son épouse. La première fois que Grace la vit, elle devait dater d'une trentaine d'années peut-être. Il y avait de grandes différences d'âge entre les enfants de Mme Travers — Gretchen, vingt-huit ou vingt-neuf ans environ, déjà mariée et mère elle-même, et Maury, vingt et un, qui allait entamer sa dernière année de fac. Et puis il y avait Neil, qui avait plus de trente-cinq ans. Mais Neil n'était pas un Travers. Il s'appelait Neil Borrow. Mme Travers avait fait un premier mariage, avec un homme qui était mort. Elle avait gagné sa vie et entretenu son enfant, en enseignant l'anglais commercial dans une école de secrétariat. M. Travers, quand il évoquait cette période de la vie de sa femme avant leur rencontre, en parlait comme d'une épreuve presque comparable au bagne, que pourrait à peine compenser une vie entière d'un confort qu'il était heureux de procurer.

Mme Travers elle-même n'en parlait pas du tout de cette façon. Elle avait vécu avec Neil dans une vieille et grande maison divisée en appartements, non loin des voies de chemin de fer dans la ville de Pembroke, et nombre d'anecdotes qu'elle racontait à la table du dîner portaient sur des événements qui avaient eu lieu là, sur les autres locataires, et sur le propriétaire canadien français dont elle imitait le français râpeux et l'anglais confus. Ses histoires auraient pu avoir des titres, comme celles de Thurber que Grace avait lues dans l'*Anthologie de l'humour américain,* trouvée sans raison concevable sur une étagère de la bibliothèque qui occupait le fond de sa salle de classe en dixième année. (Sur cette même étagère se trouvaient *Le Dernier des barons* et *Deux années sur le gaillard d'avant.*)

« Le soir où la vieille Mme Cromarty sortit sur le toit. » « Comment le facteur fit la cour à Miss Flowers. » « Le chien qui mangeait des sardines. »

M. Travers ne racontait jamais d'anecdotes et n'était pas disert pendant le dîner, mais s'il vous trouvait occupé à regarder, par exemple, la cheminée en pierres brutes, il pouvait dire, « Vous vous intéressez aux roches ? », et vous raconter d'où provenait chacune d'entre elles. Et le mal qu'il avait eu à trouver au prix d'incessantes recherches ce granite rose, parce que Mme Travers s'était un jour récriée d'enthousiasme devant une pierre semblable aperçue sur une route en cours de percement. Ou il pouvait vous montrer tel ou tel détail d'ailleurs pas vraiment inhabituel qu'il avait lui-même ajouté aux plans de la maison — le placard d'angle dont les étagères pivotaient en s'ouvrant dans la cuisine, l'espace de rangement qu'il avait ménagé sous les banquettes des fenêtres. C'était un homme grand et voûté, à la voix douce, dont les cheveux fins étaient plaqués en arrière sur le crâne. Il portait des sandales de bain quand il s'aventurait dans l'eau et, bien qu'il ne semblât pas gras dans ses vêtements ordinaires, révélait alors un bourrelet de chair blanche retombant comme de la pâte à crêpe sur son caleçon de bain.

Cet été-là, Grace travaillait à l'hôtel de Bailey's Falls, au nord du lac Little Sabot. Vers le début de la saison, la famille Travers y était venue dîner. Elle n'y avait pas pris garde — la famille n'était pas placée à l'une de ses tables et il y avait du monde, ce soir-là. Elle était en train de réinstaller une table destinée à de nouveaux convives quand elle se rendit compte que quelqu'un attendait pour lui parler.

C'était Maury. Il dit, « Je me demandais si vous accepteriez de sortir avec moi un de ces jours. »

Grace leva à peine les yeux des couverts qu'elle disposait à toute vitesse. Elle dit, « C'est un pari ? » Parce qu'il avait parlé d'une voix haut perchée et anxieuse et était planté là tout raide, comme s'il se forçait. Et qu'il arrivait, c'était connu, que de jeunes estivants venus dîner en bande se mettent les uns les autres au défi d'inviter une serveuse à sortir. Ce n'était pas seulement une blague — ils venaient réellement au rendez-vous, si celui-ci avait été accepté, mais c'était parfois dans la seule intention de vous entraîner dans leur voiture sans vous avoir invitée au cinéma, ni même à boire un café. Aussi estimait-on qu'il fallait être plutôt dévergondée, plutôt frustrée, pour donner son accord.

« Quoi ? » demanda-t-il à grand-peine, et Grace s'interrompit alors pour le regarder. Il lui sembla le voir tout entier, en cet instant, le vrai Maury. Terrifié, farouche, innocent, déterminé.

« OK », s'empressa-t-elle de dire. Cela signifiait-il, OK, calmez-vous, je sais que ce n'est pas un pari, je sais que vous ne feriez pas ça? Ou, OK, je veux bien sortir avec vous? Elle-même ne le savait pas. Mais lui le prit pour un assentiment, et convint aussitôt — sans baisser la voix, ni voir les regards que lui lançaient les dîneurs alentour — qu'il viendrait la prendre après son travail le lendemain soir.

Il l'emmena effectivement au cinéma. Ils virent *Le Père de la mariée*. Que Grace détesta. Elle détestait les filles comme Elizabeth Taylor dans ce film. Détestait les filles riches et gâtées, auxquelles on ne demandait jamais rien d'autre que de minauder en exprimant leurs exigences. Maury dit que ce n'était qu'une comédie mais elle répondit que là n'était pas la question. Elle ne sut pas exprimer clairement où était la question. Tout le monde eût pensé que c'était parce qu'elle travaillait comme serveuse et était trop pauvre pour aller à l'université et que, si elle voulait quoi que ce soit d'approchant ce genre de noces, il lui faudrait passer des années à économiser pour se le payer elle-même. (C'est ce que Maury pensa, et il en fut pétrifié de respect pour elle, presque de révérence.)

Elle ne pouvait expliquer ni tout à fait comprendre que ce n'était pas de la jalousie qu'elle éprouvait, en définitive, c'était de la rage. Et pas parce qu'il lui était impossible de courir les magasins ou de s'habiller comme ça. C'était parce que les filles étaient censées ressembler à ça. C'était ainsi que les hommes — les gens, tout le monde — pensaient qu'elles devaient être. Belles, adorées, gâtées, égoïstes, avec un pois chiche à la place du cerveau. C'était ainsi qu'une fille devait être pour qu'on en tombe amoureux. Ensuite elle deviendrait une mère et se consacrerait tout entière à ses enfants avec une affection baveuse. Elle cesserait d'être égoïste mais garderait son pois chiche à la place du cerveau. À tout jamais.

Elle en fulminait assise à côté d'un garçon qui était tombé amoureux d'elle parce qu'il avait cru — instantanément — à l'intégrité et au caractère unique de son esprit et de son âme, et avait vu sa pauvreté comme un lustre romanesque recouvrant le tout. (Il aurait su qu'elle était pauvre pas seulement à cause de l'emploi qu'elle occupait, mais à cause de son fort accent de la vallée de l'Outaouais, dont elle-même n'était pas consciente à l'époque.)

Il considéra avec respect les sentiments que le film avait inspirés à Grace. Au point, maintenant qu'il l'avait écoutée se débattre rageusement pour tenter de les expliquer, de se débattre pour lui dire quelque chose à son tour. Il dit qu'il voyait maintenant que ce n'était rien d'aussi simple, d'aussi *féminin,* que la jalousie. Cela, il le voyait. C'était qu'elle ne supportait pas la frivolité, ne se contentait pas d'être comme la plupart des filles. Elle n'était pas comme les autres.

Grace n'avait jamais oublié ce qu'elle portait ce soir-là. Une jupe évasée bleu foncé, un chemisier blanc dont le feston percé d'œillets laissait apercevoir la naissance de ses seins, une large ceinture élastique rose. Sans doute y avait-il quelque chose de contradictoire entre la façon dont elle se présentait et la façon dont elle voulait être jugée. Mais elle n'avait rien de délicat ni de coquet ni d'élégant dans le style de l'époque. Un peu négligée sur les bords, en fait, se donnant des airs de gitane, avec ses grands anneaux argentés de pacotille, et ses longs cheveux noirs et bouclés, indisciplinés, qu'elle devait emprisonner sous une résille pour servir à table.

Pas comme les autres.

Il avait parlé d'elle à sa mère et sa mère avait dit, « Il faut que tu nous amènes cette Grace à dîner. »

Tout était nouveau pour elle, immédiatement délicieux. En fait elle tomba amoureuse de Mme Travers, plutôt comme Maury était tombé amoureux d'elle. Il n'était pas dans sa nature, cela va de soi, de se montrer aussi ouvertement éperdue et fervente qu'il ne l'était.

Grace avait été élevée par son oncle et sa tante, en réalité son grand-oncle et sa grand-tante. Sa mère était morte quand elle avait trois ans et son père était parti pour la Saskatchewan, où il avait une autre famille. Ses parents de remplacement étaient bienveillants, et même fiers d'elle, encore qu'un peu dépassés, mais n'étaient pas portés à la conversation. L'oncle gagnait sa vie en cannant des chaises et il avait appris le cannage à Grace afin qu'elle puisse l'aider et finir par lui succéder car sa vue baissait. Mais après elle avait pris cet emploi à Bailey's Falls pour l'été, et bien que ce fût dur pour lui — pour sa tante aussi — de la laisser partir, ils croyaient qu'elle avait besoin de goûter un peu à la vie avant de s'installer.

Elle avait vingt ans et venait de finir le secondaire. Elle aurait dû finir un an plus tôt mais elle avait fait un choix bizarre. Dans la très petite ville où elle vivait — non loin du Pembroke de Mme Travers — il y avait quand même une école, comportant cinq classes, où l'on préparait le diplôme du Ministère et ce que l'on appelait alors l'examen de fin d'études secondaires. Il n'était jamais nécessaire d'étudier l'ensemble des matières proposées, et à la fin d'une première année — qui aurait dû être sa dernière — Grace s'était présentée aux examens d'histoire, de botanique, de zoologie, d'anglais, de latin et de français, obtenant des notes superfétatoirement excellentes. Mais elle était revenue en septembre, derechef, se proposant d'étudier la physique et la chimie, la trigonométrie, la géométrie et l'algèbre, alors que ces matières étaient considérées comme particulièrement difficiles pour les filles. À la fin de cette année-là, elle avait étudié toutes les matières offertes à l'exception du grec, de l'italien, de l'espagnol et de l'allemand, pour lesquelles il n'y avait pas de professeurs, dans son école. Elle se tira honorablement des trois matières mathématiques et des deux matières scientifiques, même si ses résultats furent loin d'être aussi spectaculaires que l'année précédente. Elle avait d'ailleurs envisagé alors d'apprendre seule le grec, l'espagnol, l'italien et l'allemand de façon à pouvoir les présenter aux examens de l'année suivante. Mais le principal de l'école l'avait convoquée pour un entretien et lui avait dit que cela ne la menait nulle part puisqu'elle ne pouvait pas s'inscrire à l'université, et que d'ailleurs aucune université n'exigeait une telle abondance. Pourquoi le faisait-elle? Avait-elle un quelconque projet?

Non, avait dit Grace, elle voulait seulement apprendre tout ce qu'on pouvait apprendre gratuitement. Avant d'entamer sa carrière de rempailleuse.

C'était le principal qui connaissait le gérant de l'auberge et qui avait proposé de dire un mot en sa faveur si elle voulait s'essayer à un emploi de serveuse pour l'été. Lui aussi avait parlé d'un avant-goût de la vie.

Ainsi le responsable lui-même de tout le savoir dans cette ville ne croyait pas que le savoir avait à faire avec la vie. Et chaque fois que Grace racontait à quelqu'un ce qu'elle avait fait — elle le racontait pour expliquer pourquoi elle avait pris un an de retard au secondaire —, elle s'entendait répondre quelque chose comme *fallait être folle*.

À l'exception de Mme Travers, qu'on avait envoyée dans une école de commerce au lieu d'une véritable université parce qu'on lui avait dit qu'elle devait se rendre utile, et qui regrettait plus que tout désormais — disait-elle — ne pas avoir enfourné plutôt, ou d'abord, dans son esprit, tout ce qui était inutile.

« Il faut pourtant gagner sa vie, dit-elle. Rempailler les chaises semble en tout cas quelque chose d'assez utile. Il faudra voir. »

Voir quoi? Grace ne voulait pas du tout penser à l'avenir. Elle voulait que la vie continue exactement telle qu'elle était pour l'heure. En échangeant les services avec une autre fille, elle s'était arrangée pour être libre le dimanche, après le petit déjeuner. Cela voulait dire qu'elle travaillait toujours tard le samedi. En réalité, cela voulait dire qu'elle avait échangé du temps avec Maury contre du temps avec la famille de Maury. Elle et Maury ne pouvaient plus jamais aller au cinéma, ni avoir une soirée proprement dite. Mais il passait la chercher quand elle finissait son service, aux environs de onze heures du soir, et ils se promenaient en voiture, s'arrêtant pour manger une glace ou un hamburger — Maury s'interdisait scrupuleusement de l'emmener dans un bar parce qu'elle n'avait pas encore vingt et un ans — et finissaient par aller se garer quelque part.

Le souvenir que Grace gardait de ces séances dans la voiture — qui pouvaient durer jusqu'à une ou deux heures du matin — se révéla bien moins net que ceux qui lui restaient des moments passés autour de la table ronde du dîner chez les Travers ou — quand tout le monde finissait par se lever, avec une tasse de café ou un verre — sur le canapé de cuir fauve, les chaises berçantes, les coussins des fauteuils de rotin, à l'autre bout de la pièce. (Il n'y avait jamais d'histoires pour savoir qui ferait la vaisselle et rangerait la cuisine — une femme que Mme Travers appelait « mon amie l'habile Mme Abel » viendrait le lendemain matin.)

Maury traînait toujours des coussins sur le tapis pour s'y asseoir. Gretchen, qui ne portait jamais pour le dîner autre chose qu'un jean ou un pantalon militaire, s'asseyait d'ordinaire en tailleur sur un fauteuil. Elle et Maury étaient tous deux grands et larges d'épaules, avec quelque chose de la beauté de leur mère — ses cheveux ondulés couleur caramel, et ses yeux d'une chaude nuance noisette. Même, dans le cas de Maury, une fossette. *Mignon,* disaient de lui les autres serveuses. Elles sifflaient doucement. *Dis donc dis donc.* Mme Travers, en revanche, mesurait à peine un mètre cinquante-cinq et, sous ses boubous colorés, ne semblait pas grasse mais ferme et dodue, comme une enfant qui n'a pas terminé sa croissance. Et l'éclat, l'intensité, de ses yeux, la gaieté toujours sur le point de rayonner, n'avait pas été, ou ne pouvait pas être, imitée ou héritée. Pas plus que le rouge vif, presque une éruption, de ses joues. Cela résultait probablement de son habitude de sortir par tous les temps sans se soucier de son teint, et comme sa silhouette, comme ses boubous, cela montrait son indépendance.

Il y avait parfois des invités, en dehors de la famille, à ces soirées dominicales. Un couple, parfois peut-être une personne seule, d'ordinaire de la même tranche d'âge que M. et Mme Travers et leur ressemblant d'ordinaire en cela que les femmes étaient vives et spirituelles et les hommes plus silencieux, plus lents, tolérants. Les gens racontaient des anecdotes amusantes dans lesquelles ils étaient souvent le dindon de la farce. (Grace est une causeuse engageante depuis si longtemps maintenant qu'elle en est parfois un peu écœurée et qu'elle a du mal à se rappeler la grande nouveauté qu'avaient pour elle autrefois ces conversations pendant le dîner. D'où elle venait, la plupart des conversations animées prenaient la forme de blagues salaces, que son oncle et sa tante n'auraient évidemment pas tolérées. Dans les rares occasions où ils avaient de la compagnie, on louait le talent de la cuisinière qui s'excusait de sa médiocrité, on parlait du temps qu'il faisait tout en souhaitant avec ferveur que le repas se termine le plus vite possible.)

Après le dîner chez les Travers, quand la soirée était assez fraîche, M. Travers allumait un feu. On jouait à ce que Mme Travers appelait « des jeux idiots sur les mots », auxquels, en réalité, il fallait faire preuve de pas mal d'astuce, même pour concocter des définitions saugrenues. Et c'était là qu'une personne guère entendue pendant le dîner pouvait commencer à briller. On pouvait échafauder des parodies d'arguments autour d'affirmations d'une parfaite absurdité. Le mari de Gretchen, Wat, y excellait, et, au bout de quelque temps, Grace aussi, ce qui enchantait Mme Travers et Maury. (Lequel lançait, pour le plus grand amusement de tous à l'exception de Grace, « Vous voyez ? Qu'est-ce que je vous disais. Elle est maligne. ») Et c'était Mme Travers elle-même qui montrait le chemin dans cette invention de mots soutenue par des défenses extravagantes, pour s'assurer que le jeu ne devienne jamais trop sérieux ni aucun joueur trop acharné.

L'unique fois où il y eut un problème et où quelqu'un fut mécontent d'une partie, ce fut quand Mavis, qui était mariée à

Neil, le fils de Mme Travers, vint dîner. Mavis séjournait non loin, avec ses deux enfants, dans la maison de ses parents, plus bas sur le lac. Ce soir-là il n'y avait que la famille, et Grace, parce qu'on avait prévu que Mavis et Neil amèneraient leurs enfants, qui étaient petits. Mais Mavis vint seule — Neil était médecin et il s'avéra qu'il avait à faire à Ottawa ce week-end-là. Mme Travers était déçue mais fit contre mauvaise fortune bon cœur, lançant avec une perplexité enjouée, « Les enfants ne sont pas à Ottawa, tout de même ? »

« Malheureusement pas, dit Mavis. Mais ils ne sont pas particulièrement charmants. Je suis sûre qu'ils auraient hurlé pendant tout le dîner. Le bébé fait une éruption et Dieu sait ce que peut bien avoir Mikey. »

C'était une femme mince et bronzée, vêtue d'une robe violette avec un large bandeau violet assorti pour retenir ses cheveux noirs. Belle, mais avec de petites poches gonflées d'ennui ou de réprobation dissimulant les coins de sa bouche. Elle toucha à peine à son dîner et expliqua qu'elle était allergique au curry.

« Oh, Mavis. Quel dommage, dit Mme Travers. C'est nouveau ? »

« J'ai ça depuis une éternité mais j'étais polie. Et puis j'en ai eu assez de passer la moitié de la nuit à vomir. »

« Si seulement vous me l'aviez dit… Qu'est-ce qu'on peut vous servir ? »

« Ne vous en faites donc pas, ça va. Je n'ai aucun appétit de toute façon, avec cette chaleur et avec les joies de la maternité. »

Elle alluma une cigarette.

Par la suite, pendant la partie, elle eut une discussion avec Wat à propos d'une définition qu'il avait utilisée, et quand le dictionnaire prouva qu'elle était acceptable, dit, « Oh, pardon. Vous êtes tous trop forts pour moi, voilà. » Et quand vint le moment que chacun donne son mot sur un bout de papier pour le tour suivant, elle sourit et secoua la tête.

« Je n'en ai pas. »

« Oh, Mavis », dit Mme Travers. Et M. Travers, « Voyons, Mavis. N'importe quel mot courant fera l'affaire. »

« Mais je n'ai pas de mot, même n'importe lequel. Il faut m'excuser. Je me sens idiote, ce soir. Vous n'avez qu'à jouer, tous, je vous regarderai. »

Ils jouèrent donc, tout le monde faisant semblant de rien, tandis que Mavis fumait et continuait de sourire de son sourire malheureux, gentiment blessé, entêté. Au bout d'un petit moment elle se leva et dit qu'elle était affreusement fatiguée et ne pouvait laisser ses enfants plus longtemps sur les bras de leurs grands-parents, elle avait passé une soirée charmante et instructive et il fallait qu'elle rentre.

« Il faudra que je vous offre un dictionnaire Oxford, pour Noël », dit-elle à la cantonade en sortant avec un petit rire amer et cristallin.

Le dictionnaire des Travers, dont Wat s'était servi, était américain.

Quand elle fut partie, aucun d'entre eux n'osa regarder son voisin. Mme Travers dit, « Gretchen, aurais-tu la force de nous faire du café ? » Et Gretchen partit en direction de la cuisine en marmonnant, « Qu'est-ce qu'on s'amuse, nom de Dieu. »

« Bah, elle a une vie difficile, dit Mme Travers. Avec les deux petits. »

Un jour par semaine, Grace avait quelques heures de liberté, quand elle avait fini de débarrasser le petit déjeuner jusqu'à la mise en place du dîner, et quand Mme Travers l'apprit, elle se mit à venir en voiture à Bailey's Falls pour l'emmener au lac pendant cette pause. Maury était au travail — un travail d'été, avec l'équipe d'entretien de la route — et Wat était au bureau à Ottawa, tandis que Gretchen se baignait avec les enfants ou faisait de l'aviron avec eux sur le lac. D'ordinaire, Mme Travers elle-même déclarait qu'elle avait des courses à faire, ou des préparatifs pour le dîner, ou des lettres à écrire, et elle laissait Grace toute seule dans l'ombre fraîche du vaste salon-salle à manger avec son canapé de cuir affaissé et ses rayonnages encombrés de livres.

« Lisez ce qui vous plaira, disait Mme Travers. Ou étendez-vous pour faire un petit somme si c'est ce dont vous avez envie. C'est dur, votre boulot, vous devez être fatiguée. Je vous raccompagnerai à temps. »

Jamais Grace ne dormait. Elle lisait. Comme elle remuait à peine et qu'elle était en short, ses jambes nues se couvraient de sueur et collaient au cuir. Peut-être était-ce à cause de l'intense plaisir de la lecture. Assez souvent, elle ne revoyait pas Mme Travers avant qu'il soit l'heure de se faire reconduire au travail.

Mme Travers se gardait d'entamer une quelconque conversation avant d'avoir laissé passer suffisamment de temps pour que les pensées de Grace se dégagent du livre qui les avait absorbées. Alors seulement il lui arrivait de dire qu'elle-même l'avait lu, et ce qu'elle en avait pensé — mais toujours d'une manière à la fois réfléchie et enjouée. Par exemple, à propos d'*Anna Karénine,* « Je l'ai lu je ne sais combien de fois, mais je sais que la première, je me suis identifiée à Kittie, et après c'était à Anna — oh, c'était affreux, avec Anna, et maintenant, figure-toi, la dernière fois, j'ai découvert que je sympathisais tout le temps avec Dolly. Dolly quand elle va à la campagne, tu sais, avec tous ces enfants, et il faut qu'elle trouve comment faire la lessive, il y a cette histoire de baquets — je me dis que c'est comme ça que nos sympathies changent à mesure qu'on vieillit. La passion est reléguée derrière les baquets. Ne fais pas attention à moi, de toute manière. D'ailleurs, tu ne fais pas attention à moi, n'est-ce pas ? »

« Je ne sais pas trop si je fais attention à qui que ce soit. » Grace se surprit elle-même et se demanda si elle ne risquait pas de paraître prétentieuse ou puérile. « Mais j'aime vous écouter parler. »

Mme Travers éclata de rire. « J'aime m'écouter parler, moi aussi. »

Il se trouva que, vers ce même moment, Maury s'était mis à évoquer leur mariage. Il n'aurait pas lieu avant un bon bout de temps — avant qu'il ait obtenu son diplôme et trouvé un emploi d'ingénieur — mais il l'évoquait comme une chose qu'elle aussi bien que lui devaient tenir pour inéluctable. *Quand nous serons mariés,* disait-il, et au lieu de le questionner ou de le contredire, Grace l'écoutait avec curiosité.

Quand ils seraient mariés, ils auraient une maison sur le lac Little Sabot. Pas trop près de ses parents, pas trop loin. Ce serait uniquement une résidence d'été, bien sûr. Le reste du temps, ils vivraient là où son travail d'ingénieur les appellerait. Cela pouvait être n'importe où — Pérou, Irak, Territoires du Nord-Ouest. Grace était enchantée à l'idée de tels voyages — plutôt plus qu'elle ne l'était à l'idée de ce qu'il évoquait, avec une fierté austère, comme *notre propre foyer.* Rien de tout cela ne lui semblait réel le moins du monde mais il faut bien dire que la perspective d'aider son oncle, de mener l'existence d'une rempailleuse de chaises, dans la ville et dans la maison même où elle avait grandi, ne lui avait jamais semblé réelle non plus.

Maury ne cessait de lui demander ce qu'elle avait dit de lui à son oncle et sa tante, et quand elle allait l'emmener chez elle pour le leur présenter. Même l'usage tout naturel qu'il faisait de ces mots — *chez elle* — lui semblait un peu à côté de la plaque, alors qu'elle s'en était sûrement servie elle-même. Elle trouvait plus approprié de dire *chez mon oncle et ma tante.*

En fait elle n'avait rien dit dans ses brèves lettres hebdomadaires, mentionnant seulement qu'elle sortait « avec un garçon qui travaille par ici pour l'été ». Peut-être même avait-elle donné l'impression qu'il travaillait à l'hôtel.

Ce n'était pas comme si elle n'avait jamais pensé à se marier. Cette possibilité — une demi-certitude — avait été dans ses pensées en même temps qu'une vie de rempailleuse de chaises. En dépit du fait que personne ne lui avait jamais fait la cour, elle avait pensé que cela arriverait, un jour ou l'autre, et exactement de cette manière, avec un homme qui prendrait sa décision sur-le-champ. Il la verrait — peut-être aurait-il apporté une chaise à réparer — et, la voyant, il tomberait amoureux. Il serait beau, comme Maury. Passionné, comme Maury. Relations intimes et plaisir physique s'ensuivraient.

C'était la chose qui n'était pas arrivée. Dans la voiture de Maury, ou dans l'herbe sous les étoiles, elle était prête à se donner. Et Maury avait envie d'elle mais ne voulait pas la prendre. Il s'estimait responsable de sa protection. Et la facilité avec laquelle elle s'offrait le mettait en porte-à-faux. Il sentait peut-être ce qu'il y entrait de froideur. Il ne pouvait comprendre qu'elle s'offrît ainsi de propos délibéré, ce qui ne correspondait en rien à l'idée qu'il se faisait d'elle. Elle-même ne comprenait pas combien elle était froide — elle croyait que ses manifestations de désir devaient conduire aux plaisirs qu'elle connaissait, dans la solitude et l'imagination, et elle avait l'impression que c'était à Maury de prendre l'initiative. Ce qu'il se refusait à faire.

Ces assauts les laissaient tous deux troublés et vaguement courroucés ou honteux. De sorte qu'ils ne pouvaient cesser de s'embrasser, de s'accrocher l'un à l'autre, de se dire des mots doux, pour se rattraper l'un vis-à-vis de l'autre quand ils se disaient au revoir. C'était un soulagement pour Grace d'être seule, de se coucher au dortoir du personnel de l'hôtel et d'effacer de son esprit les heures qu'elle venait de passer. Et elle pensait que ça devait être un soulagement pour Maury de reprendre seul la route et de retoucher les impressions qu'il gardait de Grace de façon à pouvoir en rester amoureux de tout son cœur.

La plupart des serveuses partirent après la fête du Travail pour retourner à l'école ou à l'université. Mais l'hôtel restait ouvert jusqu'à l'Action de grâce, avec un personnel réduit — dont Grace faisait partie. On parlait, cette année-là, de rouvrir début décembre pour une saison d'hiver, ou à tout le moins une saison de Noël, mais personne ni aux cuisines ni à la salle à manger ne semblait savoir si cela se produirait réellement.

Grace écrivit à son oncle et sa tante comme si la saison de Noël était une certitude. En fait elle ne parla pas du tout de fermeture, du moins avant le nouvel an, de façon à ce qu'ils ne l'attendent pas.

Pourquoi l'avait-elle fait ? Elle n'avait pourtant pas d'autres projets. Elle avait dit à Maury qu'elle pensait devoir passer cette année-là à aider son oncle, tout en essayant peut-être de trouver quelqu'un d'autre à qui enseigner le cannage, pendant que lui, Maury, ferait sa dernière année d'université. Elle avait même promis de l'inviter à Noël pour le présenter à sa famille. Et il avait répondu que Noël serait une bonne occasion d'officialiser leurs fiançailles. Il mettait de côté une partie de son salaire d'été pour lui offrir un brillant.

Elle aussi mettait de côté l'argent qui lui permettrait d'aller en autocar le voir à Kingston pendant le semestre universitaire.

Elle en parlait, le promettait, avec tant d'aisance et de naturel. Mais croyait-elle que cela aurait lieu, le souhaitait-elle, même ?

« Maury est quelqu'un de très bien, dit Mme Travers. Mais tu n'as pas besoin de moi pour t'en apercevoir. Ce sera un homme attachant et pas compliqué, comme son père. Pas comme son frère. Son frère Neil est très intelligent. Je ne dis pas que Maury ne l'est pas, on ne devient certainement pas ingénieur si on n'a rien dans la tête, mais Neil est… il est profond. » Elle rit d'elle-même. « *Profond comme les gouffres insondables de l'océan qui portent*[1] — qu'est-ce que je raconte ? Pendant longtemps, Neil et moi avons vécu seuls, il n'avait que moi, je n'avais que lui. Alors je trouve qu'il n'est pas comme les autres. Mais il peut être drôle. Seulement, parfois, les gens les plus drôles peu-

---

1. Mme Travers cite (en le modifiant) un vers extrait d'une élégie — de Thomas Gray (1716-1771) — qui compte parmi les poèmes les plus cités de la langue anglaise.

vent être mélancoliques, n'est-ce pas ? On se pose des questions sur eux. Mais à quoi cela sert-il de s'inquiéter pour ses enfants quand ils sont adultes ? Avec Neil, je m'inquiète un peu, avec Maury rien qu'un tout petit peu. Quant à Gretchen, je ne m'inquiète pas du tout pour elle. Parce que les femmes ont toujours quelque chose, tu ne trouves pas, à quoi se raccrocher pour continuer. Quelque chose que les hommes n'ont pas. »

La maison du lac n'était jamais fermée avant l'Action de grâce. Gretchen et les enfants devaient évidemment rentrer à Ottawa, à cause de l'école. Et Maury, son emploi d'été terminé, devait aller à Kingston. M. Travers revenait uniquement le week-end. Mais d'ordinaire, Mme Travers l'avait dit à Grace, elle restait, parfois avec des invités, parfois seule.

Puis il y eut un changement de programme. Elle retourna à Ottawa avec M. Travers en septembre. Cela se produisit à l'improviste — le dîner du week-end fut annulé.

Maury dit qu'elle avait des ennuis, de temps en temps, des ennuis nerveux. « Il faut qu'elle se repose, dit-il. Il faut qu'elle aille à l'hôpital pendant deux ou trois semaines où on la remet d'aplomb. Ça s'arrange toujours très bien. »

Grace dit que la mère de Maury était la dernière personne qu'elle aurait cru sujette à ce genre d'ennuis.

« Qu'est-ce qui les cause ? »

« Je ne crois pas qu'on le sache », dit Maury.

Mais au bout de quelques instants, il ajouta, « Enfin, ça pourrait être son mari. C'est-à-dire, son premier mari. Le père de Neil. Ce qui lui est arrivé, et tout ça. »

Ce qui était arrivé au père de Neil, c'était qu'il s'était suicidé.

« Il était un peu déséquilibré, j'imagine. Mais ce n'est peut-être pas ça, poursuivit-il. Ça pourrait être autre chose. Des problèmes que les femmes ont à son âge. Ce n'est pas grave — on peut la remettre d'aplomb facilement de nos jours, avec des drogues. Ils ont des drogues formidables. Inutile de s'inquiéter. »

Quand arriva l'Action de grâce, comme Maury l'avait prédit, Mme Travers était sortie de l'hôpital et se sentait bien. Le dîner avait lieu au lac, comme d'habitude. Et il avait lieu le dimanche — cela aussi était habituel, pour permettre de faire les bagages et de fermer la maison le lundi. Et c'était une chance pour Grace, parce que le dimanche était resté son jour de congé.

Toute la famille serait là. Pas d'invités — à moins de compter Grace. Neil et Mavis et leurs enfants logeraient chez les parents de Mavis, où ils dîneraient le lundi, mais ils passeraient le dimanche chez les Travers. Le temps que Maury aille prendre Grace et l'amène au lac le dimanche matin, la dinde était déjà dans le four. À cause des enfants, on dînerait tôt, autour de cinq heures. Les tartes étaient disposées sur la paillasse — citrouille, pommes, bleuets sauvages. Gretchen était responsable de la confection du repas — où elle apportait la même coordination de mouvements que dans ses activités sportives. Assise à la table de la cuisine, Mme Travers buvait du café en travaillant à un puzzle avec la fille cadette de Gretchen, Dana.

« Ah, Grace », dit-elle en se levant d'un bond pour la prendre dans ses bras — ce qu'elle n'avait encore jamais fait — avec un geste maladroit de la main qui éparpilla les pièces du puzzle.

Dana geignit, « Grand-mère ! » et sa sœur aînée, Janey, qui les avait observées d'un œil critique, rassembla les pièces.

« On n'a qu'à les remettre en place, dit-elle. Grand-mère l'a pas fait exprès. »

« Où ranges-tu la sauce aux canneberges ? », demanda Gretchen.

« Dans le placard », dit Mme Travers, serrant toujours Grace dans ses bras, ignorant le puzzle détruit.

« Mais où, dans le placard ? »

« Ah… la sauce aux canneberges, dit Mme Travers. Bon… je la fais moi-même. D'abord je mets les canneberges dans un peu d'eau. Puis je les garde à feu doux… non, je crois que je les fais tremper d'abord… »

« De toute façon j'ai pas le temps pour tout ça, dit Gretchen. Ça veut dire que tu n'en as pas en conserve ? »

« Je crois que non. Je ne dois pas en avoir puisque je la fais moi-même. »

« Il va falloir que j'envoie quelqu'un en chercher. »

« Tu pourrais peut-être demander à Mme Woods. »

« Non. Je lui ai jamais adressé la parole. Je n'aurais pas assez de culot. Il faut que quelqu'un aille en acheter. »

« Ma chérie… c'est l'Action de grâce, dit gentiment Mme Travers. Tout sera fermé. »

« Le magasin, là, plus loin, sur la route, il est toujours ouvert. » Gretchen éleva la voix. « Où est Wat ? »

« Il a pris la barque », lança Mavis depuis la chambre du fond. Elle mit dans son ton comme un avertissement parce qu'elle essayait de faire dormir son bébé. « Il a emmené Mikey faire un tour de bateau. »

Mavis était arrivée dans sa propre voiture avec Mikey et le bébé. Neil viendrait plus tard — il avait quelques coups de téléphone à donner.

Et M. Travers était allé jouer au golf.

« C'est parce que j'ai besoin de quelqu'un pour une petite course », dit Gretchen. Elle attendit mais nulle proposition ne vint de la chambre. Elle leva les sourcils en regardant Grace.

« Tu ne sais pas conduire, hein ? »

Grace dit non.

Mme Travers chercha sa chaise des yeux et s'assit avec un soupir de contentement.

« Bon, dit Gretchen. Maury, lui, il sait conduire. Où est-il ? »

Maury était dans la chambre de devant où il cherchait son maillot de bain alors que tout le monde lui avait dit que l'eau serait trop froide pour se baigner. Il assura que le magasin serait fermé.

« Il sera ouvert, dit Gretchen. Ils vendent de l'essence. Et si jamais c'est fermé, il y en a un juste à l'entrée de Perth, tu vois, celui qui vend des glaces… »

Maury voulait que Grace aille avec lui, mais les deux petites filles, Janey et Dana, la tiraient par la main pour qu'elle aille plutôt avec elles voir la balançoire que leur grand-père avait installée sous l'érable plane à côté de la maison.

En descendant les marches, elle sentit la lanière d'une de ses sandales se casser. Elle ôta les deux et marcha sans difficulté sur le sol sablonneux, le plantain ras et les feuilles mortes gondolées qui étaient déjà tombées en grand nombre.

D'abord elle poussa les enfants sur la balançoire, et puis elles la poussèrent. Ce fut quand elle sauta à terre, pieds nus, qu'une de ses jambes se déroba et qu'elle poussa un glapissement de douleur, ne sachant pas ce qui s'était passé.

C'était son pied, pas sa jambe. La douleur avait irradié depuis la plante de son pied gauche qu'avait entaillée le bord tranchant d'un coquillage.

« C'est Dana qui les a apportés, dit Janey. Pour faire une maison à son escargot. »

« Il est parti », dit Dana.

Gretchen et Mme Travers et même Mavis étaient sorties en hâte de la maison, pensant que le cri avait été poussé par une des petites.

« Elle a plein de sang sur le pied, dit Dana. Elle a mis du sang partout par terre. »

Janey dit, « Elle s'est coupée sur un coquillage. C'est Dana qu'a mis les coquillages là, pour construire une maison pour Ivan. Ivan son escargot. »

Puis on apporta une bassine, de l'eau pour laver l'entaille, une serviette, et tout le monde demandait si ça faisait mal.

« Pas trop », dit Grace, claudiquant jusqu'aux marches tandis que les deux petites qui se disputaient pour la soutenir lui barraient surtout le chemin.

« Oh, c'est vilain, dit Gretchen. Mais pourquoi tu n'avais pas tes sandales ? »

« Elle a cassé une lanière », dirent Dana et Janey d'une seule voix tandis qu'une décapotable bordeaux qui faisait très peu de bruit décrivait un arc de cercle parfait pour se ranger devant la maison.

« Ça, c'est ce que j'appelle tomber à pic, dit Mme Travers. Voici l'homme qu'il nous faut. Le médecin. »

C'était Neil, la toute première fois que Grace le voyait. Il était grand, maigre, les mouvements vifs.

« Ta trousse ! cria gaiement Mme Travers. Nous avons déjà une patiente pour toi. »

« Pas mal, ton tas de boue, dit Gretchen. Elle est neuve ? »

Neil dit, « Un coup de folie. »

« Maintenant, le bébé est réveillé. » Mavis poussa un soupir qui n'accusait personne en particulier et retourna dans la maison.

Janey dit d'un ton pincé, « On ne peut pas faire un geste sans que ce bébé se réveille. »

« Toi, tu ferais mieux de te taire », dit Gretchen.

« Ne me dis pas que tu ne l'as pas avec toi », dit Mme Travers. Mais Neil tira prestement une trousse médicale de la banquette arrière et elle dit, « Ah, si, tu l'as, c'est bien, on ne sait jamais. »

« C'est toi, la patiente ? dit-il à Dana. Qu'est-ce que t'as ? Avalé un crapaud ? »

« C'est elle, dit Dana avec une grande dignité. C'est Grace. »

« Ah bon. C'est elle qui a avalé le crapaud. »

« Elle s'est coupé le pied. Et ça saigne, ça saigne. »

« Sur un coquillage », dit Janey.

Alors Neil dit « Poussez-vous » à ses nièces, s'assit sur la marche en dessous de Grace, lui souleva précautionneusement le pied et dit, « Passez-moi le … l'espèce de chiffon, là », puis épongea soigneusement le sang pour examiner l'entaille. Maintenant qu'il était près d'elle, Grace remarqua une odeur qu'elle avait appris à reconnaître pendant cet été de travail à l'auberge — l'odeur d'alcool dissimulée par la menthe.

« Bien vu, dit-il. Ça saigne, ça saigne. C'est une bonne chose, ça nettoie la plaie. Ça fait mal ? »

Grace dit, « Un peu. »

Il la dévisagea, mais brièvement. Se demandant peut-être si elle avait remarqué l'odeur et ce qu'elle en pensait.

« Je vous crois. Vous voyez ce lambeau ? Il faut qu'on aille là-dessous pour s'assurer que c'est propre, et puis il faudra recoudre, je ferai un point ou deux. J'ai un produit que je peux frotter sur la peau pour que ça ne fasse pas aussi mal que vous pourriez le croire. » Il leva les yeux sur Gretchen. « Dis. On va faire évacuer la salle, hein. »

Il n'avait pas encore dit un seul mot à sa mère, qui répétait maintenant que c'était vraiment une chance qu'il soit arrivé à pic.

« Scout toujours… prêt ! » dit-il.

Ses mains ne donnaient pas l'impression qu'il était ivre, et ses yeux n'en avaient pas l'air. Il ne ressemblait pas non plus au joyeux tonton qu'il avait fait mine d'être en parlant aux petites, ni au pourvoyeur de bonnes paroles rassurantes qu'il avait choisi d'être avec Grace. Il avait un haut front pâle couronné de cheveux gris-noir aux boucles serrées, des yeux gris brillants, une large bouche aux lèvres minces que semblait crisper on ne savait quelle vigoureuse impatience, ou quel appétit, ou quelle douleur.

Quand l'entaille eut été pansée, sur les marches — Gretchen étant retournée à la cuisine en obligeant les enfants à l'accompagner, mais Mme Travers étant restée, observant intensément, les lèvres serrées l'une contre l'autre comme pour promettre qu'elle n'interromprait plus —, Neil dit qu'il pensait que ce serait une bonne idée d'emmener Grace en ville, à l'hôpital.

« Pour un sérum antitétanique. »

« Ça ne me fait pas trop mal », dit Grace.

Et Neil, « Ce n'est pas la question. »

« Je suis d'accord, dit Mme Travers. Le tétanos, c'est terrible. »

« On ne devrait pas en avoir pour longtemps, dit-il. Venez.

Grace? Grace, je vous emmène à la voiture. » Il la soutint, une main passée sous son bras. Elle avait refermé la lanière de sa sandale et, ayant réussi à glisser ses orteils dans l'autre, pouvait la traîner. Le pansement était très bien fait, très serré.

« Je rentre une seconde, dit-il quand elle fut assise dans la voiture. Pour faire mes excuses. »

À Gretchen? À Mavis.

Mme Travers descendit de la véranda avec cette expression d'enthousiasme un peu embrumé qui semblait naturelle, et même irrépressible, chez elle ce jour-là. Elle posa la main sur la portière.

« C'est bien, dit-elle. C'est très bien. Grace, tu es un don du ciel. Tu vas essayer de l'empêcher de boire aujourd'hui, je compte sur toi? Tu sauras comment faire. »

Grace entendit ces mots mais y accorda à peine une pensée. Elle était trop consternée par les changements qui s'étaient produits chez Mme Travers, on aurait dit que sa corpulence avait augmenté, qu'une raideur affectait tous ses mouvements, qu'une bonne volonté sans objet et un peu hystérique l'animait, un contentement larmoyant qui lui mouillait les yeux. Et on voyait l'ombre d'une croûte aux coins de sa bouche, comme du sucre.

L'hôpital était à Carleton Place, à cinq kilomètres. La route enjambait les voies de chemin de fer par une passerelle qu'ils prirent à une telle vitesse que Grace eut l'impression qu'à son sommet la voiture avait quitté la chaussée et qu'ils volaient. Il n'y avait guère de circulation, elle n'avait pas peur, et d'ailleurs elle n'y pouvait rien.

Neil connaissait l'infirmière qui était de service aux urgences, et après qu'il eut rempli un formulaire et qu'elle eut jeté un rapide coup d'œil au pied de Grace (« Du beau travail », dit-elle sans véritable intérêt), il put pratiquer lui-même l'injection antitétanique. (« Ça ne fera pas mal maintenant, mais plus tard c'est possible. ») À peine avait-il fini que l'infirmière revint dans le box et annonça, « Il y a un type dans la salle d'attente qui est là pour la ramener chez elle. »

Elle s'adressa à Grace, « C'est votre fiancé, à ce qu'il dit. »

« Dites-lui qu'elle n'est pas encore prête, dit Neil. Ou plutôt non… que nous sommes déjà partis. »

« J'ai dit que vous étiez ici. »

« Mais quand vous êtes revenue, dit Neil, nous étions partis. »

« Il dit que vous êtes son frère. Il ne va pas reconnaître votre voiture sur le parking ? »

« Je l'ai garée derrière. Sur le parking réservé aux médecins. »

« On a tout prévu », fit l'infirmière par-dessus son épaule.

Et Neil dit à Grace, « Tu n'avais pas envie de rentrer tout de suite, hein ? »

« Non », dit Grace, comme si elle voyait le mot écrit devant elle sur le mur. Comme si elle venait faire tester sa vision.

Une fois encore elle fut soutenue jusqu'à la voiture, traînant sa sandale qui faisait *flop flop,* retenue par la lanière de l'orteil, et s'installa sur le siège de cuir crème. Ils sortirent par une petite rue à l'arrière du parking, et de la ville par un chemin qu'elle ne connaissait pas. Elle savait qu'ils ne verraient pas Maury. Elle n'avait pas besoin de penser à lui. Encore moins à Mavis.

Décrivant ce passage, ce changement dans sa vie, plus tard, Grace aurait pu dire — et dit effectivement — que c'était comme si une grille s'était refermée à grand bruit derrière elle. Mais sur le moment il n'y avait pas eu de bruit — l'acquiescement l'avait simplement parcourue comme une onde. Les droits de ceux qui restaient en arrière avaient été prestement anéantis.

Le souvenir de cette journée restait clair et détaillé dans sa mémoire, encore qu'il y eût des variations dans les moments sur lesquels elle s'attardait.

Et même dans certains de ces détails elle devait se tromper.

Ils prirent d'abord la route en direction de l'ouest. Dans le souvenir de Grace, il n'y a pas une seule autre voiture et leur vitesse approche celle de l'envol sur la passerelle. Ça ne peut pas être vrai, il y avait forcément des gens sur la route, retournant chez eux en ce matin dominical, ou allant passer l'Action de grâce avec leur famille. En route pour l'église, ou revenant de l'église. Neil avait forcément ralenti quand il traversait un village ou les abords d'une ville, et à cause des nombreux virages que comportait la route autrefois. Elle n'avait pas l'habitude de rouler dans un coupé décapoté, du vent dans les yeux, du vent se chargeant de sa coiffure. Cela lui donnait l'illusion d'une vitesse constante, d'un vol parfait — sans frénésie mais miraculeux, serein. Et si Maury et Mavis et le reste de la famille avaient été effacés de son esprit, quelques bribes de Mme Travers y subsistaient, penchée sur elle, énonçant dans un souffle et avec un petit rire bizarre, honteux, son dernier message.

Tu sauras comment faire.

Grace et Neil ne parlaient pas, évidemment. Comme elle se le rappelle, il aurait fallu hurler pour être entendu. Et ce qu'elle se rappelle, à vrai dire, se distingue à peine de l'idée qu'elle se faisait à l'époque, de ce que devraient être les relations sexuelles, de la manière dont elle les imaginait. La rencontre fortuite, les signaux muets mais puissants, le vol presque silencieux dans lequel elle figurerait plus ou moins comme une captive. Une reddition aérienne, la chair n'étant plus désormais qu'un flot de désir.

Ils s'arrêtèrent, enfin, à Kaladar, et entrèrent à l'hôtel — le vieil hôtel qui y est toujours. La prenant par la main, nouant ses doigts entre les siens, ralentissant le pas pour le régler sur sa claudication. Neil la conduisit au bar. Elle reconnut que c'en était un, alors qu'elle n'avait jamais mis les pieds dans un bar jusque-là. (L'auberge de Bailey's Falls n'avait pas encore sa licence — les gens buvaient dans leur chambre, ou dans un soi-disant night-club plutôt déglingué de l'autre côté de la route.) C'était exactement ce à quoi elle s'était attendue — une vaste salle sans air plongée dans l'obscurité, tables et chaises redisposées n'importe comment après un ménage hâtif, l'odeur de désinfectant n'éliminant pas celle de la bière, du whisky, des cigares, des pipes, des hommes.

Il n'y avait personne — cela n'ouvrait peut-être pas avant l'après-midi. Mais n'était-ce pas déjà l'après-midi? Son idée du temps semblait incertaine.

Alors un homme entra venant d'une autre pièce, qui s'adressa à Neil. « Bonjour bonjour, docteur », dit-il en passant derrière le comptoir. Grace croyait que ce serait ainsi — partout où ils iraient il y aurait quelqu'un que Neil connaissait déjà.

« Vous savez que c'est dimanche, fit l'homme sévèrement, haussant la voix, hurlant presque, comme s'il voulait être entendu jusqu'au stationnement. Je ne peux rien vous vendre ici un dimanche. Et elle, je ne peux jamais rien lui vendre du tout. Elle ne devrait même pas être ici. Vous le comprenez, ça? »

« Oh que oui. Oui, bien sûr, monsieur, dit Neil. Je suis d'accord de tout cœur, monsieur. »

Pendant qu'ils parlaient, celui qui était derrière le comptoir avait pris une bouteille de whisky sur une étagère invisible, en avait versé dans un verre qu'il avait poussé vers Neil en travers du comptoir.

« T'as soif? » dit-il à Grace. Il ouvrait déjà un Coca. Il le lui donna, sans verre.

Neil posa un billet sur le comptoir et l'homme le repoussa.

« Je vous l'ai dit, je ne peux rien vendre. »

« Mais, et le Coca? »

« Rien vendre. »

L'homme rangea la bouteille, Neil but très vite ce qu'il y avait dans le verre. « Vous êtes un brave homme, dit-il. L'esprit de la loi. »

« Emportez le Coca avec vous. Plus vite elle sera sortie, mieux je me porterai. »

« Tu m'étonnes, dit Neil. C'est une gentille fille. Ma belle-sœur. Ma future belle-sœur. À ce que j'ai cru comprendre. »

« C'est vrai, ça ? »

Ils ne reprirent pas la route. Ils empruntèrent en direction du nord un chemin qui n'était pas asphalté mais assez large et correctement nivelé. La boisson semblait avoir eu, sur la conduite de Neil, l'effet opposé à celui que les boissons sont censées produire. Il avait ralenti pour rouler à la vitesse respectable et même prudente que cette route exigeait.

« Ça ne te dérange pas ? » demanda-t-il.

Grace dit, « Quoi donc ? »

« De te faire traîner n'importe où. »

« Non. »

« J'ai besoin de ta compagnie. Comment va ton pied ? »

« Très bien. »

« Il doit te faire un peu mal. »

« Pas vraiment. Ça va. »

Il prit la main qui ne tenait pas la bouteille de Coca, en pressa la paume contre sa bouche, la lécha, une fois, et la laissa retomber.

« As-tu cru qu'en t'enlevant j'avais de noirs desseins ? »

« Non », mentit Grace, songeant à quel point ces mots ressemblaient à sa mère. *Noirs desseins.*

« Il fut un temps où tu aurais eu raison, dit-il, exactement comme si elle avait répondu oui. Mais pas aujourd'hui. Je ne crois pas. Tu es aussi en sûreté que dans une église, aujourd'hui. »

Le changement du son de sa voix, qui était devenue intime, franche, et basse, et le souvenir de ses lèvres pressées contre sa peau, puis du coup de langue qu'il y avait donné, produisaient un tel effet sur Grace qu'elle entendait les mots mais pas le sens de ce qu'il lui disait. Elle sentait une centaine, des centaines, de coups de langue, une danse de supplication, sur toute sa peau. Mais elle pensa à dire, « On n'est pas toujours en sûreté dans les églises. »

« C'est vrai. C'est vrai. »

« Et je ne suis pas votre belle-sœur. »

« Future. N'ai-je pas dit future ? »

« Je ne suis pas ça non plus. »

« Ah. Bah. Au fond je ne suis pas surpris. Non. Pas surpris. »

Puis sa voix changea de nouveau, devint neutre, pratique.

« Je cherche un embranchement par là. Sur la droite. Il y a un chemin que je devrais reconnaître. Tu connais le coin ? »

« Pas par ici, non. »

« Tu connais pas Flower Station ? Oompah, Poland ? Snow Road ? »

Elle n'en avait pas entendu parler.

« J'ai quelqu'un à voir. »

Un tournant fut pris, sur la droite. Non sans quelques doutes marmonnés par Neil. Il n'y avait pas de panneau indicateur. Ce chemin était plus étroit et plus accidenté, avec un pont dont la chaussée de planches était à une seule voie. Les arbres de la forêt de feuillus entremêlaient leurs branches à quelques mètres au-dessus. Les feuilles tardaient à changer de couleur cette année à cause du temps étrangement chaud, de sorte que ces branches étaient encore vertes, à l'exception d'une qui surgissait par-ci par-là ainsi qu'une éclatante bannière. On se sentait comme dans un sanctuaire. Pendant des kilomètres Neil et Grace se turent, et il n'y avait toujours pas d'ouverture entre les arbres, la forêt n'en finissait pas. Puis ce fut Neil qui rompit cette paix.

En disant, « Tu sais conduire ? » Et quand Grace répondit que non, « Je crois que tu devrais apprendre. »

Il voulait dire sur-le-champ. Il arrêta la voiture, descendit, la contourna pour aller prendre sa place, et elle dut se mettre au volant.

« C'est l'endroit idéal. »

« Et si quelque chose vient ? »

« Il ne viendra rien. Et s'il vient quelque chose, on peut se débrouiller. C'est pour ça que j'ai choisi une portion bien droite. Et ne t'inquiète pas, tu fais tout le travail avec le pied droit. »

Ils étaient au début d'un long tunnel sous les arbres, le sol était éclaboussé de soleil. Il ne prit pas la peine d'expliquer quoi que ce soit sur le fonctionnement des automobiles — il lui montra simplement où placer le pied, et lui fit manipuler plusieurs fois, pour s'entraîner, le levier de changement de vitesse semi-automatique, après quoi il dit, « Maintenant vas-y et fais ce que je te dis. »

Le premier bond de l'auto la terrifia. Elle fit craquer les vitesses et pensa qu'il allait mettre fin à la leçon immédiatement, mais il rit. Il dit, « Hou là, doucement. Doucement. Continue », et elle continua. Il n'émit aucun commentaire sur sa façon de tenir le volant, ni sur le fait que la tenue du volant lui fit oublier l'accélérateur, il dit seulement, « Continue, continue, reste sur la route, ne laisse pas le moteur caler. »

« Quand est-ce que je m'arrête ? » demanda-t-elle.

« Pas avant que je te le dise. »

Il la fit continuer jusqu'à ce qu'ils sortent du tunnel, et alors il lui indiqua comment se servir du frein. Sitôt arrêtée elle ouvrit la portière, s'apprêtant à changer de côté, mais il dit, « Non. C'est juste pour te laisser souffler. Tu ne vas pas tarder à y prendre goût. » Et quand ils repartirent elle commença à entrevoir qu'il avait peut-être raison. Cette brusque montée de confiance faillit les jeter au fossé. N'empêche, il rit quand il dut saisir le volant, et la leçon continua.

Il ne la laissa pas arrêter avant d'avoir parcouru ce qui lui sembla des kilomètres et même pris — lentement — plusieurs virages. Puis il dit qu'il valait mieux changer de place parce qu'il n'avait le sens de l'orientation qu'au volant.

Il demanda comment elle allait maintenant, et alors qu'elle tremblait de tous ses membres, elle dit, « Ça va. »

Il lui frotta le bras de l'épaule au coude et dit, « Quelle menteuse. » Mais il ne la toucha pas plus que cela, ne permit à nulle partie d'elle de sentir de nouveau sa bouche.

Le sens de l'orientation lui était sans doute revenu quand, quelques kilomètres plus loin, ils arrivèrent à un carrefour, car il tourna à gauche, les arbres commencèrent à se clairsemer et la voiture entama une longue montée par un mauvais chemin, et au bout de quelques kilomètres ils atteignirent un village ou du moins un groupe de bâtisses au bord de la route. Une église et un bazar, ni l'une ni l'autre ouverts pour servir à leur destination d'origine, mais probablement habités, à en juger par les véhicules alentour et les piteux rideaux aux fenêtres. Deux ou trois maisons dans le même état et derrière l'une d'elles une grange qui s'était affaissée, et qui laissait passer entre ses poutres fendues de grosses excroissances de vieux foin sombre comme des entrailles boursouflées.

Neil poussa une exclamation de triomphe à la vue de cet endroit mais ne s'y arrêta pas.

« Quel soulagement, dit-il. Quel sou-la-gement. Maintenant je sais. Merci. »

« À moi ? »

« Pour m'avoir permis de t'apprendre à conduire. Ça m'a calmé. »

« Calmé ? demanda Grace. Vraiment ? »

« Aussi vrai que je suis vivant. » Neil souriait mais ne la regardait pas. Il était trop occupé à regarder de part et d'autre au-delà des champs qui bordaient la route après qu'elle avait traversé le village. Il avait l'air de parler tout seul.

« C'est ça. Ça ne peut être que ça. Maintenant nous savons. »

Et ainsi de suite, jusqu'à ce qu'il se fût engagé sur une piste qui n'allait pas droit mais serpentait à travers champs, contournant rochers et buissons de genévrier. Au bout de la piste, il y avait une maison en aussi mauvais état que celles du village.

« Alors, ici, dit-il, ici je ne vais pas te faire entrer. J'en ai pour cinq minutes à peine. »

Il en eut pour plus longtemps.

Elle resta dans la voiture, à l'ombre de la maison. La porte de la maison était ouverte, seule la porte de fin treillis métallique qui la doublait était fermée. Le treillis avait été rafistolé par endroits, du fil de fer neuf était tressé à l'ancien. Personne ne vint la regarder, pas même un chien. Et maintenant que l'auto était arrêtée, le jour s'emplit d'un silence contre nature. Contre nature parce qu'on se serait attendu, par un après-midi si chaud, à ce que l'air soit empli du bourdonnement, du grésillement et de la stridulation des insectes dans l'herbe, dans les buissons de genévrier. Même si on ne les voit nulle part, leur bruissement semble monter de tout ce qui pousse sur la terre, jusqu'à l'horizon. Mais l'année était trop avancée, trop avancée même, peut-être, pour qu'on entende cacarder les oies en vol vers le sud. En tout cas, elle n'entendait rien.

On se serait cru sur le toit du monde, ou sur un des toits du monde. Les champs redescendaient de tous côtés, les arbres alentour n'étaient qu'en partie visibles parce qu'ils poussaient sur des terrains en contrebas.

Qui connaissait-il ici, qui habitait cette maison? Une femme? Il ne semblait pas possible que le genre de femme qu'il pourrait désirer vive dans un endroit pareil, mais il n'y avait pas de limites aux bizarreries que Grace pouvait rencontrer ce jour-là. Pas de limites.

Autrefois ç'avait été une maison de brique, mais on avait commencé à retirer la brique des murs. Des murs de planches brutes avaient été dénudés, en dessous, et les briques qui les recouvraient grossièrement entassées dans la cour, peut-être en attendant d'être vendues. Les briques qui restaient sur le mur de ce côté de la maison formaient une diagonale en marches d'escalier et Grace, qui n'avait rien à faire, se radossa à son siège, le recula, pour les compter. Elle le fit à la fois bêtement et sérieusement comme on pourrait arracher les pétales d'une fleur, mais pas avec des mots aussi flagrants que *Il m'aime, il ne m'aime pas.*

De la chance. Pas de chance. De la chance. Pas de chance. Voilà tout ce qu'elle osa.

Elle découvrit qu'il était difficile de ne pas perdre le fil avec des briques ainsi disposées en zigzag, d'autant plus que la ligne s'aplatissait au-dessus de la porte.

Mais oui. Qu'est-ce que ça pouvait être d'autre ? Le repaire d'un bootlegger. Une distillerie clandestine. Elle songea au bootlegger de chez elle — un vieil homme hébété, maigre, morose et soupçonneux. Il s'asseyait sur son seuil avec un fusil de chasse le soir de Halloween. Et peignait des numéros sur les bûches empilées à côté de sa porte pour savoir si on lui en volait. Elle songea à celui d'ici — somnolant dans la chaleur de sa chambre crasseuse mais bien rangée (elle savait qu'elle serait ainsi grâce au rafistolage du treillis métallique). Se levant de sa couchette ou de son divan grinçant, recouvert d'un édredon taché qu'une quelconque parente à lui, une parente morte à présent, avait confectionné voilà longtemps.

Ce n'était pas qu'elle eût jamais mis les pieds dans la maison d'un bootlegger, mais les cloisons étaient minces, chez elle, entre certaines façons de vivre dans la misère qui étaient respectables et d'autres qui ne l'étaient pas. Elle était au fait de ces choses.

Comme c'était étrange qu'elle eût songé à épouser Maury. Une espèce de tricherie, voilà ce que ç'aurait été. Une façon de tricher avec elle-même. Mais ce n'était pas tricher que rouler avec Neil, parce qu'il savait certaines des choses qu'elle savait. Et elle en savait de plus en plus, tout le temps, à son sujet.

Et à présent sur le seuil il lui sembla distinguer son oncle, voûté et effaré, les yeux fixés sur elle, comme si elle était partie depuis des années et des années. Comme si elle avait promis de rentrer et puis avait oublié, et que cela avait duré si longtemps qu'il aurait dû être mort mais ne l'était pas.

Elle se débattit pour arriver à lui parler mais il lui échappa. Elle se réveillait, se sentait en mouvement. Elle était dans l'auto avec Neil, de nouveau sur la route. Elle avait dormi la bouche ouverte, et elle avait soif. Il se tourna vers elle un moment et elle remarqua, même avec tout ce vent qu'ils soulevaient, tourbillonnant autour d'eux, une nouvelle odeur de whisky.

C'était vrai.

« Tu es réveillée ? Tu dormais profondément quand je suis sorti de là, dit-il. Pardon… il a fallu que je me montre un peu sociable. Comment va la vessie ? »

C'était un problème auquel elle avait songé, quand ils s'étaient arrêtés devant la maison. Elle avait vu des toilettes là-bas, une cabane derrière la maison, mais la timidité l'avait empêchée de descendre de voiture pour marcher jusque-là.

Il dit, « Ici, ça m'a l'air possible. » Et il arrêta la voiture. Elle descendit et s'éloigna parmi des solidages en fleur et des carottes sauvages et des asters avant de s'accroupir. Il était allé attendre au milieu de fleurs semblables de l'autre côté de la route et lui tournait le dos. En remontant dans la voiture elle vit la bouteille, sur le plancher, près de ses pieds. Plus d'un tiers de son contenu semblait avoir déjà disparu.

Il vit son regard.

« Oh, ne t'en fais pas, dit-il. J'en ai seulement versé là-dedans. » Il brandit une flasque. « C'est plus facile quand je conduis. »

Sur le plancher il y avait aussi un autre Coca-Cola. Il lui dit que dans la boîte à gants elle trouverait le décapsuleur.

« Il est froid », dit-elle, surprise.

« Glacière. Ils découpent de la glace sur les lacs en hiver et la stockent dans la sciure de bois. Lui la garde sous la maison.

« J'ai cru voir mon oncle sur le seuil de cette maison, dit-elle. Mais c'était un rêve. »

« Tu pourrais me parler de ton oncle. Parle-moi de là où tu vis. De ton boulot. Ce que tu voudras. J'aime t'entendre parler. »

Il y avait une nouvelle vigueur dans sa voix et quelque chose avait changé dans son visage, mais ce n'était pas l'éclat un peu fou de l'ivresse, c'était seulement comme s'il avait été malade — pas terriblement malade, seulement abattu, enchi-frené — et voulait maintenant montrer qu'il allait mieux. Il reboucha la flasque, la déposa et lui saisit la main. Il la tint légè-rement, à peine serrée, en camarade.

« Il est très vieux, dit Grace. En réalité c'est mon grand-oncle. Il est rempailleur — il rempaille des chaises. Je ne peux pas vous l'expliquer mais je pourrais vous montrer si on avait une chaise à rempailler… »

« J'en vois pas par ici. »

Elle rit, et dit, « C'est à mourir d'ennui, en fait. »

« Parle-moi de ce qui t'intéresse, alors. Qu'est-ce qui t'intéresse ? »

Elle dit, « Vous. »

« Ah bon. Qu'est-ce qui t'intéresse, chez moi ? » Il lui lâcha la main.

« Ce que vous faites en ce moment, dit Grace avec détermination. Pourquoi. »

« Tu veux dire boire ? Pourquoi je bois ? » Il déboucha de nouveau la flasque. « Pourquoi tu ne me le demandes pas ? »

« Parce que je sais ce que vous diriez. »

« Ah oui, quoi ? Qu'est-ce que je dirais ? »

« Vous diriez, qu'y a-t-il d'autre à faire ? Ou quelque chose dans ce genre-là. »

« C'est vrai, dit-il. C'est à peu près ce que je dirais. Et puis, après, tu essaierais de me dire pourquoi j'ai tort. »

« Non, dit Grace. Non, je n'essaierais pas. »

Quand elle eut dit cela, elle se sentit glacée. Elle avait cru parler sérieusement, mais elle voyait à présent qu'elle avait essayé de l'impressionner par ces réponses, essayé de se montrer aussi blasée que lui, et qu'en chemin elle venait de se heurter à cette vérité fondamentale. Cette absence d'espoir — authentique, raisonnable, et définitive.

Neil dit, « Tu n'essaierais pas ? Non. Tu n'essaierais pas. Quel soulagement. C'est reposant. Tu es reposante, Grace. »

Peu après, il dit, « Tu sais — j'ai sommeil. Dès que nous aurons trouvé un bon coin, je me rangerai et je dormirai. Rien qu'un petit moment. Ça non plus ça ne te dérange pas ? »

« Non. Je crois que vous devriez. »

« Tu veilleras sur moi ? »

« Oui. »

« Bien. »

Le coin qu'il trouva était dans une petite ville qui s'appelait Fortune. Il y avait un parc dans les faubourgs, à côté d'une rivière, et un espace gravillonné pour les autos. Il fit basculer son siège en arrière et s'endormit aussitôt. Le soir tombait à peu près à l'heure du dîner, comme il le fit alors, prouvant qu'on n'était pas à la fin d'une journée d'été, en définitive. Peu de temps auparavant, des gens étaient venus pique-niquer là pour l'Action de grâce — il y avait encore un peu de fumée montant de la cheminée en plein air et il flottait une odeur de hamburgers. L'odeur ne donna pas faim à Grace, pas exactement — elle la fit se rappeler avoir eu faim en d'autres circonstances.

Il s'endormit immédiatement, et elle descendit. Un peu de poussière s'était déposée sur elle avec tous les arrêts et les redémarrages de sa leçon de conduite. Elle se lava les bras, les mains et le visage du mieux qu'elle put à un robinet d'extérieur. Puis, ménageant son pied entaillé, elle gagna lentement le bord de la rivière, vit qu'elle était peu profonde, avec les roseaux qui en perçaient la surface. Un écriteau avertissait que les blasphèmes, l'obscénité et le langage vulgaire étaient interdits en ce lieu et passibles de poursuites.

Elle essaya les balançoires, qui faisaient face à l'ouest. Elle se projeta très haut, plongeant les yeux dans le ciel clair — vert pâle, or évanescent, bordure rose vif à l'horizon. Déjà l'air devenait froid.

Elle avait cru que c'était le contact. Les bouches, les langues, la peau, les corps, le choc des os contre les os. L'embrasement. La passion. Mais ce n'était pas du tout ce qui leur était échu. C'était un jeu d'enfant comparé à la connaissance qu'elle avait de lui, maintenant qu'elle avait vu au fond de lui.

Ce qu'elle avait vu était sans appel. Comme si elle était au bord d'une plate eau noire qui s'étendait à l'infini. Froide, immobile. Contempler cette eau immobile, froide, noire, et savoir que c'était tout ce qu'il y avait.

Ce n'était pas la boisson qui était responsable. La même chose attendait, quoi qu'il arrive, en dépit de tout, et tout le temps. La boisson, le besoin de boire — ce n'était rien qu'une espèce de distraction, comme tout le reste.

Elle retourna à la voiture et essaya de le réveiller. Il remua mais pas moyen de le sortir du sommeil. Alors elle se remit à marcher pour se tenir chaud, et réhabituer son pied le plus doucement possible — elle comprenait à présent qu'elle reprendrait le travail, servirait le petit déjeuner, le lendemain matin.

Elle essaya encore une fois, lui parlant d'un ton pressant. Il répondit en marmonnant diverses promesses et encore une fois se rendormit. Quand l'obscurité fut réellement tombée, elle avait déjà renoncé. À présent, avec le froid de la nuit qui s'installait, d'autres faits lui apparurent clairement. Qu'ils ne pouvaient pas rester là, qu'ils étaient encore dans le monde, après tout. Qu'elle devait retourner à Bailey's Falls.

Non sans difficulté, elle le poussa et le tira sur le siège passager. Si cela ne l'avait pas réveillé, il était évident que rien ne le ferait. Il lui fallut un moment pour comprendre comment on allumait les phares et puis elle entreprit de remettre la voiture, avec des à-coups, lentement, sur la route.

Elle n'avait pas la moindre idée des directions et il n'y avait âme qui vive dans la rue à qui demander son chemin. Elle se contenta de rouler jusqu'à l'autre extrémité de la ville, et là, véritable bénédiction, un panneau indiquait le chemin de Bailey's Falls, entre autres lieux. Quinze kilomètres seulement.

Elle roula le long de la route à deux voies sans jamais dépasser cinquante à l'heure. Il y avait peu de circulation. Une fois ou deux, une auto la doubla en klaxonnant et les rares qu'elle croisa klaxonnèrent aussi. Dans un cas c'était probablement parce qu'elle allait si lentement, et dans l'autre parce qu'elle ne savait pas passer en code. Tant pis. Elle ne pouvait pas s'arrêter à mi-route le temps de reprendre courage. Elle pouvait seulement continuer, comme il avait dit. Continue.

D'abord elle ne reconnut pas Bailey's Falls en y arrivant par ce chemin inhabituel. Et quand elle l'eut reconnu, elle fut plus effrayée qu'elle ne l'avait été au long des quinze kilomètres. C'était une chose de conduire en territoire inconnu, une autre de tourner pour franchir la grille de l'auberge.

Il était réveillé quand elle s'arrêta sur le stationnement. Il ne manifesta aucune surprise de se retrouver là où ils étaient ou devant ce qu'elle avait fait. D'ailleurs, lui dit-il, les coups d'avertisseur l'avaient réveillé à des kilomètres en arrière, et il avait fait semblant de continuer à dormir parce que l'important était qu'elle ne sursaute pas. Mais il ne s'était pas inquiété, il savait qu'elle y parviendrait.

Elle lui demanda s'il était assez réveillé pour conduire maintenant.

« Tout à fait réveillé. Frais comme un gardon. »

Il lui dit de glisser le pied hors de sa sandale et le tâta et le pressa ici et là avant de déclarer, « Très bien. Pas de chaleur. Pas d'enflure. Tu as mal au bras ? Peut-être que tu ne sentiras rien. » Il l'accompagna jusqu'à la porte et la remercia de lui avoir tenu compagnie. Elle était encore ébahie d'être de retour saine et sauve. Elle se rendait à peine compte que le moment était venu de dire au revoir.

Le fait est qu'elle ignore encore à ce jour si ces mots ont été prononcés. Ou s'il s'est contenté de l'attraper, d'enrouler ses bras autour d'elle, de l'étreindre si étroitement, avec des changements de pression si continus qu'il semblait y falloir plus de deux bras, qu'elle était encerclée par lui, par son corps vigoureux et léger, exigeant et renonçant à la fois, comme s'il lui disait qu'elle avait tort d'abandonner, que tout était possible, et puis non, qu'elle n'avait pas tort, qu'il voulait s'imprimer sur elle et s'en aller.

Tôt le matin, le gérant frappa à la porte du dortoir, appelant Grace.

« Quelqu'un au téléphone, dit-il. Ne bougez pas, c'était seulement pour savoir si vous étiez là. J'ai dit que j'allais voir. Tout va bien. »

Ce devait être Maury, pensa-t-elle. Un d'entre eux, en tout cas. Mais probablement Maury. Elle allait devoir régler ça avec Maury.

Quand elle descendit servir le petit déjeuner — elle avait mis ses chaussures de toile —, elle entendit parler de l'accident. Une voiture avait embouti le pilier d'un pont à mi-chemin sur la route du lac Little Sabot. Elle avait heurté la pile de plein fouet, elle était complètement écrasée et avait brûlé. Aucun autre véhicule n'était impliqué dans l'accident et il n'y avait apparemment pas de passagers. Il faudrait identifier le chauffeur avec ses empreintes dentaires. C'était probablement déjà fait à l'heure qu'il était.

« Sacrée façon de se tuer, dit le gérant. Mieux vaudrait se trancher la gorge. »

« C'était peut-être un accident, dit le cuisinier, qui avait une nature optimiste. Ça se pourrait qu'il se soit endormi. »

« C'est ça, oui. »

Son bras lui faisait mal à présent comme si elle avait reçu un mauvais coup. Elle ne pouvait porter son plateau en équilibre et devait le tenir devant elle à deux mains.

Elle n'eut pas à régler les choses avec Maury face à face. Il lui écrivit une lettre.

Dis seulement que c'est lui qui te l'a fait faire. Dis seulement que tu ne voulais pas y aller.

Elle répondit quatre mots. *Je voulais y aller.* Elle fut sur le point d'ajouter *Pardon,* mais se retint.

M. Travers vint la voir à l'auberge. Il fut poli sans faire de sentiment, ferme, froid, pas méchant. Elle le voyait dans des circonstances qui lui permettaient d'être lui-même. Un homme capable de prendre les choses en main et de mettre de l'ordre. Il dit que c'était très triste, qu'ils étaient tous très tristes, mais que l'alcoolisme était une chose terrible. Quand Mme Travers irait un peu mieux, il allait l'emmener en voyage, en vacances, quelque part dans un pays chaud.

Puis il dit qu'il devait prendre congé, qu'il avait beaucoup de choses à faire. En lui serrant la main pour lui dire au revoir, il y plaça une enveloppe.

« Nous espérons tous les deux que tu en feras bon usage », dit-il.

C'était un chèque de mille dollars. Immédiatement elle songea à le renvoyer ou à le déchirer, et parfois, aujourd'hui encore, elle pense que ç'aurait été un beau geste. Mais pour finir, bien sûr, elle ne fut pas capable de le faire. À l'époque, c'était assez d'argent pour lui assurer un départ dans la vie.

Offenses

Ils sortirent de la ville en voiture aux environs de minuit — Harry et Delphine à l'avant, Eileen et Lauren à l'arrière. Le ciel était clair et la neige avait glissé des arbres mais n'avait pas fondu à leurs pieds ni sur les saillies rocheuses qui bordaient la route. Harry arrêta la voiture près d'un pont. « Ça fera l'affaire. »

« Quelqu'un risque de nous voir arrêtés ici, dit Eileen. Et de s'arrêter à son tour pour voir ce que nous faisons. »

Il se remit à rouler. Ils tournèrent dans la première petite route de campagne, où ils sortirent tous de voiture pour descendre précautionneusement le talus, sur une courte distance, parmi la dentelle noire des genévriers. La neige crissait un peu alors que le sol en dessous était meuble et boueux. Lauren était encore en pyjama sous son manteau, mais Eileen lui avait fait mettre ses bottes.

« Ici, ça va ? » demanda Eileen.

Harry dit, « Ce n'est pas très loin de la route. »

« C'est suffisant. »

Cela se passait l'année qui suivit la démission de Harry de son poste dans un grand magazine parce qu'il en avait jusquelà. Il avait repris la gazette hebdomadaire de cette petite ville dont il gardait le souvenir depuis son enfance. Sa famille avait autrefois une résidence d'été au bord d'un des petits lacs de la région et il se rappelait avoir bu sa première bière au bar de l'hôtel de la grand-rue. Eileen, Lauren et lui y allèrent dîner pour leur première soirée dominicale dans cette ville.

Mais le bar était fermé. Harry et Eileen durent boire de l'eau.

« Comment ça se fait ? » demanda Eileen.

Harry leva les sourcils à l'intention du propriétaire de l'hôtel, qui servait aussi à table.

« Dimanche ? » demanda-t-il.

« Pas de licence. » Le propriétaire avait un fort — et, semblait-il, dédaigneux — accent. Il portait une chemise et une cravate, un cardigan et un pantalon qui avaient l'air d'avoir poussé ensemble — tous un peu avachis, froissés, pelucheux, comme une peau supplémentaire squameuse et grisonnante ainsi que devait l'être sa vraie peau en dessous.

« Ça a bien changé », dit Harry. Puis, comme le type ne répondait pas, il commanda du rosbif pour tout le monde.

« Amical », dit Eileen.

« Européen, dit Harry. C'est culturel. Ils ne se sentent pas obligés de sourire tout le temps. » Il indiqua dans la salle à manger des choses qui étaient restées exactement les mêmes — le haut plafond, le ventilateur qui tournait lentement, et jusqu'à la toile ténébreuse représentant un chien de chasse avec un volatile emplumé de rouille dans la gueule.

D'autres dîneurs firent leur entrée. Une fête de famille. Fillettes en souliers vernis et rêches fanfreluches, un bébé aux premiers pas mal assurés, un adolescent en costume, à demi mort d'embarras, divers parents et parents de parents — un vieillard maigre et un peu hébété et une vieille dame avachie de travers sur un fauteuil roulant avec un petit bouquet épinglé au revers de son tailleur. Chacune des femmes en robe à fleurs devait peser à peu près quatre fois le poids d'Eileen.

« Anniversaire de mariage », chuchota Harry.

Au moment de partir, il s'immobilisa au passage pour se présenter et présenter sa famille, leur dire qu'il était le nouveau directeur de la gazette et leur adresser ses félicitations. Il espérait que ça ne les ennuierait pas de le laisser noter leurs noms. Harry avait un visage épanoui et juvénile à la peau hâlée et une chevelure châtain clair aux reflets brillants. Il rayonnait d'une bonne humeur et d'une sympathie qui se communiquèrent autour de la table — quoique peut-être pas à l'adolescent ni au couple âgé. Il demanda depuis combien de temps ces deux-là étaient mariés et s'entendit répondre soixante-cinq ans.

« Soixante-cinq ans ! » s'écria-t-il, chancelant à cette seule idée. Il demanda la permission d'embrasser la mariée et le fit, effleurant des lèvres le long lobe pendant de l'oreille que la vieille lui présenta en tournant la tête.

« Maintenant, à toi d'embrasser le marié », dit-il à Eileen qui, avec un sourire pincé, déposa un bécot sur l'occiput du vieillard.

Harry demanda la recette d'un mariage heureux.

« Maman ne parle plus, dit l'une des grosses femmes, mais je vais demander à papa. » Elle vociféra dans l'oreille de son père, « Ton conseil pour un mariage heureux ? »

Il plissa tout son visage en rides malicieuses.

« Y a qu'à y poser ferme le pied sur la nuque. »

Toutes les grandes personnes éclatèrent de rire et Harry dit, « Très bien. Dans le journal, je mettrai seulement que vous vous êtes toujours assuré d'avoir l'accord de votre femme. »

Une fois dehors, Eileen dit, « Comment font-elles pour devenir aussi grosses ? Je ne comprends pas. Il faut manger jour et nuit pour devenir gros comme ça. »

« Bizarre », dit Harry.

« Les haricots verts sortaient d'une boîte, dit-elle. En août. Ce n'est pas la période où l'on récolte les haricots verts ? Et ici, en pleine campagne, on n'est pas censé cultiver des trucs ? »

« Plus bizarre que bizarre », dit-il joyeusement.

Presque aussitôt, il se produisit plusieurs changements à l'hôtel. Dans l'ancienne salle à manger, fut rajouté un faux plafond — carrés d'isorel maintenus en place par des bandes de métal. Les grandes tables rondes furent remplacées par de petites tables carrées et les lourdes chaises de bois par de légères chaises métalliques au siège recouvert de plastique lie-de-vin. À cause de l'abaissement du plafond, il fallut réduire les fenêtres à la taille de rectangles trapus. Dans l'une d'elles, une enseigne au néon proclamait CAFÉTÉRIA BIENVENUE.

Le propriétaire, qui s'appelait M. Palagian, ne souriait jamais et ne disait que le strict nécessaire à l'ensemble de la clientèle, en dépit de l'enseigne.

Cela n'empêchait pas la cafétéria de se remplir à midi, et en fin d'après-midi. Les clients étaient des élèves du secondaire, surtout de la neuvième à la onzième année, et aussi quelques-uns des élèves les plus âgés de l'école primaire. La principale attraction de l'établissement était que tout le monde pouvait y fumer. Non qu'il fût question d'y acheter des cigarettes si l'on semblait avoir moins de seize ans. M. Palagian était strict là-dessus. *Pas toi,* disait-il de sa voix pâteuse et lugubre. *Pas toi.*

Entre-temps, il avait engagé une femme pour travailler avec lui, et quand c'était à elle que quelqu'un de trop jeune essayait d'acheter des cigarettes, elle éclatait de rire.

« Qui crois-tu tromper avec ta bouille de bébé. »

Mais quiconque avait seize ans ou plus pouvait récolter les sous des plus jeunes pour en acheter par cartouches entières.

La lettre de la loi, disait Harry.

Harry cessa d'y venir déjeuner — c'était trop bruyant — mais continua à y prendre le petit déjeuner. Il espérait qu'un beau jour M. Palagian se détendrait et raconterait l'histoire de sa vie. Harry avait constitué un dossier plein d'idées de livres et était toujours à l'affût de gens qui raconteraient leur vie. Quelqu'un du genre de M. Palagian — ou même de cette grosse serveuse qui parlait comme une affranchie, disait-il — avait peut-être en soi une tragédie ou une aventure contemporaines qui pourraient donner un best-seller.

Le truc, dans la vie, avait expliqué Harry à Lauren, était de vivre dans le monde avec intérêt. D'ouvrir l'œil pour voir les possibilités — voir l'humanité — qui existait chez chacun de ceux qu'on rencontrait. Être à l'écoute. S'il avait quoi que ce soit à lui apprendre, c'était cela. *Être à l'écoute.*

Lauren préparait elle-même son petit déjeuner, d'ordinaire des céréales avec du sirop d'érable au lieu de lait. Eileen retournait se coucher en emportant son café pour le boire lentement. Elle n'avait pas envie de parler. Elle avait besoin de se remettre en condition pour faire face à la journée de travail au journal. Quand elle s'était suffisamment mise en condition — parfois après que Lauren était partie à l'école —, elle se levait, prenait une douche, et enfilait une de ses tenues négligemment provocantes. L'automne avançant, c'était d'ordinaire un gros chandail, une courte jupe de cuir et des collants de couleur vive. À l'instar de M. Palagian, Eileen n'avait pas de difficulté à sembler différente de toute autre personne dans cette ville, mais contrairement à lui elle était belle, avec ses cheveux noirs coupés court et ses fins pendants d'oreilles en or comme deux petits points d'exclamation, ses paupières à peine teintées de mauve. Au bureau du journal, ses manières étaient tranchantes et son expression lointaine, mais contrebalancées stratégiquement par de francs sourires.

Ils avaient loué une maison à l'extrémité de la ville. Derrière, juste au-delà de leur jardin, s'ouvrait une nature aux allures de parc de loisirs, semée de gros rochers et de pentes granitiques, de marais, de petits lacs et d'une forêt intermédiaire de peupliers, d'érables, de mélèzes et de sapins. Harry était ravi. Il disait qu'on risquait de se réveiller un matin et de voir par la fenêtre un orignal dans le jardin. Lauren rentrait de l'école quand le soleil était déjà bas dans le ciel et que la chaleur relative de la journée se révélait trompeuse. Il faisait froid dans la maison où flottait l'odeur du dîner de la veille, du marc de café et des ordures qu'elle était chargée de sortir. Harry avait entrepris de faire du compost — l'année suivante il comptait avoir un potager. Lauren emportait le seau de pelures, de trognons de pommes, de marc de café et de restes divers jusqu'à l'orée des bois d'où un orignal ou un ours risquaient de surgir. Les feuilles des peupliers avaient viré au jaune, les mélèzes dressaient la fourrure orange de leurs épines sur le fond sombre des sapins. Elle vidait les ordures et les recouvrait de pelletées de terre et d'herbe coupée comme Harry lui avait montré à le faire.

Sa vie était rudement différente à présent de ce qu'elle avait été quelques semaines seulement auparavant, quand elle, Harry et Eileen allaient en voiture jusqu'à un des petits lacs pour se baigner pendant les chauds après-midi. Puis que, dans la soirée, elle et Harry allaient se promener à l'aventure à travers la ville, pendant qu'Eileen ponçait, peignait et tapissait la maison de papier peint, prétendant qu'elle travaillait plus vite et mieux toute seule. Tout ce qu'elle avait alors demandé à Harry était d'emporter ses cartons pleins de papiers, son grand classeur et son bureau dans un affreux trou à rats du sous-sol, parce qu'elle ne voulait plus les avoir dans les jambes. Lauren l'avait aidé.

Un des cartons qu'elle avait pris était bizarrement léger et semblait contenir quelque chose de mou, pas comme du papier, plutôt comme du tissu ou de la laine. À l'instant où elle disait, « C'est quoi, ça ? » Harry vit ce qu'elle tenait et dit, « Eh ! » Puis il dit, « Oh merde. »

Il lui prit la boîte des mains et la mit dans un tiroir du classeur qu'il referma d'un coup. « Oh merde », répéta-t-il.

Il ne lui avait jamais parlé d'une façon si brutale et exaspérée. Il regarda autour de lui comme si quelqu'un risquait d'être là à les observer, et claqua les mains sur son pantalon.

« Pardon, dit-il. Je ne m'attendais pas à ce que tu prennes ça. » Il appuya les coudes sur le haut du classeur et posa son front dans ses mains.

« Alors, dit-il. Alors voilà, Lauren. Je pourrais inventer une espèce de mensonge à te raconter mais je vais te dire la vérité. Parce que je crois qu'on doit dire la vérité aux enfants. En tout cas, quand ils arrivent à ton âge, on doit leur dire la vérité. Mais en l'occurrence il faut que ce soit un secret. D'accord ? »

« D'accord », fit Lauren. Quelque chose lui disait, déjà, qu'elle aurait préféré qu'il ne le fasse pas.

« Ce sont des cendres, là-dedans », dit Harry. Il baissa la voix d'une façon très particulière en disant *cendres*. « Pas des cendres ordinaires. Les cendres résultant de la crémation d'un bébé. Ce bébé est mort avant ta naissance. Tu comprends ? Assieds-toi. »

Elle s'assit sur une pile de cahiers à couverture cartonnée qui contenaient les écrits de Harry. Il leva la tête pour la regarder.

« Tu vois... ce que je suis en train de te raconter est très perturbant pour Eileen, et c'est pour ça que ça doit être un secret. C'est pour ça qu'on ne t'en avait jamais parlé, parce que Eileen ne supporte pas qu'on le lui rappelle. Alors maintenant tu comprends ? »

Elle dit ce qu'elle devait dire. Oui.

« Alors voilà... ce qui s'est passé, c'est qu'on a eu cet enfant avant de t'avoir. Une petite fille, et elle était encore toute petite quand Eileen a été enceinte. Et ç'a été un coup terrible pour elle parce qu'elle était juste en train de découvrir la terrible quantité de travail que représente l'arrivée d'un bébé et maintenant non seulement elle ne dormait plus, mais elle vomissait à cause des nausées matinales, et pas seulement matinales, des nausées du matin, de midi et de la nuit. Elle ne voyait pas comment elle pourrait y faire face. À cette grossesse. Alors un soir qu'elle était complètement hors d'elle, elle s'est mis en tête qu'il fallait qu'elle sorte. Et elle a pris la voiture et emmené le bébé avec elle dans son berceau et il faisait déjà nuit, il pleuvait, et elle roulait trop vite et elle a raté un virage. Donc. La petite n'était pas bien attachée et elle a été projetée hors du berceau. Et Eileen a eu des côtes cassées et une commotion et on a cru un moment qu'on allait perdre les deux bébés. »

Il prit une profonde inspiration.

« Je veux dire qu'on avait déjà perdu celui-là. En tombant du berceau, elle a été tuée. Mais on n'a pas perdu celui qu'Eileen portait. Et pour cause. C'était toi. Tu comprends ? Toi. »

Lauren approuva de la tête, à peine.

« Et donc la raison pour laquelle on ne te l'a pas raconté — en dehors de l'état dans lequel ça met Eileen —, c'est que ça risquait de te donner l'impression que tu n'étais pas très bienvenue. Vu les circonstances du début. Mais il faut que tu me croies, bienvenue tu l'étais. Oh, Lauren. Tu l'étais. Tu l'es. »

Il ôta le coude du classeur et alla la prendre dans ses bras. Il sentait la transpiration et le vin qu'Eileen et lui avaient bu au dîner. Et Lauren était très mal à l'aise et gênée. Cette histoire ne la perturbait pas, quoique les cendres fussent un peu macabres. Mais elle voulait bien le croire quand il disait qu'elle perturbait Eileen.

« C'est à cause de ça que vous vous disputez ? » demanda-t-elle d'un ton détaché, et il la lâcha.

« Qu'on se dispute, dit-il tristement. Je pense qu'il pourrait bien y avoir quelque chose de ça par en dessous. Quand elle devient hystérique. Tu sais, ça m'embête beaucoup tout ça. Vraiment beaucoup. »

Quand ils sortaient pour une de leurs promenades, il lui demandait à l'occasion si elle était inquiète ou triste de ce qu'il lui avait raconté. Elle répondait non, d'une voix ferme, plutôt impatiente, et lui, en retour, disait, « Tant mieux. »

Chaque rue possédait une curiosité — la demeure victorienne (à présent maison de retraite), la tour de brique qui était tout ce qu'il restait d'une fabrique de balais, le cimetière, qui remontait à 1842. Et pendant deux ou trois jours, il y eut une foire d'automne. Ils regardèrent des camions progresser en ahanant dans la poussière, attelés à une remorque plate chargée de blocs de ciment qui glissaient vers l'avant, ce qui leur faisait faire des queues-de-poisson et s'immobiliser, après quoi on mesurait la distance parcourue. Harry et Lauren choisissaient chacun un camion à soutenir de leurs acclamations.

Il semblait à présent à Lauren que toute cette période brillait d'un faux éclat, d'une espèce d'enthousiasme idiot et insou-

ciant, qui n'avait tenu aucun compte du poids de vie quotidienne ou de réalité qu'elle devait se coltiner une fois que l'école
avait commencé, que la distribution du journal avait repris et
que le temps avait changé. Un ours ou un orignal était un animal sauvage bien réel méditant ses propres besoins — ce n'était
pas une espèce de distraction de choix. Et elle se refuserait à présent à sauter sur place en hurlant comme elle l'avait fait au
champ de foire, encourageant son camion. Elle risquait d'être
vue par quelqu'un de l'école qui la prendrait pour une malade.

Ce qui était assez proche de ce qu'on pensait d'elle de toute
façon.

Son isolement à l'école reposait sur la connaissance et l'expérience qui, elle le savait à moitié, pouvaient passer pour de
l'innocence et de la suffisance. Les choses qui étaient de vilains
mystères pour d'autres n'en étaient pas pour elle et elle ne savait
pas comment faire semblant du contraire. Et c'était ce qui la
mettait à part, tout autant que de savoir prononcer l'Anse aux
Meadows et d'avoir lu *Le Seigneur des anneaux*. Elle avait bu
une demi-bouteille de bière à cinq ans et tiré sur un joint à six,
encore que n'ayant aimé ni l'un ni l'autre. Elle buvait parfois
une goutte de vin pendant le dîner, et ça, elle aimait bien. Elle
avait entendu parler de fellation et de toutes les méthodes de
contraception et savait ce que faisaient les homosexuels. Elle
avait souvent vu Harry et Eileen nus, ainsi qu'un certain
nombre de leurs amis nus autour d'un feu de camp dans les
bois. Au cours de ces mêmes vacances, elle était allée en tapinois
avec d'autres enfants épier des papas qui se glissaient après un
accord sournois sous la tente de mamans qui n'étaient pas leurs
femmes. Un des garçons lui avait proposé de le faire ensemble
et elle avait accepté, mais il avait été incapable d'aller plus loin,
ils s'étaient fâchés et par la suite elle s'était mise à le haïr.

Tout cela lui était un fardeau — lui donnait un sentiment
de gêne et de tristesse bizarre, voire de dépossession. Et elle n'y
pouvait pas grand-chose sauf se rappeler, à l'école, d'appeler
Harry et Eileen papa et maman. Cela semblait les rendre plus

grands mais moins nets. Leurs contours tendus devenaient un peu flous quand on parlait d'eux de cette façon, leur personnalité s'atténuait. Face à face avec eux, elle ne disposait d'aucune technique pour obtenir ce résultat. Elle ne pouvait même pas reconnaître que c'était peut-être réconfortant.

Quelques filles de la classe de Lauren, trouvant le voisinage de la cafétéria irrésistible mais n'étant pas assez courageuses pour y entrer, passaient par le hall de l'hôtel et allaient jusqu'aux toilettes des dames. Là, pendant un quart d'heure ou une demi-heure elles se peignaient mutuellement ou séparément, essayant diverses coiffures, mettant du rouge à lèvres, peut-être volé chez Stedmans, reniflant le cou et les poignets les unes des autres après y avoir vaporisé tous les échantillons de parfum disponibles à la pharmacie.

Quand elles lui demandèrent d'y aller avec elles, Lauren soupçonna un mauvais tour mais accepta tout de même, en partie parce qu'elle détestait tant rentrer seule chez elle par ces après-midi de plus en plus courts, dans cette maison à l'orée de la forêt.

Sitôt entrées dans le hall, deux de ces filles la saisirent et la poussèrent jusqu'au comptoir de la réception, où la dame du restaurant était assise sur un haut tabouret et faisait des comptes avec une calculette.

La dame — Lauren le savait déjà par Harry — s'appelait Delphine. Elle avait de longs cheveux fins qui étaient peut-être d'un blond blanchâtre ou peut-être vraiment blancs, parce qu'elle n'était pas jeune. Elle devait souvent avoir à secouer la tête pour les chasser de sa figure, comme elle fit à ce moment-là. Ses yeux, derrière des lunettes à monture sombre, avaient de lourdes paupières violettes. Sa figure était large, comme son corps, pâle et lisse. Mais il n'y n'avait rien d'indolent dans sa personne. Ses yeux, qu'elle leva alors, étaient d'un bleu terne et ils allaient d'une fille à l'autre comme si aucun comportement méprisable de leur part ne pouvait l'étonner.

« C'est elle », dirent les filles.

La dame — Delphine — regarda alors Lauren. Elle dit, « Lauren ? T'es sûre ? »

Lauren, stupéfaite, dit oui.

« Bon, je leur ai demandé s'il y avait quelqu'un à leur école qui s'appelait Lauren, dit Delphine — parlant des autres filles comme si elles étaient déjà très loin, exclues de la conversation qu'elle avait avec Lauren. Je leur ai demandé à cause de quelque chose qu'on a retrouvé ici. Quelqu'un doit l'avoir perdu à la cafétéria. » Elle ouvrit un tiroir et en sortit une chaîne en or. Accrochées à la chaîne, se balançaient les lettres qui formaient le mot LAUREN.

Lauren secoua la tête.

« C'est pas à toi ? dit Delphine. Dommage. J'ai déjà demandé aux jeunes de l'école. Je pense que je vais devoir la garder, alors. Quelqu'un viendra peut-être la chercher. »

Lauren dit, « Vous pourriez mettre une annonce dans le journal de mon papa. » Elle ne se rendit pas compte qu'elle aurait dû dire seulement « le journal » jusqu'au lendemain, quand, passant devant deux filles dans le couloir de l'école, elle entendit une voix de pimbêche dire, *le journal de mon papa*.

« Je pourrais, dit Delphine. Mais du coup j'aurais peut-être plein de gens qui s'amèneraient pour dire que c'est à eux. Qui mentiraient sur leur nom, même. C'est de l'or. »

« Mais ils ne pourraient pas la porter, fit remarquer Lauren, si ce n'était pas leur vrai nom. »

« Peut-être. Mais ça m'étonnerait pas d'eux qu'ils la réclament quand même. »

Les autres filles se dirigeaient vers les toilettes.

« Hep, vous, là ! lança Delphine dans leur dos. C'est interdit là-bas. »

Elles se retournèrent, surprises.

« Comment ça se fait ? »

« Ça se fait que c'est interdit là-bas, voilà comment que ça se fait. Vous n'avez qu'à aller faire vos bêtises ailleurs. »

« Vous nous avez jamais interdit d'y aller avant. »

« Avant c'était avant. Et maintenant c'est maintenant. »

« C'est des toilettes publiques. »

« Pas du tout, dit Delphine. Celles de la mairie sont publiques. Alors dégagez! »

« Je disais pas ça pour toi, reprit-elle à l'adresse de Lauren qui s'apprêtait à suivre les autres. Je regrette que ce soit pas ta chaîne. Reviens voir dans un jour ou deux. Si personne n'est venu la réclamer, je me dirai et puis zut, y a ton nom dessus, après tout. »

Lauren y retourna le lendemain. Elle se moquait bien de la chaîne, en réalité — elle n'imaginait pas qu'on puisse se balader avec son nom accroché autour du cou. Elle voulait seulement avoir une course à faire, un endroit où aller. Elle aurait pu aller au bureau du journal, mais après avoir entendu le ton sur lequel elles disaient *le journal de mon papa,* elle n'en avait pas envie.

Elle avait décidé qu'elle n'entrerait pas si M. Palagian et non Delphine était au comptoir. Mais Delphine était là, arrosant une plante hideuse devant la fenêtre.

« Ah, bien, dit Delphine. Personne n'est venu la demander. Attendons la fin de la semaine. J'ai comme une impression qu'elle sera pour toi. Tu peux toujours venir à cette heure-là de la journée. Je travaille pas à la cafétéria l'après-midi. Si je suis pas dans le hall, appuie sur la sonnette, je serai forcément dans le coin. »

Lauren dit, « D'accord », et tourna les talons pour s'en aller.

« T'as envie de t'asseoir une minute? Je me disais que j'allais boire une tasse de thé. T'en bois, du thé? T'as la permission? Tu préfères boire autre chose? »

« Un soda citron-citron vert, dit Lauren. S'il vous plaît. »

« Dans un verre? Tu veux un verre? De la glace? »

« Ça ira juste comme ça, dit Lauren. Merci. »

Delphine apporta un verre quand même, avec de la glace. « Il m'a pas semblé assez frais », expliqua-t-elle. Elle demanda à

Lauren où elle préférait s'asseoir — dans un des vieux fauteuils de cuir usé près de la fenêtre ou sur un haut tabouret derrière le comptoir. Lauren choisit le tabouret et Delphine s'assit sur l'autre.

« Alors, t'as envie de me raconter ce que t'as appris à l'école aujourd'hui? »

Lauren dit, « Ben… »

La large figure de Delphine se fendit d'un sourire.

« Je te demandais ça pour rire. Je détestais que les gens me le demandent. D'abord et d'une je ne me rappelais jamais rien de ce que j'avais appris ce jour-là. Et puis en plus, j'aimais autant pas avoir à parler de l'école quand j'y étais pas. Alors passons à autre chose. »

Lauren n'était pas surprise que la dame ait manifestement envie de faire amie avec elle. Elle avait été élevée de telle façon qu'elle croyait que les enfants et les adultes pouvaient traiter sur un pied d'égalité, même si elle avait remarqué que beaucoup d'adultes ne le comprenaient pas ainsi et que mieux valait alors ne pas insister. Elle voyait que Delphine était un peu nerveuse. C'était pour ça qu'elle parlait sans arrêt, et riait à des moments bizarres, ce fut encore pour ça qu'elle recourut à la manœuvre de tendre la main dans le tiroir d'où elle sortit une tablette de chocolat.

« Tiens, une petite friandise avec ton soda. Pour que ça vaille le coup de revenir me voir, hein? »

Lauren était gênée pour la dame mais bien contente d'accepter le chocolat. Elle n'avait jamais de sucreries à la maison.

« C'est pas la peine de m'acheter pour que je vienne vous voir, dit-elle. Ça me ferait plaisir. »

« Ho-ho! Alors comme ça, faut pas que je t'achète, hein? En voilà une sacrée gamine. Très bien, rends-moi ça. »

Elle fit mine de saisir le chocolat et Lauren se recroquevilla pour le protéger. À présent elle riait aussi.

« Non mais la prochaine fois. La prochaine fois, ce sera pas la peine de m'acheter. »

« Parce qu'une fois, ça va. C'est ça ? »

« J'aime bien avoir quelque chose à faire, dit Lauren. Pas seulement rentrer à la maison. »

« Tu ne vas pas chez tes copines ? »

« J'en ai pas, en fait. J'ai commencé dans cette école en septembre. »

« Ma foi. Si la bande qui venait ici est un bon échantillon de ce qu'il y a en rayon, si tu veux mon avis, t'es aussi bien comme ça. Qu'est-ce que tu penses de cette ville ? »

« Elle est petite. Il y a des choses sympa. »

« C'est un trou. C'est rien que des trous. J'en ai connu tellement de trous dans ma vie qu'on pourrait croire que les rats m'ont bouffé le nez à l'heure qu'il est. » Elle tapota des doigts du haut en bas de son nez. Ses ongles étaient assortis à ses paupières. « Il est toujours là », dit-elle de l'air d'en douter.

C'est un trou. Delphine disait des choses comme ça. Elle était véhémente — elle ne discutait pas mais affirmait, et ses jugements étaient sévères et capricieux. Elle parlait d'elle-même — de ses goûts, de son fonctionnement physique — comme d'un mystère monumental, quelque chose d'unique et sans appel.

Elle était allergique aux betteraves. Si la plus petite goutte de jus de betterave coulait dans sa gorge, ses tissus enfleraient et il faudrait l'emmener à l'hôpital pour qu'elle puisse respirer.

« Et de ton côté ? T'as des allergies ? Non ? Tant mieux. »

Elle estimait qu'une femme devait avoir des mains bien entretenues, quel que soit son travail. Elle aimait se passer les ongles au vernis bleu marine ou violet. Et elle aimait mettre des boucles d'oreilles, grandes et cliquetantes, même pour travailler. Elle ne voyait pas l'intérêt des petits machins en forme de boutons.

Elle n'avait pas peur des serpents mais les chats lui faisaient un effet bizarre. Elle pensait qu'un chat avait dû venir se coucher sur elle quand elle était bébé, attiré par l'odeur du lait.

« Alors, et toi ? demandait-elle à Lauren. De quoi t'as peur ? C'est quoi, ta couleur préférée ? Ça t'est arrivé de marcher pendant que tu dormais ? Tu bronzes ou t'attrapes des coups de soleil ? Tes cheveux poussent vite ou lentement ? »

Ce n'était pas comme si Lauren n'avait pas l'habitude qu'on s'intéresse à elle. Harry et Eileen s'intéressaient — surtout Harry — à ses pensées, à ses opinions et aux sentiments que lui inspiraient les choses. Parfois cet intérêt lui tapait sur les nerfs. Mais elle ne s'était jamais avisée qu'il pouvait y avoir toutes ces autres choses, les faits arbitraires, qui pouvaient sembler délicieusement importants. Et elle n'avait jamais l'impression — comme elle l'avait à la maison — qu'il existait une autre question derrière les questions de Delphine, jamais l'impression que, si elle n'était pas sur ses gardes, elle risquait de se faire ouvrir comme un livre.

Delphine lui racontait des blagues. Elle disait en connaître des centaines mais qu'elle ne voulait lui raconter que celles qui étaient convenables. Harry n'aurait pas trouvé convenables les blagues sur les crétins de Terre-Neuve, mais Lauren riait complaisamment.

Elle dit à Harry et à Eileen qu'elle allait chez une copine après l'école. Ce n'était pas un vrai mensonge. Ils semblèrent contents. Mais à cause d'eux elle ne prit pas la chaîne en or avec son nom quand Delphine dit qu'elle pouvait. Elle fit mine de craindre que son légitime propriétaire risque encore de venir la chercher.

Delphine connaissait Harry, elle lui servait le petit déjeuner à la cafétéria, et aurait pu lui parler des visites de Lauren, mais apparemment n'en fit rien.

Elle accrochait parfois un écriteau — *Sonner pour appeler le responsable* — et emmenait Lauren ailleurs dans l'hôtel. Il accueillait des clients de temps à autre, et il fallait faire leurs lits, récurer leurs toilettes et leurs lavabos, et passer l'aspirateur dans leur chambre. Lauren n'avait pas le droit de donner un coup de main. « Tu n'as qu'à t'asseoir là et me parler, disait Delphine. On se sent seul quand on fait ce boulot. »

Mais c'était elle qui parlait. Elle racontait sa vie sans aucun ordre discernable. Des personnages apparaissaient et disparaissaient et Lauren était censée savoir qui ils étaient sans le demander. Des nommés Monsieur et Madame étaient de bons patrons. D'autres patrons s'appelaient Vieille Truie, ou Vieux Trouduc *(T'avise pas de causer comme moi)*, et étaient épouvantables. Delphine avait travaillé dans des hôpitaux *(Infirmière? Tu rigoles!)* et dans des champs de tabac, dans des restaus corrects et dans des bouis-bouis, dans un camp de bûcherons où elle faisait la cuisine et dans une gare routière où elle faisait le ménage et avait vu des choses pas racontables et dans un dépanneur ouvert la nuit où elle s'était fait braquer et s'était tirée.

Des fois elle était copine avec Lorraine et des fois avec Phyl. Phyl avait le chic pour vous emprunter vos affaires sans demander — elle avait emprunté le chemisier de Delphine pour le mettre au bal et tellement sué qu'elle en avait brûlé les dessous de bras. Lorraine avait eu son diplôme d'études secondaires mais commis la lourde erreur d'épouser l'autre débile mental, là, et devait sûrement le regretter à présent.

Delphine aurait pu se marier. Elle était sortie avec des hommes qui avaient bien réussi, d'autres qui avaient viré clochards, d'autres dont elle n'avait pas idée de ce qui avait pu leur arriver. Elle avait de l'affection pour un garçon qui s'appelait Tommy Kilbride mais c'était un catho.

« Tu dois pas savoir ce que ça veut dire pour une femme. »

« Ça veut dire qu'on n'a pas droit à la contraception, dit Lauren. Eileen était catholique mais elle a arrêté parce qu'elle n'était pas d'accord. Eileen, maman. »

« Ta maman aurait pas eu à s'en faire de toute façon, vu comment que ça a tourné. »

Lauren ne comprit pas. Puis se dit que Delphine devait parler du fait qu'elle — Lauren — était fille unique. Elle devait penser que Harry et Eileen auraient bien voulu avoir d'autres enfants après elle mais qu'Eileen n'avait pas pu en avoir. À sa connaissance, tel n'était pas le cas.

Elle dit, « Ils auraient pu en avoir d'autres s'ils voulaient. Après m'avoir eue moi. »

« Que tu crois, dit Delphine d'un ton blagueur. Peut-être qu'ils pouvaient en avoir aucun. Peut-être qu'ils t'ont adoptée. »

« Non. Pas du tout. Je sais qu'ils m'ont pas adoptée. »

Lauren était sur le point de raconter ce qui s'était passé quand Eileen était enceinte mais se retint parce que Harry avait tellement insisté sur le secret. Elle avait un respect superstitieux des promesses bien qu'ayant remarqué que les adultes ne se gênaient pas pour manquer aux leurs.

« Prends pas l'air si sérieux », dit Delphine. Elle saisit la figure de Lauren entre ses mains et lui tapota les joues du bout de ses ongles cassis. « Je blague, quoi. »

Le sèche-linge dans la buanderie de l'hôtel était en panne, Delphine devait étendre draps et serviettes mouillés, et comme il pleuvait, le meilleur endroit pour le faire était l'ancienne écurie. Lauren l'aida à porter les paniers où s'entassait la toile blanche à travers la petite cour gravillonnée derrière l'hôtel, jusque dans le bâtiment de pierre de l'écurie déserte. On y avait coulé un sol de ciment, mais une odeur suintait encore, montant de la terre sous-jacente, ou sortait peut-être des murs de pierre et de mortier. Terre mouillée, sueur chevaline, riche remugle de pisse et de cuir. L'espace était vide à l'exception des cordes à linge et de quelques sièges et coiffeuses cassés. L'écho de leurs pas résonnait.

« Crie ton nom pour voir », dit Delphine.

Alors Lauren, « Del-phi-ine ! »

« Ton nom, j'ai dit. Qu'est-ce que tu fabriques ? »

« Ça marche mieux pour l'écho », dit Lauren, et elle se remit à crier, « Del-phi-ine. »

« J'aime pas mon nom, dit Delphine. On aime jamais son propre nom. »

« Moi, mon nom, je l'aime pas. »

« C'est joli, Lauren. C'est un joli nom. Ils t'ont choisi un joli prénom. »

Delphine avait disparu derrière le drap qu'elle épinglait à la corde à linge. Lauren se promenait en sifflotant.

« C'est pour chanter que le son est vraiment bon ici, dit Delphine. Chante ta chanson préférée. »

Lauren ne put trouver aucune chanson qui fût sa préférée. Apparemment, Delphine en fut ébahie. Tout comme elle avait été ébahie en découvrant que Lauren ne connaissait pas de blagues.

« J'en connais des tonnes », dit-elle, et elle se mit à chanter.

« *Moon River, wider than a mile…* »

C'était une chanson que Harry chantait parfois, toujours en se moquant de la chanson, ou de lui-même. Delphine la chantait d'une façon bien différente. Lauren sentit que le calme chagrin de la voix de Delphine l'attirait vers les draps blancs qui ondoyaient. Les draps eux-mêmes semblaient sur le point de se dissoudre autour d'elle — non, autour de Delphine et elle —, créant une impression de douceur intense. La chanson de Delphine était comme des bras grands ouverts entre lesquels on pouvait se précipiter. En même temps, cette émotion diffuse mettait un frémissement dans l'estomac de Lauren, la menace encore lointaine d'une nausée.

« *Waiting round the bend
My huckleberry friend…* »

Lauren l'interrompit en saisissant une chaise au siège crevé qu'elle traîna en lui raclant les pieds sur le ciment.

« Il y a un truc que je voulais vous demander, dit résolument Lauren à Harry et Eileen, pendant le dîner. Y a-t-il la moindre chance pour que j'aie été adoptée ? »

« Où es-tu allée chercher cette idée ? » dit Eileen.

Harry cessa de manger, leva les sourcils en guise d'avertissement à Lauren, puis se mit à plaisanter.

« Si nous avions adopté un enfant, dit-il, crois-tu qu'on en aurait choisi un qui pose tellement de questions indiscrètes ? »

Eileen se leva en tripotant la fermeture à glissière de sa jupe. La jupe tomba, puis elle roula ses collants et son slip.

« Regarde, dit-elle. Ça devrait répondre à ta question. »

Son ventre, qui semblait plat quand elle était habillée, présentait maintenant un léger arrondi à peine affaissé. Sa surface, encore un peu hâlée jusqu'à la marque du bikini, était striée de bandes toutes blanches qui luisaient dans l'éclairage de la cuisine. Lauren les avait déjà vues mais n'en avait rien pensé — elles lui avaient semblé faire partie du corps d'Eileen comme les deux grains de beauté qu'elle avait sur la clavicule.

« Ça s'appelle des vergetures, parce que j'avais la peau trop tendue, dit Eileen. Je t'ai portée très en avant. » De la main, elle indiqua une distance impossible devant son corps. « Ça va maintenant, t'es convaincue ? »

Harry appuya la tête contre Eileen, frotta du nez son ventre nu. Puis il se redressa pour parler à Lauren.

« Au cas où tu te demanderais pourquoi nous n'avons pas eu d'autre enfant, la réponse est que tu nous suffis. Tu es intelligente et jolie et tu as le sens de l'humour. Qu'est-ce qui nous garantit qu'un autre enfant serait aussi réussi ? Et puis, on n'est pas tout à fait une famille comme les autres. On aime beaucoup bouger. Essayer des choses, être flexibles. Nous avons une enfant parfaite et adaptable. À quoi bon forcer la chance ? »

Sa figure, qu'Eileen ne pouvait voir, affichait à l'intention de Lauren une expression bien plus sérieuse que ses paroles. C'était la suite de l'avertissement, mêlée de déception et de surprise.

Si Eileen n'avait pas été là, Lauren l'aurait interrogé. Et s'ils avaient perdu deux bébés au lieu d'un seul ? Si elle-même n'avait jamais été à l'intérieur d'Eileen et n'était pas responsable de ces traces sur son ventre ? Comment pouvait-elle être sûre qu'ils ne l'avaient pas prise, elle, en remplacement ? Puisqu'il y avait eu une chose importante qu'elle n'avait pas su, pourquoi n'y en aurait-il pas eu une autre ?

Cette idée était troublante mais ne manquait pas d'un certain charme lointain.

La fois suivante que Lauren entra dans le hall de l'hôtel après l'école, elle toussait.

« Montons, dit Delphine. J'ai ce qu'il te faut. »

À l'instant où elle mettait l'écriteau *Sonner pour appeler le responsable,* M. Palagian entra dans le hall, venant de la cafétéria. Il portait une chaussure à un pied et à l'autre une pantoufle, fendue sur un gros pansement. À peu près à l'endroit où devait se trouver son pouce, il y avait une tache de sang séché.

Lauren crut que Delphine ôterait l'écriteau en voyant M. Palagian. Mais non. Tout ce qu'elle lui dit fut, « Vous feriez bien de changer ce pansement dès que vous aurez une minute. »

M. Palagian approuva de la tête mais sans la regarder.

« Je redescends dans pas longtemps », lui dit-elle.

Sa chambre était au deuxième étage, sous le toit. Montant l'escalier en toussant, Lauren demanda, « Qu'est-ce qu'il a, son pied ? »

« Quel pied ? fit Delphine. Peut-être que quelqu'un y a marché dessus, faut croire. Peut-être avec le talon d'une chaussure, hein ? »

Le plafond de sa chambre était très en pente de part et d'autre d'une fenêtre en chien-assis. Il y avait un lit étroit, un lavabo, une chaise, une coiffeuse. Sur la chaise un réchaud électrique avec une bouilloire. Sur la coiffeuse, un enchevêtrement de maquillages, de peignes et de médicaments, une boîte métallique de thé en sachets et une autre de cacao en poudre. Le couvre-lit était de mince coton gaufré rayé d'ocre et de blanc, comme ceux des chambres de l'hôtel.

« C'est pas très bien arrangé, hein ? dit Delphine. Je passe pas beaucoup de temps ici. » Elle emplit la bouilloire au robinet du lavabo et brancha le réchaud, puis ôta le couvre-lit en tirant dessus d'un coup sec pour prendre une couverture. « Ôte-moi ce blouson, dit-elle. Enveloppe-toi bien au chaud là-dedans. » Elle tâta le radiateur. « Ça prend toute la journée pour que la chaleur monte jusqu'ici. »

Lauren fit ce qu'on lui disait. Deux tasses et deux cuillères sortirent du tiroir de la coiffeuse, deux mesures de cacao en poudre de la boîte. Delphine dit, « Je le fais seulement à l'eau chaude. Je pense que tu dois être habituée au lait. Je mets jamais de lait dans le thé ni dans rien. Quand j'en monte ici, il tourne. J'ai pas de réfrigérateur. »

« C'est très bien à l'eau », dit Lauren, alors qu'elle n'avait jamais bu de chocolat préparé de cette façon. Elle fut prise d'une envie soudaine d'être chez elle, emmitouflée sur le canapé, devant la télé.

« Bon, ben reste pas plantée là, dit Delphine d'une voix vaguement agacée ou nerveuse. Assieds-toi, mets-toi à l'aise. La bouilloire chauffe vite. »

Lauren s'assit au bord du lit. Soudain Delphine pivota sur elle-même, la saisit sous les bras — ce qui lui donna une nouvelle quinte de toux — et la hissa pour l'asseoir le dos contre le mur et les pieds dépassant du lit au-dessus du plancher. Ses souliers furent prestement ôtés et Delphine lui pressa les pieds pour voir si ses chaussettes étaient mouillées.

Non.

« Au fait ! J'ai dit que je te donnerais quelque chose pour ta toux. Où est mon sirop ? »

Du même tiroir, sortit un flacon à moitié plein d'un liquide ambré. Delphine en versa une cuillerée. « Ouvre la bouche, dit-elle. C'est pas trop mauvais. »

Lauren, quand elle eut dégluti, demanda, « Il y a du whisky dedans ? »

Delphine examina le flacon, qui n'avait pas d'étiquette.

« Ça le dit nulle part, je vois pas. Et toi ? Ton papa et ta maman vont nous faire une crise si je te donne une cuillère de whisky pour la toux ? »

« Des fois, mon papa me fait un grog. »

« Voyez-vous ça. »

À présent l'eau bouillait et fut versée dans les tasses. Delphine remuait rapidement, écrasant les grumeaux qui se formaient, leur parlant.

« Allez, salopards. Viens par là, toi. » Jouant la bonne humeur.

Delphine n'était pas dans son état normal ce jour-là. Elle semblait trop agitée, surexcitée, avec une colère sous-jacente peut-être. Et puis elle était trop volumineuse, trop remuante, et trop apprêtée pour cette chambre.

« Tu regardes la chambre, dit-elle, et je sais ce que tu penses. Tu penses, mince, ce qu'elle doit être pauvre. Pourquoi qu'elle a pas plus d'affaires ? Mais j'accumule pas. Pour la très bonne raison c'est que j'ai trop connu de fois où j'avais qu'à prendre mes cliques et mes claques et dégager. Suffit de s'installer, voilà qu'y se passe quelque chose et faut dégager. Mais je fais des économies. Y en a qui seraient surpris de ce que j'ai en banque. »

Elle donna sa tasse à Lauren et s'installa précautionneusement à la tête du lit, l'oreiller dans le dos, ses pieds dans leurs bas nylon sur le drap découvert. Lauren éprouvait un dégoût bien particulier pour les pieds en bas nylon. Pas pour les pieds nus, ni pour les pieds en chaussettes, ni pour les pieds dans des chaussures, ni pour les pieds en bas nylon dans des chaussures, seulement pour les pieds en bas nylon exposés à la vue, encore plus s'ils touchaient tout autre tissu. Ce n'était qu'un drôle de sentiment qui lui était personnel — comme celui qu'elle éprouvait devant les champignons, ou les céréales clapotant dans le lait.

« Quand t'es arrivée cet après-midi, j'étais triste, dit Delphine. Je pensais à une fille que j'ai connue et je me disais que j'aurais dû lui écrire une lettre si je savais où elle était. Joyce, elle s'appelait. Je pensais à ce qui lui était arrivé dans sa vie. »

Le poids du corps de Delphine creusait le matelas de telle sorte que Lauren avait du mal à ne pas glisser vers elle. L'effort qu'elle faisait pour ne pas se cogner contre ce corps la gênait et la poussait à essayer d'être particulièrement polie.

« Quand est-ce que vous la connaissiez ? demanda-t-elle. Quand vous étiez jeune ? »

Delphine rit. « Oui. Quand j'étais jeune. Elle était jeune aussi et elle avait dû partir de chez elle, elle fréquentait un mec et elle s'est fait avoir. Tu sais ce que ça veut dire ? »

« Oui, dit Lauren. Elle est tombée enceinte. »

« C'est ça. Alors elle traînait au hasard en se disant que ça passerait peut-être. Ha, ha. Comme un rhume. Le mec avec qui elle était avait déjà deux enfants d'une autre femme, à laquelle il était pas marié, mais qui était plus ou moins sa femme, et il pensait toujours à se remettre avec elle. Mais avant d'en arriver là il s'est fait serrer. Et elle aussi — Joyce aussi — parce qu'elle transportait des trucs pour lui. Qu'elle planquait dans des tubes de Tampax, tu sais à quoi ça ressemble ? Tu sais de quels trucs je parle ? »

« Oui, répondit Lauren aux deux questions. Bien sûr. De la dope. »

Delphine émit un bruit de gorge en avalant sa boisson. « Tout ça c'est top secret, tu le comprends ? »

Tous les grumeaux de cacao n'avaient pas été écrasés et dissous, et Lauren n'avait pas envie de les écraser avec la cuillère qui avait encore le goût du prétendu sirop pour la toux.

« Elle s'en est tirée avec le sursis, c'était donc pas si mal qu'elle soit enceinte, c'était ce qui lui avait permis de s'en sortir. Et puis ce qui est arrivé ensuite, c'est qu'elle a connu ce groupe de chrétiens qui connaissaient un docteur et sa femme qui après s'être s'occupés des filles jusqu'à l'accouchement faisaient tout de suite adopter leurs bébés. C'était pas non plus réglo cent pour cent, ils prenaient des sous pour les bébés, mais au moins comme ça, ça la mettait à l'abri des services sociaux. Voilà, elle a accouché et elle a même pas vu son bébé une seule fois. Tout ce qu'elle a su, c'est que c'était une fille. »

Lauren chercha des yeux une pendule. Il n'y en avait apparemment pas. La montre de Delphine était sous la manche de son chandail noir.

« Alors elle a quitté cette ville et puis il lui est arrivé des choses et puis d'autres et elle pensait plus à son enfant. Elle pensait qu'elle se marierait et qu'elle en aurait d'autres, seulement voilà, c'est pas arrivé. Ça la dérangeait pas tellement, d'ailleurs, vu certains des oiseaux avec lesquels ça n'arrivait pas. Elle s'est même fait opérer une ou deux fois pour que ça n'arrive pas. Tu sais quel genre d'opérations ? »

« Des avortements, dit Lauren. Quelle heure est-il ? »

« T'es quand même une gamine rudement bien informée, dit Delphine. T'as raison, oui. Des avortements. » Elle retroussa sa manche pour regarder sa montre. « Il est pas encore cinq heures. Qu'est-ce que je disais, oui, elle s'est mise à penser à cette petite fille et à se demander ce qu'elle était devenue, alors elle a commencé à faire des recherches. Pour une fois elle a eu de la chance et elle a retrouvé ces personnes. Le groupe chrétien, là. Il a fallu qu'elle soit un peu méchante avec eux mais elle a eu des renseignements. Elle a découvert le nom du couple qui avait pris la petite. »

Lauren se tortilla pour se lever. Manquant de trébucher sur la couverture, elle déposa sa tasse sur la coiffeuse.

« Il faut que j'y aille », dit-elle. Elle regarda par la petite fenêtre. « Il neige. »

« Sans blague ? En voilà une nouvelle ! Tu veux pas connaître la suite ? »

Lauren était en train de remettre ses souliers, s'efforçant de le faire d'un air absent pour que Delphine ne le remarque pas trop.

« Le mari était censé bosser pour un magazine, alors elle y est allée et on lui a dit qu'il y était plus mais on lui a aussi dit où qu'il était parti. Elle connaissait pas le nom qu'ils avaient donné à sa petite mais c'est une autre des choses qu'elle avait pu découvrir. On se douterait pas de tout ce qu'on peut découvrir tant qu'on a pas essayé. T'essayes de filer en douce ? »

« Il faut que j'y aille. J'ai mal au cœur. Je suis enrhumée. »

Lauren tirait sur le blouson que Delphine avait accroché à la haute patère derrière la porte. Comme elle n'arriva pas à le décrocher immédiatement, ses yeux s'emplirent de larmes.

« Je ne la connais même pas, moi, cette Joyce », dit-elle toute penaude.

Delphine fit passer ses pieds sur le plancher, se leva lentement du lit, posa sa tasse sur la coiffeuse.

« Si tu as mal au cœur, tu devrais t'allonger. Tu as dû boire trop vite, probable. »

« Je veux mon blouson, voilà. »

Delphine décrocha le blouson mais le tint trop haut. Quand Lauren l'attrapa, elle ne voulut pas le lâcher.

« Qu'est-ce qu'il y a ? demanda-t-elle. Ne me dis pas que tu pleures, tout de même ? Je n'aurais pas cru que t'étais le genre pleurnicheuse. Bon, bon. Le voilà. Je te taquinais, c'est tout. »

Lauren enfila les manches mais elle se savait incapable de faire coulisser la fermeture à glissière. Elle enfonça les mains dans les poches.

« Ça va ? demanda Delphine. Tu te sens bien, maintenant ? On est encore copines ? »

« Merci pour le chocolat. »

« Marche pas trop vite, si tu veux que ton mal au cœur se calme. »

Delphine se pencha sur elle. Lauren se rejeta en arrière, de peur que les cheveux blancs, le soyeux rideau froufroutant de cheveux, lui entrent dans la bouche.

Quand on est assez vieille pour avoir des cheveux blancs, il ne faut pas les laisser pousser.

« Je sais que tu peux garder un secret, je sais que pour tes visites, nos conversations et tout ça, tu gardes le secret. T'es une petite fille merveilleuse. Tiens. »

Elle posa un baiser sur la tête de Lauren.

« Tu n'as aucune raison de t'inquiéter de quoi que ce soit. »

De gros flocons de neige tombaient tout droit, laissant sur les trottoirs une couche poudreuse qui fondait en traînées noires là où les gens marchaient, avant de se remplir de nouveau. Les autos roulaient prudemment dans la lumière jaune et brouillée de leurs phares. Lauren se retournait de temps en temps pour s'assurer que personne ne la suivait. Elle ne voyait pas très bien avec la neige qui épaississait dans la lumière déclinante, mais elle crut ne voir personne.

La sensation dans son estomac était à la fois celle d'un gonflement et d'un creux. Il semblait possible qu'elle s'en débarrasse tout simplement, en mangeant ce qu'il fallait, de sorte que sitôt rentrée elle alla droit à la cuisine et se servit un bol des céréales habituelles de son petit déjeuner. Il ne restait pas de sirop d'érable mais elle dénicha un peu de sirop de blé. Elle resta debout dans la cuisine glaciale, mangea sans même avoir ôté ses chaussures et ses vêtements d'extérieur, regardant par la fenêtre le jardin fraîchement recouvert de blanc. La neige rendait les choses visibles même avec la lumière allumée dans la cuisine. Elle voyait son propre reflet sur le fond du jardin enneigé, des rochers noirs coiffés de neige et des branches de conifères ployant déjà sous le fardeau blanc. Elle avait à peine la dernière cuillerée dans la bouche qu'elle dut courir aux toilettes pour vomir le tout — céréales encore à peine altérées, sirop gluant, filaments luisants de chocolat pâle.

Quand ses parents rentrèrent, elle était étendue sur le canapé, encore en chaussures et blouson, et regardait la télévision.

Eileen lui ôta ses affaires d'extérieur et lui apporta une couverture, prit sa température — elle était normale —, puis lui palpa le ventre pour voir s'il était dur et lui fit replier le genou droit et le ramener sur la poitrine pour voir si ça lui faisait mal du côté droit. Eileen redoutait toujours l'appendicite, parce qu'elle avait été dans une fête — le genre de fête qui durait pendant plusieurs jours — où une fille était morte d'une péritonite, tout le monde étant trop stone pour se rendre compte de la gravité de la situation. Quand elle eut décrété que l'appendice de Lauren n'était pas en cause, elle partit préparer le dîner et Harry tint compagnie à sa fille.

« Je crois que tu as une écolicite aiguë, lui dit-il. J'en avais souvent dans le temps. Sauf que le remède était pas inventé quand j'étais petit. Tu sais ce que c'est ? Rester vautré sur le canapé à regarder la télé. »

Le lendemain matin, Lauren dit qu'elle avait encore mal au cœur, alors que ce n'était pas vrai. Elle refusa le petit déjeuner, mais sitôt que Harry et Eileen furent sortis, elle prit un gros petit pain à la cannelle, qu'elle mangea sans le réchauffer en regardant la télévision. Elle essuya ses doigts collants à la couverture qui l'enveloppait et essaya de penser à son avenir. Elle voulait le passer sur place, dans la maison, sur le canapé, mais à moins de pouvoir fabriquer une quelconque maladie authentique, elle ne voyait pas comment c'était possible.

Le journal télévisé était fini et un des feuilletons quotidiens diffusé. C'était un monde qui lui était devenu familier quand elle avait eu une bronchite au printemps dernier, et qu'elle s'était empressée d'oublier depuis. Malgré sa désertion, peu de choses semblaient avoir changé. La plupart des personnages étaient les mêmes — dans de nouvelles circonstances, bien sûr — et ils avaient le même comportement (noble, cruel, sensuel, triste), les mêmes regards dans le lointain, les mêmes phrases interrompues, évoquant des accidents et des secrets. Elle prit plaisir à les regarder un moment puis quelque chose s'insinua dans son esprit et se mit à la tarabuster. Des enfants et des adultes, dans ces histoires, se révélaient souvent appartenir à une famille bien différente de celle qu'ils avaient toujours crue la leur. Souvent des inconnus, parfois fous et dangereux, sortaient de nulle part avec des droits à faire valoir et des sentiments catastrophiques, et des vies en étaient bouleversées.

Cela lui avait peut-être paru une possibilité attirante mais c'était bien fini à présent.

Harry et Eileen ne fermaient jamais les portes à clé. Vous vous rendez compte, disait Harry — on vit dans un bled où on peut sortir sans jamais fermer sa porte à clé. Lauren se leva pour aller les fermer, celle de devant et celle de derrière. Puis elle tira les rideaux sur toutes les fenêtres. Il ne neigeait plus ce jour-là mais la nouvelle neige n'avait pas fondu. Elle était déjà teintée de gris, comme si elle était devenue vieille pendant la nuit.

Il n'y avait pas moyen qu'elle masque les petites fenêtres de la porte d'entrée. Il y en avait trois, en forme de larmes, disposées en diagonale. Eileen les détestait. Elle avait arraché les papiers peints et repeint les murs de cette maison bon marché de couleurs inattendues — bleu pastel, rose framboise, jaune citron. Elle avait décloué les affreuses moquettes et poncé les planchers, mais n'avait rien pu faire pour ces ridicules petites fenêtres.

Harry dit qu'elles n'étaient pas si mal, qu'il y en avait une pour chacun d'entre eux, et juste à la bonne hauteur, en plus, pour leur permettre à tous les trois de jeter un œil à l'extérieur. Il les appelait Papa Ours, Maman Ourse et Petite Ourse.

Quand le feuilleton fut fini et qu'une dame et un monsieur se mirent à parler de plantes d'intérieur, elle tomba dans un léger sommeil, se rendant à peine compte qu'elle dormait. Elle sut qu'elle devait avoir dormi quand elle s'éveilla d'un rêve. Elle avait rêvé d'une bête, une espèce de blaireau gris hivernal ou de renard dépenaillé — elle ne savait trop lequel des deux —, observant la maison en plein jour depuis le jardin de derrière. Dans le rêve, quelqu'un lui disait que cette bête était enragée parce qu'elle n'avait pas peur des hommes ni des maisons qu'ils habitaient.

Le téléphone sonnait. Elle tira la couverture sur sa tête pour ne pas l'entendre. Elle était sûre que c'était Delphine. Delphine, pour prendre de ses nouvelles, savoir pourquoi elle se cachait, ce qu'elle avait pensé de l'histoire qu'elle lui avait racontée, et quand elle allait revenir à l'hôtel.

En réalité c'était Eileen, pour demander comment elle se sentait et s'enquérir de l'état de son appendice. Eileen laissa sonner dix ou quinze fois, puis sortit du bureau du journal en courant, sans enfiler son manteau, et rentra à la maison en voiture. Trouvant la porte fermée à clé, elle la martela de coups de poing et secoua la poignée. Plaquant le visage contre la vitre Maman Ourse, elle cria le nom de Lauren. Elle entendait le son de la télévision. Elle courut jusqu'à la porte de derrière et recommença à marteler et à crier.

Lauren entendait tout cela, évidemment, la tête sous la couverture, mais il lui fallut un moment pour se rendre compte que c'était Eileen et pas Delphine. Quand elle s'en fut rendu compte, elle vint en tapinois dans la cuisine, la couverture traînant derrière elle, pensant encore à demi que la voix pouvait être une ruse.

« Mais bon Dieu qu'est-ce que tu as, qu'est-ce qui se passe? dit Eileen en la serrant précipitamment entre ses bras. Pourquoi c'était fermé à clé, pourquoi tu n'as pas répondu au téléphone, qu'est-ce que c'est encore que ce petit jeu? »

Lauren réussit à tenir pendant un quart d'heure environ, Eileen alternant les câlins et les cris. Puis elle s'effondra et raconta tout. Ce fut un grand soulagement mais, alors même qu'elle pleurait en frissonnant, elle pressentait que quelque chose d'intime et de complexe était troqué contre la sécurité et le réconfort. Il n'était pas possible de dire toute la vérité parce qu'elle-même ne parvenait pas à la démêler. Elle ne pouvait pas expliquer ce qu'elle avait voulu jusqu'au point de ne plus le vouloir du tout.

Eileen téléphona à Harry pour lui dire qu'il devait rentrer à la maison. Il faudrait qu'il rentre à pied, elle ne pouvait aller le chercher, elle ne pouvait pas quitter Lauren.

Elle alla déverrouiller la porte d'entrée et trouva une enveloppe qu'on avait glissée par la fente du courrier, mais sans timbre ni cachet et sur laquelle on n'avait rien écrit d'autre que LAUREN.

« Tu l'as entendue passer par la fente ? demanda-t-elle. Tu n'as entendu personne sur la véranda, mais merde, comment ça a pu arriver là ? »

Elle déchira l'enveloppe et en tira la chaîne en or avec le nom de Lauren.

« J'ai oublié de te raconter ça », dit Lauren.

« Il y a un mot. »

« Le lis pas ! s'écria Lauren. Le lis pas ! Je veux pas l'entendre ! »

« Sois pas idiote. Ça ne mord pas. Elle dit seulement qu'elle a téléphoné à l'école et que tu n'y étais pas, alors elle a pensé que tu étais malade et t'a envoyé ce cadeau pour te soutenir le moral. Elle dit qu'elle l'avait d'ailleurs achetée pour toi, que personne ne l'avait perdue. Qu'est-ce que ça veut dire ? Elle comptait te l'offrir pour tes onze ans, en mars, mais elle veut que tu l'aies maintenant. Où est-elle allée chercher que ton anniversaire était en mars ? C'est en juin, ton anniversaire. »

« Ça, je le sais », dit Lauren de la voix enfantine, boudeuse, épuisée, qu'elle avait pour l'heure retrouvée.

« Tu vois ? demanda Eileen. Elle se trompe tout le temps. C'est une folle. »

« Elle connaissait ton nom, tout de même. Elle savait où tu étais. Comment l'aurait-elle su, si je suis pas adoptée ? »

« Je n'ai pas la moindre idée de comment elle l'a su, mais elle se trompe. Elle se trompe d'un bout à l'autre. Écoute. On va demander un extrait de naissance. Tu es née à l'hôpital Wellesley, à Toronto. On t'y emmènera, je te montrerai la chambre que j'ai occupée… » Eileen regarda de nouveau le mot et le froissa en boule dans son poing.

« La salope. Elle téléphone à l'école, dit-elle. Elle vient chez nous. Elle est folle, cette salope. »

« Cache-le, ce truc, dit Lauren, parlant de la chaîne. Cache-la. Fais-la disparaître. Tout de suite. »

Harry n'était pas aussi en colère qu'Eileen.

« Elle m'a semblé parfaitement normale chaque fois que je lui ai parlé, dit-il. Elle ne m'a jamais rien dit de ce genre-là. »

« Je m'en doute, dit Eileen. C'est à Lauren qu'elle en avait. Il faut que tu ailles lui parler. Sinon je m'en charge. Je suis sérieuse. Aujourd'hui même. »

Harry dit qu'il irait. « Je vais la mettre au pas, dit-il. Absolument. Il n'y aura plus d'histoires. C'est lamentable. »

Eileen prépara tôt le déjeuner. Elle fit des hamburgers avec de la mayonnaise et de la moutarde, comme Lauren et Harry les aimaient. Lauren finit le sien avant de se rendre compte que c'était probablement une erreur de faire montre d'un tel appétit.

« Tu te sens mieux ? demanda Harry. Tu retournes à l'école cet après-midi ? »

« J'ai encore un rhume. »

Eileen dit, « Non. Pas d'école. Et je reste à la maison, cet après-midi. »

« Je ne vois pas en quoi c'est absolument nécessaire », dit Harry.

« Et tu lui donneras ça, dit Eileen en lui fourrant l'enveloppe dans la poche. T'occupe pas. Inutile que tu regardes, c'est un cadeau ridicule qu'elle a fait. Et dis-lui bien, plus jamais ce genre de choses si elle ne veut pas d'ennuis. Plus jamais. Jamais. »

Lauren n'eut plus à retourner à l'école, plus dans cette ville.

L'après-midi, Eileen téléphona à la sœur de Harry — à qui Harry ne parlait plus, à cause des critiques que le mari de sa sœur avait émises sur son mode de vie à lui, Harry — et elles parlèrent de l'école que la sœur avait fréquentée, une école privée de jeunes filles à Toronto. D'autres coups de téléphone suivirent. Rendez-vous fut pris.

« Ce n'est pas une question d'argent, dit Eileen. Harry en a suffisamment. Ou alors il peut s'en procurer. »

« Ce n'est pas seulement à cause de ce qui s'est passé, dit-elle. Tu ne mérites pas de grandir dans ce bled pourri. Tu ne mérites pas d'attraper leur accent de ploucs. J'y pense depuis longtemps. J'attendais seulement que tu sois un peu plus grande. »

Quand il rentra, Harry déclara que ça devait forcément dépendre de ce que voulait Lauren.

« Tu veux quitter la maison, Lauren ? Je croyais que tu te plaisais, ici. Que tu avais des copines. »

« Des copines ? dit Eileen. Elle avait cette bonne femme. Delphine. Tu lui as bien mis les points sur les i ? Elle a compris ? »

« Je les lui ai mis, dit Harry. Et elle a compris. »

« Tu lui as rendu son appât ? »

« Si on veut l'appeler comme ça, oui. »

« Elle ne fera plus d'histoires ? Elle a bien compris, fini les histoires ? »

Harry alluma la radio et ils écoutèrent les informations pendant le dîner. Eileen déboucha une bouteille de vin.

« En quel honneur ? demanda Harry d'une voix un peu menaçante. Qu'est-ce qu'on fête ? »

Lauren avait appris à connaître les signes et pensait savoir ce qui allait suivre à présent, ce qu'il allait falloir supporter, le prix de ce sauvetage miraculeux — de n'avoir jamais plus à retourner à l'école, ni de près ou de loin à l'hôtel, peut-être même de n'avoir jamais plus à marcher dans la rue, de ne jamais sortir de la maison avant les vacances de Noël.

Le vin pouvait être un de ces signes. Parfois. Et parfois pas. Mais quand Harry sortait la bouteille de gin et s'en versait un demi-verre, n'y ajoutant que de la glace — et bientôt il n'y ajouterait même plus de glace —, la suite devenait inéluctable. Tout pouvait rester joyeux mais d'une joie pleine de couteaux. Harry parlerait à Lauren et Eileen parlerait à Lauren, plus qu'aucun des deux ne lui parlait d'ordinaire. De temps en temps ils se parleraient l'un à l'autre d'une façon presque normale. Mais quelque chose de féroce et de désespéré resterait suspendu dans la pièce, qui n'aurait pas encore été exprimé en mots. Lauren espérerait, ou s'efforcerait d'espérer —, plus exactement, elle s'était autrefois efforcée d'espérer — qu'ils trouveraient on ne sait quel moyen d'empêcher la dispute d'éclater. Et elle avait toujours cru — elle le croyait encore — qu'elle n'était pas la seule à l'espérer. Ils l'espéraient, eux aussi. En partie. Mais une autre partie d'eux-mêmes désirait avidement ce qui allait venir. Ils n'avaient jamais surmonté cette avidité. Pas une seule fois, quand ce sentiment planait dans la pièce, ce changement dans l'air, la luminosité frappante qui accusait le contour de chaque forme, de chaque meuble, de chaque ustensile, les rendant plus tranchants et pourtant plus denses — pas une fois le pire n'avait pas suivi.

D'ordinaire, Lauren était incapable de rester dans sa chambre, il fallait qu'elle soit avec eux, qu'elle se jette sur eux, protestant et sanglotant, jusqu'à ce que l'un d'eux la prenne dans ses bras pour aller la recoucher en disant, « Ça va, ça va, fiche-nous la paix, voilà, fiche-nous la paix, c'est notre vie, il faut bien qu'on puisse en parler. » « Parler » signifiait parcourir la maison en prononçant des harangues pleines d'accusations précises auxquelles répondaient des démentis hurlés, jusqu'à ce qu'ils finissent par se bombarder de cendriers, de bouteilles, d'assiettes. Une fois, Eileen était sortie en courant se jeter sur la pelouse, arrachant des mottes de terre et de gazon, pendant que Harry sifflait depuis le seuil, « C'est ça, c'est le grand style, donne-toi en spectacle aux voisins ! » Un jour, Harry s'était enfermé dans la salle de bains en criant, « Il n'y a qu'un seul moyen d'échapper à cette torture. » L'une comme l'autre menaçaient de recourir aux comprimés et aux lames de rasoir.

« Oh mon Dieu, non ! On ne va pas remettre ça, avait un jour dit Eileen. S'il te plaît, je t'en supplie, arrêtons, ne recommençons pas. » Et il avait répondu d'une voix aiguë et geignarde, imitation cruelle de celle d'Eileen, « C'est toi qui recommences, tu n'as qu'à arrêter. »

Lauren avait cessé de chercher à comprendre sur quoi portaient ces disputes. C'était toujours pour une nouvelle raison (ce soir-là, allongée dans le noir, elle pensait que c'était probablement au sujet de son départ de la maison et du fait qu'Eileen en avait décidé toute seule) et toujours pour la même raison — qui leur appartenait, à laquelle ils ne pourraient jamais renoncer.

Elle avait aussi fini par surmonter l'idée qu'ils avaient l'un et l'autre un point faible — un défaut dans la cuirasse — que Harry plaisantait tout le temps parce qu'il était triste, et qu'Eileen était tranchante et dédaigneuse à cause de quelque chose d'impénétrable chez Harry qui semblait l'exclure — et que si elle, Lauren, parvenait à les expliquer l'un à l'autre, les choses s'arrangeraient.

Le jour suivant ils étaient muets, brisés, honteux, et bizarrement euphoriques. « Les gens ont besoin de le faire, c'est mauvais de réprimer ses sentiments, avait un jour expliqué Eileen à Lauren. Il y a même une théorie selon laquelle les colères rentrées donnent le cancer. »

Harry appelait ça des engueulades. « Pardon pour l'engueulade, disait-il. Eileen s'emporte très facilement. Tout ce que je peux dire, ma douce — oh, merde, tout ce que je peux te dire —, c'est que ce sont des choses qui arrivent. »

Cette nuit-là d'ailleurs, Lauren s'endormit avant qu'ils aient réellement commencé à faire des dégâts. Avant même d'être sûre qu'ils allaient en faire. La bouteille de gin n'avait pas encore paru quand elle partit se coucher.

Harry la réveilla.

« Pardon, dit-il. Excuse-moi, ma chérie. Tu veux bien te lever et descendre ? »

« C'est le matin ? »

« Non. C'est encore la nuit. Il est très tard. Eileen et moi on a besoin de te parler. On veut te parler de quelque chose. C'est plus ou moins au sujet de ce que tu sais déjà. Allez, viens. Tu veux tes chaussons ? »

« Je déteste les chaussons », lui rappela Lauren. Elle le précéda dans l'escalier. Il était encore habillé, Eileen était habillée aussi et attendait dans le couloir. Elle dit à Lauren, « Il y a quelqu'un d'autre que tu connais et qui est ici. »

C'était Delphine. Delphine était assise sur le canapé, elle portait un blouson de ski par-dessus ses habituels chandail et pantalon noirs. Lauren ne l'avait jamais vue en vêtements d'extérieur. Sa figure était affaissée, sa peau semblait bouffie, son corps immensément vaincu.

« On peut pas aller dans la cuisine ? » demanda Lauren. Elle ne savait pourquoi mais elle se sentirait plus en sécurité dans la cuisine. Un endroit moins personnel et où on pouvait toujours se raccrocher à la table, s'ils prenaient tous place autour.

« Lauren veut aller à la cuisine, nous irons à la cuisine », dit Harry.

Quand ils furent tous assis, il reprit, « Écoute, Lauren. J'ai expliqué que je t'avais parlé du bébé, de la petite fille que nous avons eue avant toi et de ce qui lui était arrivé. »

Il attendit jusqu'à ce que Lauren dise, « Oui. »

« Je peux dire un mot, maintenant ? demanda Eileen. Je peux parler à Lauren ? »

Harry dit, « Mais bien sûr. »

« Harry ne supportait pas l'idée d'un deuxième enfant, dit Eileen en regardant ses mains posées sur ses genoux, sous la table. Il ne supportait pas l'idée du chaos domestique que ça créerait. Il fallait qu'il puisse écrire. Il voulait arriver à quelque chose, alors il ne pouvait pas vivre dans le désordre et la désorganisation complète. Il voulait que je me fasse avorter et j'ai dit oui, et puis j'ai dit non, et puis j'ai dit oui, mais je n'ai pas pu et nous nous sommes disputés et j'ai pris mon bébé et je suis partie en voiture. Je comptais aller chez des amis. Je ne roulais pas trop vite et je n'avais absolument pas bu. C'était seulement le mauvais éclairage de la route et le mauvais temps. »

« Et aussi le fait que le porte-bébé était mal attaché », dit Harry.

« Mais passons, dit-il. Je n'ai pas insisté pour te faire avorter. J'ai dû mentionner cette possibilité, mais jamais je ne t'y aurais obligée. Je n'en ai pas parlé à Lauren parce que ça l'aurait perturbée. C'est forcément perturbant. »

« Oui, mais c'est vrai, dit Eileen. Lauren est capable de le supporter, elle sait bien que ce n'est pas comme s'il s'agissait d'elle. »

Lauren prit la parole, à sa propre surprise.

« C'est de moi qu'il s'agissait, dit-elle. Qui ça pouvait être d'autre, si ce n'était pas moi ? »

« Oui, mais ce n'est pas moi qui ai voulu le faire », dit Eileen.

« Tu n'as pas non plus vraiment *pas* voulu le faire », dit Harry.

Lauren dit, « Arrêtez. »

« C'est exactement ce qu'on s'est promis d'éviter, dit Harry. C'est pas exactement ce qu'on s'est promis ? Et on devrait présenter des excuses à Delphine. »

Delphine n'avait levé les yeux sur personne pendant cet échange. Elle n'avait pas approché sa chaise de la table. Elle n'eut pas l'air de remarquer que Harry prononçait son nom. Ce n'était pas seulement la défaite qui la faisait tenir coite. C'était le poids d'une obstination et même d'un dégoût dont Harry et Eileen ne pouvaient s'apercevoir.

« J'ai parlé à Delphine cet après-midi, Lauren. Je lui ai raconté pour le bébé. Je ne t'ai jamais dit que le bébé était adopté parce que tout aurait eu l'air pire — que nous ayons adopté ce bébé, et puis la façon dont on a merdé. On a essayé pendant cinq ans et jamais de grossesse, on n'y croyait plus, alors on a décidé d'adopter. Mais sa mère, au départ, c'était Delphine. On l'a appelée Lauren, et puis on t'a appelée Lauren — ça doit être parce que c'est notre prénom préféré et aussi ça nous donnait l'impression de recommencer à zéro. Et Delphine a voulu savoir ce que son enfant était devenue et a elle découvert que nous l'avions prise et tout naturellement elle a cru que c'était toi. Elle est venue ici pour te retrouver. Tout ça est si triste. Quand je lui ai raconté la vérité, il est très compréhensible qu'elle ait demandé des preuves. Et je lui ai donc dit de venir ici ce soir pour lui montrer les documents. Elle n'a jamais envisagé de t'enlever ni rien de ce genre, elle voulait seulement que vous soyez amies. Elle se sentait très seule et elle ne savait plus trop où elle en était. »

Delphine tira sur la fermeture Éclair de son blouson d'un coup sec, comme si elle avait besoin d'air.

« Et je lui ai dit que nous avions encore… que nous n'avions jamais eu la force de… ou que ça n'avait jamais eu l'air d'être le bon moment pour… » Il indiqua du geste la boîte en carton qui trônait au beau milieu du comptoir. « Alors je lui ai montré ça aussi. Et ce soir, en famille, maintenant que tout le monde sait de quoi il retourne, nous allons sortir pour le faire. Et nous débarrasser de tout — de tout ce malheur et de tous ces reproches. Delphine, Eileen et moi, et nous voulons que tu viennes avec nous — ça te va ? Tu es partante ? »

Lauren dit, « Je dormais. J'ai un rhume. »

« Tu as intérêt à faire ce que te dit Harry », dit Eileen.

Delphine n'avait toujours pas levé les yeux. Harry prit la boîte sur le comptoir et la lui donna. « Peut-être est-ce à vous qu'il revient de la porter, dit-il. Vous êtes partante ? »

« Tout le monde est partant, dit Eileen. En route. »

Delphine était plantée comme ça dans la neige, elle tenait la boîte, alors Eileen dit, « Vous permettez ? » et la lui prit respectueusement des mains. Elle l'ouvrit et allait la présenter à Harry, quand elle changea d'avis et la tendit à Delphine. Celle-ci y préleva une petite poignée de cendres, mais ne prit pas la boîte pour la faire passer. Eileen saisit à son tour une poignée et donna la boîte à Harry. Quand il y eut puisé des cendres, il s'apprêtait à tendre la boîte à Lauren mais Eileen dit, « Non. Elle n'est pas obligée. » Lauren avait déjà enfoncé les mains dans les poches.

Il n'y avait pas le moindre vent, de sorte que les cendres tombèrent là où Harry, Eileen et Delphine les avaient lâchées, dans la neige.

Eileen se mit à parler comme si elle avait mal à la gorge. « Notre Père qui êtes aux cieux... »

Harry dit d'une voix claire, « Recevez Lauren, qui était notre enfant, et que nous aimions tous... disons-le tous ensemble. » Il regarda Delphine, puis Eileen, et ils dirent tous, « Recevez Lauren », Delphine à voix très basse, marmonnant, celle d'Eileen pleine d'une sincérité enrouée et celle de Harry sonore, présidentielle, profondément sérieuse.

« Et nous lui disons au revoir et la confions à la neige... »

À la fin, Eileen dit en toute hâte, « Et pardonnez-nous nos péchés. Nos offenses. Pardonnez-nous nos offenses. »

Delphine prit place à l'arrière, avec Lauren, pour le trajet de retour. Harry lui avait tenu la portière ouverte pour qu'elle s'asseye à l'avant, à côté de lui, mais elle lui était passée devant d'un pas chancelant pour monter à l'arrière. Renonçant au siège le plus important, maintenant qu'elle n'était plus porteuse de la boîte. Elle plongea la main dans la poche de son blouson de ski et, dans le geste qu'elle fit pour en sortir un Kleenex, accrocha quelque chose qui tomba sur le plancher de la voiture. Un grognement lui échappa quand elle se baissa, la main tendue, pour tenter de retrouver l'objet, mais Lauren avait été plus rapide. Elle ramassa un des pendants d'oreilles qu'elle avait souvent vu Delphine porter — une cascade de perles irisées qui lui descendait aux épaules et étincelait à travers ses cheveux. Elle les portait sans doute ce soir-là, mais avait jugé préférable de les fourrer dans sa poche. Et le simple contact de ce pendant d'oreille, le contact de ces perles froides et brillantes qui lui glissaient entre les doigts lui fit désirer ardemment soudain qu'un certain nombre de choses disparaissent, que Delphine redevienne celle qu'elle avait été au début, assise au bureau de la réception de l'hôtel, pleine d'assurance gouailleuse et d'entrain.

Delphine ne dit pas un mot. Elle prit le pendant d'oreille sans que leurs doigts se touchent. Mais pour la première fois de la soirée Lauren et elle se regardèrent en face. Les yeux de Delphine s'agrandirent et pendant un instant il y passa une expression familière de moquerie et de complicité. Elle haussa les épaules et mit le pendant dans sa poche. Ce fut tout — à partir de là, elle ne fit que regarder la nuque de Harry.

Quand ce dernier ralentit pour la déposer à l'hôtel, il dit, « Ce serait bien si vous pouviez venir dîner avec nous, un soir où vous ne travailleriez pas. »

« Je travaille autant dire tout le temps », répondit Delphine. Elle sortit de la voiture et dit, « Au revoir », sans s'adresser à aucun des trois en particulier, et partit en marchant lourdement dans la bouillasse neigeuse du trottoir, vers l'hôtel.

Sur le trajet de la maison, Eileen dit, « Je savais qu'elle refuserait. »

Harry dit, « Ça se peut. Mais qui sait, l'invitation lui a fait plaisir quand même. »

« Elle se fiche bien de nous. La seule qui l'intéressait, c'était Lauren, quand elle pensait qu'elle était à elle. Maintenant, elle se fiche bien d'elle aussi. »

« Oui, eh bien, pas nous, dit Harry, élevant la voix. Pas nous parce qu'elle est à nous. »

« Nous, on t'aime, Lauren, dit-il. Je tiens à te le dire encore une fois. »

À elle. À nous.

Quelque chose picotait les chevilles nues de Lauren. Tendant la main, elle découvrit que des teignes de bardane, des grappes entières de teignes, s'accrochaient aux jambes de son pyjama.

« J'ai attrapé des teignes à travers la neige. J'en ai des centaines. »

« Je te les enlèverai à la maison, dit Eileen. Je n'y peux rien pour le moment. »

Lauren arrachait furieusement les teignes accrochées à son

pyjama. Dès qu'elle en eut détaché, elle s'aperçut qu'elles s'accrochaient à ses doigts. Elle essaya de les décoller avec l'autre main et en un clin d'œil elles s'accrochèrent à tous ses doigts. Elle en avait tellement assez de ces teignes qu'elle aurait voulu se frapper les mains en poussant des hurlements, mais elle savait que la seule chose à faire était de prendre son mal en patience.

Subterfuges

I

« J'en mourrai, avait dit Robin, un soir, voilà des années. Si ma robe n'est pas prête, j'en mourrai. »

Cela se passait dans la maison de bois vert sombre d'Isaac Street. Ils étaient sur la véranda fermée de moustiquaires. Willard Greig, le voisin d'à côté, jouait au rami à la table de bridge avec la sœur de Robin, Joanne. Robin était assise sur le canapé, sourcils froncés, un magazine entre les mains. L'odeur du tabac luttait contre celle de la sauce tomate mijotant à la cuisine d'une maison plus bas dans la rue.

Willard observa l'ébauche d'un sourire sur les lèvres de Joanne, avant qu'elle s'enquière d'un ton neutre, « Qu'est-ce que tu as dit ? »

« J'ai dit, j'en mourrai. » Robin n'était pas d'humeur à se laisser faire. « Si ma robe n'est pas prête d'ici demain, j'en mourrai. Chez le teinturier. »

« C'est bien ce que j'avais cru entendre. Tu en mourras ? »

On ne pouvait jamais coincer Joanne sur ce genre de remarque. Son ton était si bénin, son mépris si immensément coi, son sourire — aussitôt disparu — n'était que l'infime soulèvement d'un coin de sa bouche.

« Mais oui, c'est vrai, dit Robin, relevant le défi. Il me la faut absolument. »

« C'est qu'il la lui faut absolument, elle en mourra, c'est qu'elle va au théâtre », dit Joanne à Willard d'un ton confidentiel.

Willard dit, « Voyons, Joanne. » Ses parents, et lui-même, avaient été amis avec ceux des filles — pour lui, ces deux-là étaient encore *les filles* — et maintenant que tous les parents étaient morts, il estimait de son devoir d'empêcher, autant que possible, leur descendance de se crêper le chignon.

Joanne avait trente ans à présent, Robin, vingt-six. Joanne avait un corps d'enfant, la poitrine étroite, le visage long et cireux, et les cheveux bruns, fins et raides. Elle n'avait jamais cherché à faire croire qu'elle était autre chose qu'une personne malchanceuse, arrêtée dans sa croissance à mi-chemin entre l'enfance et la maturité féminine. Rachitique, handicapée en somme par un asthme grave et persistant depuis l'enfance. On ne s'attendait pas à ce qu'une personne qui avait cette appa-rence, une personne qui ne pouvait ni mettre le pied dehors en hiver ni être laissée à elle-même la nuit, puisse stigmatiser d'une façon si dévastatrice les moindres sottises des gens plus chanceux qu'elle. Ni posséder de telles réserves de mépris. Toute leur vie, semblait-il à Willard, il avait vu les yeux de Robin s'emplir de larmes rageuses, et entendu Joanne dire, « Qu'est-ce que tu as encore ? »

Ce soir-là Robin n'avait ressenti qu'une légère piqûre. Le lendemain était le jour où elle allait à Stratford, son jour, et elle avait déjà l'impression de vivre hors d'atteinte de Joanne.

« Quelle pièce joue-t-on, Robin ? demanda Willard, pour arranger les choses autant qu'il le pouvait. Est-elle de Shakes-peare ? »

« Oui. *Comme il vous plaira.* »

« Et tu arrives à suivre sans trop de difficulté ? La langue de Shakespeare ? »

Robin dit qu'elle y arrivait.

« Tu es prodigieuse. »

Il y avait cinq ans que Robin le faisait. Une pièce chaque été. Cela avait commencé quand elle vivait à Stratford, durant ses études d'infirmière. Elle y était allée avec une autre étudiante qui avait eu deux places gratuites par sa tante, qui travaillait aux costumes. La fille qui l'avait invitée s'était ennuyée à mort — c'était *Le Roi Lear* — de sorte que Robin avait tu ses propres sentiments. Elle n'aurait pas pu les exprimer de toute façon — elle aurait préféré quitter seule le théâtre, et n'avoir pas à parler à quiconque pendant au moins vingt-quatre heures. Sa décision avait dès lors été prise. Elle allait revenir. Et elle reviendrait seule.

Ce ne serait pas difficile. La ville où elle avait grandi, et où, par la suite, elle avait dû trouver du travail à cause de Joanne, n'était qu'à une cinquantaine de kilomètres. Les gens du lieu savaient que les pièces de Shakespeare étaient montées à Stratford, mais Robin n'avait jamais entendu dire que quiconque fût allé en voir une. Les gens comme Willard craignaient d'être regardés de haut par le public des habitués, tout en n'arrivant pas à comprendre la langue élisabéthaine. Et les gens comme Joanne étaient certains que personne, jamais, ne pouvait aimer Shakespeare pour de bon, et par conséquent que, si quelqu'un d'ici y allait, c'était pour se frotter au gratin, qui n'y prenait pas plaisir non plus mais tenait à le faire croire. Les rares habitants de la ville qui assistaient régulièrement à des représentations préféraient aller à Toronto, au Royal Alex, quand une comédie musicale de Broadway y venait en tournée.

Robin aimait être bien placée, de sorte qu'elle n'avait les moyens de s'offrir qu'un samedi en matinée. Elle choisissait une pièce que l'on donnait pendant un des week-ends où elle n'était pas de garde à l'hôpital. Elle ne la lisait jamais auparavant, et il lui était indifférent qu'il s'agisse d'une tragédie ou d'une comédie. Elle n'avait encore jamais vu personne de sa connaissance, au théâtre ou dans les rues, et cela faisait très bien son affaire. Une des infirmières avec qui elle travaillait lui avait dit, « Je n'oserais jamais faire ça toute seule », et Robin avait alors compris combien elle devait être différente de la plupart des gens. Elle ne se sentait jamais plus à l'aise qu'à ces moments-là, entourée d'inconnus. Après la pièce elle allait en se promenant jusqu'au centre-ville par la berge de la rivière, et trouvait un endroit bon marché où manger — d'ordinaire un sandwich, assise sur un tabouret au comptoir. Et à huit heures moins vingt, elle prenait le train du retour. C'était tout. Pourtant ces quelques heures l'emplissaient de la certitude que la vie à laquelle elle retournait, si improvisée et insatisfaisante à ses yeux, était temporaire seulement et facile à supporter. Et qu'il y avait une splendeur derrière, derrière cette vie, derrière tout, qu'exprimait la lumière du soleil à travers les vitres du train. La lumière du soleil et les longues ombres sur les champs de l'été, comme les restes de la pièce dans sa tête.

L'année précédente, elle avait vu *Antoine et Cléopâtre*. Après, elle s'était promenée le long de la rivière et avait remarqué qu'il y avait un cygne noir — le premier qu'elle ait jamais vu —, intrus subtil glissant sur l'eau pour se nourrir à une courte distance des blancs. Ce fut peut-être le lustre des ailes blanches de ces derniers qui lui fit penser à manger dans un vrai restaurant cette fois, pas à un comptoir. La nappe blanche, quelques fleurs fraîches, un verre de vin, et quelque chose d'inhabituel à manger, comme des moules, ou du poulet rôti. Elle fit un geste pour voir dans son sac, vérifier de combien elle disposait.

Et son sac n'était pas là. Le petit sac de tapisserie accroché à une chaîne argentée dont elle se servait rarement n'était pas passé à son épaule, il avait disparu. Elle avait parcouru seule la quasi-totalité du chemin entre le centre-ville et le théâtre sans remarquer sa disparition. Et bien sûr sa robe n'avait pas de poches. Elle n'avait pas de billet de retour, pas de rouge à lèvres, pas de peigne, et pas d'argent. Pas un sou.

Elle se rappelait que pendant toute la représentation elle avait tenu le sac sur ses genoux, sous son programme. Elle n'avait pas le programme non plus, à présent. Peut-être les deux avaient-ils glissé par terre? Mais non — elle se rappelait avoir le sac avec elle dans la cabine, aux toilettes des dames. Elle l'avait accroché par sa chaîne à la patère derrière la porte. Mais elle ne l'y avait pas laissé. Non. Elle s'était regardée dans le miroir au-dessus du lavabo, elle avait sorti le peigne pour arranger ses cheveux. Elle avait les cheveux noirs, et fins, et alors qu'elle se les représentait gonflés comme ceux de Jackie Kennedy et y mettait des rouleaux la nuit, ils avaient tendance à s'aplatir. Autrement, elle avait été contente de ce qu'elle voyait. Elle avait les yeux gris-vert et les sourcils noirs et sa peau bronzait naturellement, le tout était bien mis en valeur par sa robe cintrée de coton brillant, vert tendre, avec des rangées de petites fronces autour des hanches.

C'était là qu'elle l'avait laissé. Sur le comptoir près du lavabo. Elle s'était admirée, s'était tournée en regardant par-dessus son épaule pour apercevoir le V de sa robe dans le dos — elle pensait avoir un joli dos — et vérifier qu'il n'y avait ni bretelle ni attache de soutien-gorge apparentes.

Et sur une vague de vanité, de sotte autosatisfaction, elle était sortie triomphalement des toilettes des dames, y oubliant le sac.

Elle gravit la berge jusqu'à la rue et repartit vers le théâtre par le plus court chemin. Elle marchait aussi vite qu'elle pouvait. Il n'y avait pas d'ombre dans la rue et la circulation était intense dans la chaleur de cette fin d'après-midi. Elle courait presque. Cela fit que la sueur transperça les dessous-de-bras de sa robe. Elle traversa la fournaise du stationnement — maintenant vide — et s'engagea dans la montée. Pas plus d'ombre là-haut et personne en vue aux alentours du théâtre.

Mais il n'était pas fermé. Dans le foyer vide elle mit un instant à retrouver la vue après l'éclatante lumière du dehors. Elle sentait son cœur cogner, et des gouttes humides perler à sa lèvre supérieure. Les guichets étaient fermés, comme le comptoir des rafraîchissements. Les portes intérieures du théâtre étaient verrouillées. Elle descendit l'escalier menant aux lavabos, ses souliers claquant sur le marbre des marches.

Faites que ce soit ouvert, que ce soit ouvert et qu'il soit là.

Non. Il n'y avait rien sur le comptoir lisse et veiné, rien dans les poubelles, rien à aucune patère derrière aucune porte.

Un homme passait la vadrouille dans le foyer quand elle remonta. Il lui dit qu'on l'avait peut-être déposé aux objets trouvés mais que les objets trouvés étaient fermés. D'assez mauvaise grâce il laissa sa vadrouille pour la conduire au sous-sol par un autre escalier jusqu'à un réduit renfermant plusieurs parapluies, divers paquets, et même des vestes et des chapeaux et une étole de renard brunâtre d'aspect répugnant. Mais pas de sac à bandoulière en tapisserie.

« Pas de chance », dit-il.

« Et s'il était sous mon fauteuil ? » demanda-t-elle, suppliante, alors qu'elle était sûre qu'il ne pouvait y être.

« Le ménage a déjà été fait dans la salle. »

Elle n'avait donc plus qu'à remonter l'escalier, traverser le foyer et sortir dans la rue.

Elle s'éloigna du parking dans la direction opposée à celle par laquelle elle était arrivée, en quête d'ombre. Elle imaginait Joanne disant que l'homme de ménage avait déjà mis son sac de côté pour l'emporter chez lui et le donner à sa femme ou sa fille, voilà comment étaient les gens dans ce genre d'établissement. Elle cherchait des yeux un banc ou un muret bas pour s'y asseoir pendant qu'elle réfléchirait à la situation. Elle n'en vit nulle part.

Un grand chien la rejoignit par-derrière et la bouscula en passant. C'était un chien brun foncé avec de longues pattes et une expression arrogante et têtue.

« Junon. Junon, lança une voix d'homme. Regarde où tu vas. »

« C'est seulement qu'elle est jeune et malpolie, ajouta-t-il à l'adresse de Robin. Elle se croit propriétaire du trottoir. Elle n'est pas méchante. Vous avez eu peur ? »

Robin dit, « Non. » Elle était trop préoccupée par la perte de son sac et n'avait pas pensé qu'un chien pouvait l'agresser par-dessus le marché.

« Quand ils voient un doberman, les gens sont souvent effrayés. Ils ont la réputation d'être féroces et elle est dressée pour être féroce quand elle monte la garde. Mais pas quand elle se promène. »

C'était tout juste si Robin distinguait une race canine d'une autre. À cause de l'asthme de Joanne, il n'y avait jamais de chien ni de chat à la maison.

« Ce n'est rien, tout va bien », dit-elle.

Au lieu de poursuivre son chemin jusqu'à l'endroit où la chienne Junon attendait, son maître la rappela. Il attacha la laisse qu'il avait à la main à son collier.

« Je la lâche en bas, dans l'herbe. En contrebas du théâtre. Elle aime bien ça. Mais elle devrait être tenue en laisse ici. J'ai été paresseux. Vous êtes malade ? »

Robin ne fut même pas surprise du nouveau tour qu'avait pris la conversation. Elle répondit, « J'ai perdu mon sac. C'est ma faute. Je l'ai oublié au théâtre, près du lavabo dans les toilettes des dames, et j'y suis retournée mais il avait disparu. J'étais partie en l'oubliant là après la pièce. »

« Quelle pièce jouait-on aujourd'hui ? »

« *Antoine et Cléopâtre,* dit-elle. J'avais mon argent dedans et mon billet de train pour rentrer chez moi. »

« Vous êtes venue en train ? Pour voir *Antoine et Cléopâtre* ? »

« Oui. »

Elle se rappela le conseil que leur mère leur avait donné à elle et Joanne à propos des voyages en train ou des voyages de toute sorte. Avoir toujours un ou deux billets pliés épinglés à son sous-vêtement. Et aussi de ne pas engager la conversation avec des inconnus.

« Pourquoi souriez-vous ? » demanda-t-il.

« Je ne sais pas. »

« Eh bien, vous pouvez continuer à sourire, dit-il, parce que je serai heureux de vous prêter un peu d'argent pour le train. À quelle heure part-il ? »

Elle le lui dit et il reprit, « Très bien. Mais avant, vous devriez manger quelque chose. Sans quoi la faim vous empêchera de profiter de votre voyage en train. Je n'ai rien sur moi parce que, quand je sors promener Junon, je n'emporte pas d'argent. Mais on n'est pas loin de ma boutique. Venez avec moi et je le prendrai dans la caisse. »

Elle avait été trop préoccupée, jusqu'alors, pour remarquer qu'il s'exprimait avec un accent. Mais lequel ? Ni français ni hollandais — les deux accents qu'elle pensait pouvoir reconnaître, le français en souvenir de l'école et le hollandais à cause des immigrants qui comptaient de temps à autre parmi les patients de l'hôpital. Et l'autre chose qu'elle remarqua fut qu'il avait parlé de profiter de son voyage en train. Personne de sa connaissance n'aurait jamais dit cela à propos d'un adulte. Mais lui l'avait mentionné comme si c'était tout à fait naturel et nécessaire.

À l'angle de Downie Street, il dit, « Nous tournons par là. Ma maison est un peu plus loin. »

Il dit *maison,* alors qu'il avait dit *boutique.* Mais il se pouvait que sa boutique fût dans sa maison.

Elle n'était pas inquiète. Par la suite elle se posa des questions à ce propos. Sans l'ombre d'une hésitation elle avait accepté l'aide qu'il offrait, l'avait autorisé à se porter à son secours, avait trouvé tout à fait naturel qu'il ne prenne pas d'argent sur lui pendant ses promenades mais puisse retourner le chercher dans la caisse de sa boutique.

Une des raisons pouvait en être son accent. Il y avait des infirmières qui se moquaient de l'accent des paysans hollandais et de leurs épouses — derrière leur dos, bien sûr. Du coup Robin avait pris l'habitude de traiter ces gens-là avec une considération particulière, comme s'ils avaient des difficultés d'élocution, voire un retard mental, alors qu'elle savait que c'était inepte. L'accent éveillait par conséquent en elle une certaine bienveillance, une certaine politesse.

Et elle ne l'avait pas examiné de près, pas du tout. Au début elle était trop bouleversée, et après ce n'était pas facile, parce qu'ils marchaient côte à côte. Il était grand, avec de longues jambes, et marchait vite. Une chose qu'elle avait remarquée était le soleil brillant dans ses cheveux, qui étaient coupés ras et, lui sembla-t-il, argentés. C'est-à-dire gris. Son front, haut et large, brillait au soleil, lui aussi, et elle en avait sans trop savoir comment conçu l'impression qu'il était d'une génération antérieure à la sienne — le genre de personne courtoise, encore que vaguement impatiente, assez maître d'école, hautaine et impérieuse, commandant le respect, jamais la familiarité. Plus tard, à l'intérieur, elle put voir que la chevelure grise était mêlée de rouille — alors que sa peau avait une teinte olivâtre inhabituelle pour un roux — et que, dans la maison, ses mouvements étaient parfois gauches, comme s'il n'était pas habitué à avoir de la compagnie chez lui. Il n'avait probablement guère que dix ou onze ans de plus qu'elle.

Elle lui avait fait confiance pour de mauvaises raisons. Mais n'avait pas eu tort de lui faire confiance.

La boutique était réellement dans une maison. Une étroite maison de brique, vestige d'une époque précédente, dans une rue bordée pour le reste de bâtiments conçus pour que le rez-de-chaussée soit occupé par une boutique. Elle possédait la porte d'entrée avec deux marches et la fenêtre d'une maison ordinaire, et derrière cette fenêtre il y avait une pendule chantournée. Il déverrouilla la porte mais ne retourna pas l'écriteau *Fermé.* Junon les bouscula tous les deux pour entrer la première et de nouveau il s'excusa pour elle.

« Elle croit que sa tâche est de s'assurer qu'il n'y a personne dans la maison qui ne devrait pas y être, et que rien n'a changé depuis que nous sommes sortis. »

C'était plein de pendules. De bois sombre ou clair, ornées de figures peintes et de dômes dorés. Il y en avait sur des étagères, le plancher et même le comptoir servant aux transactions commerciales. Au-delà, il y en avait quelques-unes sur des établis, le ventre ouvert découvrant leurs entrailles. Junon se glissa entre elles sans en heurter aucune et on entendit son pas lourd dans un escalier.

« Vous intéressez-vous aux pendules ? »

Robin dit, « Non », avant de songer à être polie.

« Très bien, je n'ai donc pas à faire mon numéro », dit-il, et il la conduisit par le chemin qu'avait pris Junon, passant devant une porte qui était probablement celle d'un petit coin, jusqu'à un escalier raide qu'ils gravirent. Puis ils se retrouvèrent dans une cuisine où tout était propre, brillant et bien rangé, et où Junon attendait à côté d'une écuelle rouge en remuant la queue.

« Tu attends, dit-il. Oui. Tu attends. Tu ne vois pas que nous avons une invitée ? »

Il s'écarta pour faire passer Robin dans le grand salon, qui n'avait ni tapis sur les larges planches de bois peint du sol, ni rideaux, seulement des stores aux fenêtres. Il y avait une chaîne stéréo qui occupait une bonne part de l'espace contre un mur, et un canapé adossé au mur opposé, du genre qu'on devait tirer pour le transformer en lit. Deux fauteuils de toile et une petite bibliothèque avec des livres sur une étagère et des magazines sur les autres, soigneusement empilés. Pas d'images d'aucune sorte au mur, pas de coussins, aucun ornement. Une pièce de célibataire, tout y étant délibéré et nécessaire, proclamant une certaine satisfaction austère. Très différente du seul autre logement de célibataire avec lequel Robin était familière — celui de Willard Greig, qui ressemblait plutôt à un campement mélancolique établi par hasard au milieu du mobilier de ses parents défunts.

« Où voulez-vous vous asseoir ? demanda-t-il. Le canapé ? Il est plus confortable que les fauteuils. Je vais vous faire une tasse de café et vous attendrez ici en le buvant pendant que je prépare le dîner. Que faites-vous les autres fois, entre la fin de la pièce et le retour en train ? »

Les étrangers ne parlent pas comme tout le monde, ils laissent un peu d'espace autour de leurs mots, comme les acteurs.

« Je me promène, dit Robin. Et je mange un morceau. »

« La même chose qu'aujourd'hui, en somme. Vous vous ennuyez quand vous mangez seule ? »

« Non. Je pense à la pièce. »

Le café était très fort, mais elle s'y fit. Elle n'avait pas l'impression de devoir lui proposer son aide à la cuisine, comme elle eût fait avec une femme. Elle se leva et traversa la pièce presque sur la pointe des pieds pour aller prendre un magazine. Et à l'instant où elle le prit elle sut que ce serait inutile — les magazines étaient tous imprimés sur du papier jaunâtre de mauvaise qualité dans une langue qu'elle ne pouvait ni lire ni reconnaître.

De fait elle se rendit compte, quand elle l'eut ouvert sur ses genoux, qu'elle ne reconnaissait même pas toutes les lettres.

Il vint apporter encore du café.

« Ah, dit-il. Vous savez donc lire ma langue ? »

Cela semblait sarcastique mais ses yeux évitaient ceux de Robin. C'était presque comme si, chez lui, il était devenu timide.

« Je ne sais même pas quelle langue c'est », répondit-elle.

« C'est du serbe. Certains disent serbo-croate. »

« C'est de là que vous venez ? »

« Je suis du Monténégro. »

Du coup elle fut désarçonnée. Elle ne savait pas où était le Monténégro. À côté de la Grèce. Non — ça, c'était la Macédoine.

« Le Monténégro est en Yougoslavie, dit-il. C'est ce qu'on nous raconte. Mais ce n'est pas notre avis. »

« Je croyais qu'on ne pouvait pas sortir de ces pays-là, dit-elle. Les pays communistes. Je ne pensais pas qu'on pouvait en sortir simplement, comme des gens ordinaires, pour aller à l'Ouest. »

« Si, si, on peut. » Il parlait comme si ça ne l'intéressait pas beaucoup ou comme s'il avait oublié. « On peut en sortir si on le veut vraiment. Il y a presque cinq ans que je suis parti. Et de nos jours c'est plus facile. D'ici peu je vais y retourner et ensuite je compte bien en repartir. Maintenant, il faut que j'aille préparer votre dîner. Sinon vous serez affamée en partant. »

« Rien qu'une chose, dit Robin. Pourquoi est-ce que je ne peux pas lire ces caractères ? Je veux dire, qu'est-ce que c'est ? L'alphabet de là d'où vous venez ? »

« L'alphabet cyrillique. Comme le grec. Maintenant je vais faire la cuisine. »

Assise avec ces pages bizarrement imprimées ouvertes sur les genoux, elle songea qu'elle avait pénétré dans un monde étranger. Un petit bout d'un monde étranger dans Downie Street à Stratford. Le Monténégro. L'alphabet cyrillique. Ce serait probablement grossier, pensa-t-elle, de continuer à lui poser des questions. Lui donner l'impression d'être un spécimen de laboratoire. Il allait falloir qu'elle se maîtrise alors même qu'elle aurait pu concevoir à présent une ribambelle de questions.

Toutes les pendules du rez-de-chaussée — ou presque toutes — se mirent à carillonner l'heure. Il était déjà sept heures.

« Y a-t-il un train plus tard ? » demanda-t-il en élevant la voix depuis la cuisine.

« Oui. À dix heures moins cinq. »

« Cela pourra aller ? Quelqu'un risque-t-il de s'inquiéter pour vous ? »

Elle dit que non. Joanne serait contrariée, ce n'était pas exactement la même chose que s'inquiéter.

Le dîner était un ragoût ou une soupe épaisse, servi dans un bol, accompagné de pain et de vin rouge.

« Stroganov, dit-il. J'espère que ça vous plaît. »

« C'est délicieux », dit-elle sincèrement. Elle était moins sûre pour le vin — elle l'aurait préféré plus doux. « C'est ce qu'on mange au Monténégro ? »

« Pas précisément. La cuisine monténégrine n'est pas très bonne. Nous ne sommes pas célèbres pour notre gastronomie, au Monténégro. »

Cela l'autorisait certainement à demander, « Pour quoi êtes-vous célèbre, alors ? »

« Au Canada ? »

« Non. Dans le monde, »

« Mais non, je voulais dire, et au Canada, pour quoi êtes-vous célèbres ? »

Cela la vexa. Elle se sentit idiote. Elle n'en rit pas moins.

« Je ne sais pas. Pour rien, je crois. »

« Les Monténégrins, eux, sont célèbres pour leurs cris, leurs hurlements et leurs bagarres. Ils sont comme Junon. Ils manquent de discipline. »

Il se leva pour mettre de la musique. Il ne demanda pas ce qu'elle avait envie d'entendre, et ce fut un soulagement. Elle ne voulait pas qu'on lui demande quels étaient ses compositeurs préférés, alors que les deux seuls noms qui lui venaient à l'esprit étaient Mozart et Beethoven et qu'elle n'était pas sûre de distinguer leur œuvre l'une de l'autre. Ce qu'elle aimait en réalité, c'était la musique folklorique mais elle pensa qu'il risquait de trouver cette préférence agaçante et condescendante, la rapportant à une idée qu'elle se faisait peut-être du Monténégro.

Il mit une espèce de jazz.

Robin n'avait jamais eu d'amant, ni même de petit copain. Comment cela s'était-il fait, ou pas fait ? Elle ne le savait pas. Il y avait Joanne, bien sûr, mais d'autres filles avec le même genre de charge s'étaient débrouillées. Une des raisons possibles était qu'elle n'avait pas accordé à la chose assez d'attention, assez tôt. Dans la ville où elle vivait, la plupart des filles avaient noué des liens sérieux avec quelqu'un avant d'avoir fini le secondaire, que certaines ne finissaient d'ailleurs pas, le quittant pour se marier. Certes, les filles des privilégiés — les rares filles que leurs parents avaient les moyens d'envoyer à l'université — étaient censées se détacher de leur petit copain de l'école avant de s'en aller, en quête d'un meilleur parti. Les garçons qu'elles quittaient ne tardaient pas à être récupérés, et celles qui n'avaient pas agi assez rapidement n'avaient plus alors qu'un choix fort réduit. Au-delà d'un certain âge, tout nouveau venu amenait le plus souvent une épouse dans ses bagages.

Mais Robin avait eu sa chance, elle était partie faire une formation d'infirmière, ce qui aurait dû lui offrir un nouveau départ. Les élèves infirmières pouvaient espérer mettre le grappin sur un médecin. Là encore, elle avait échoué. Elle ne s'en était pas rendu compte sur le moment. Elle était trop sérieuse, peut-être le problème était-il là. Trop sérieuse à propos de choses comme *Le Roi Lear* et pas de l'usage qu'on pouvait faire des bals et des parties de tennis. Une certaine forme de sérieux chez une fille pouvait faire oublier qu'elle était jolie. Mais elle aurait eu du mal à trouver un seul cas où elle avait envié à une fille l'homme qu'elle avait conquis. En fait, il n'existait encore personne qu'elle ait regretté de n'avoir pas épousé.

Elle n'avait pourtant rien contre le mariage en général. Elle attendait, voilà tout, comme si elle avait eu quinze ans, et ne faisait face que par moments à sa vraie situation. De temps à autre une de ses collègues de travail l'invitait pour lui présenter quelqu'un et elle était toujours ébahie du parti qu'on avait cru envisageable pour elle. Et récemment Willard lui-même l'avait effrayée, quand il avait évoqué en plaisantant la possibilité d'emménager un jour avec elle pour l'aider à s'occuper de Joanne.

Déjà certains l'excusaient, quand ils ne chantaient pas ses louanges, convaincus qu'elle avait décidé dès le début de consacrer sa vie à Joanne.

Quand ils eurent fini de manger, il lui proposa de faire une promenade sur les berges de la rivière avant de prendre son train. Elle accepta et il dit que ce ne serait pas possible à moins de savoir comment elle s'appelait.

« Je pourrais avoir besoin de vous présenter », dit-il.

Elle le lui dit.

« Robin comme l'oiseau ? »

« Comme Robin Redbreast[1] », ce qu'elle avait déjà dit bien des fois sans y réfléchir. Là, elle en fut si gênée que tout ce qu'elle put faire était de continuer à parler sans la moindre retenue.

« À votre tour de me dire comment vous vous appelez. » Il s'appelait Daniel. « Danilo. Mais ici, Daniel. »

« Ici c'est ici, dit-elle, toujours du ton déluré qui avait résulté de sa gêne à propos de Robin Redbreast. Mais là-bas, c'est où ? Au Monténégro — vous habitez dans une ville ou à la campagne ? »

« Je vivais dans les montagnes. »

Tant qu'ils avaient été assis dans la pièce au-dessus de sa boutique, il y avait eu entre eux une certaine distance et elle n'avait jamais craint — ni jamais espéré — que cette distance soit modifiée par un quelconque mouvement, brusque, maladroit ou sournois, de son vis-à-vis. Les rares fois où cela s'était produit avec d'autres hommes, elle en avait été gênée pour eux. À présent, avec cet homme, ils marchaient forcément assez près l'un de l'autre et quand ils croisaient quelqu'un leurs bras pouvaient se frôler. Ou bien il se placerait un peu derrière elle pour libérer le passage et la heurterait du bras ou de la poitrine, l'espace d'une seconde. Ces possibilités et la conviction que les gens qu'ils croisaient devaient voir en eux un couple, mettaient comme une espèce de bourdonnement, de tension en travers de ses épaules et le long de son bras.

Il l'interrogea à propos d'*Antoine et Cléopâtre,* avait-elle aimé la pièce (oui) et quelle partie elle en avait préféré. Ce qui lui vint alors à l'esprit, ce furent quelques étreintes osées et convaincantes, mais elle ne put le dire.

---

1. *Robin Redbreast* désigne en anglais le merle d'Amérique. Mais c'est surtout le nom du héros de bien des contes et comptines. En l'occurrence, la prude Robin entend littéralement « Poitrine Rouge », « Seins Rouges ».

« Le moment, à la fin, dit-elle, où elle va mettre l'aspic sur son corps — elle s'apprêtait à dire *poitrine* et avait changé, mais *corps* ne sonnait guère mieux — et que le vieillard entre avec un panier de figues où l'aspic est caché, et qu'ils en plaisantent, en quelque sorte. Je crois que ça m'a plu parce que ce n'est pas à cela qu'on s'attendait à ce moment-là. Je veux dire, il y a d'autres choses qui m'ont plu aussi, toute la pièce m'a plu, mais ça, c'était particulier. »

« Oui, dit-il. Moi aussi ça me plaît. »

« Vous l'avez vue ? »

« Non. J'économise mon argent pour le moment. Mais j'ai beaucoup lu Shakespeare autrefois, les élèves le lisaient quand ils apprenaient l'anglais. Pendant la journée j'apprenais l'horlogerie, et la nuit l'anglais. Et vous, qu'avez-vous appris ? »

« Pas grand-chose, dit-elle. Pas au secondaire. Après, j'ai appris ce qu'il faut savoir pour être infirmière. »

« Ça fait beaucoup à apprendre, pour être infirmière. Il me semble. »

Après, ils parlèrent de la fraîcheur du soir, si bienvenue, des nuits qui s'allongeaient nettement, alors qu'il restait encore tout le mois d'août à traverser. Et de Junon, qui avait voulu venir avec eux mais s'était immédiatement couchée quand il lui avait rappelé qu'elle devait garder la boutique. Cette conversation donnait de plus en plus l'impression d'être un subterfuge concerté, un écran convenu masquant ce qui devenait sans cesse plus inévitable, plus nécessaire, entre eux.

Mais dans la lumière de la gare, tout ce qui était prometteur, ou mystérieux, fut immédiatement dissipé. Il y avait des gens qui faisaient la queue au guichet, il se plaça derrière eux, attendant son tour, et acheta le billet de Robin. Ils sortirent sur le quai où des voyageurs attendaient.

« Si vous voulez bien écrire votre nom et votre adresse sur un bout de papier, dit-elle, je vous enverrai l'argent aussitôt. »

Maintenant ça va arriver, songea-t-elle. Et *ça* n'était rien. Maintenant rien ne va arriver. Au revoir. Merci. Je vous enverrai l'argent. Ce n'est pas pressé. Merci. Il n'y a pas de quoi. Merci quand même. Au revoir.

« Allons par là », dit-il. Et ils longèrent le quai en s'éloignant de la lumière.

« Ne vous donnez pas la peine d'envoyer l'argent, cela vaut mieux. C'est une si petite somme et elle risque de ne pas arriver ici, parce que je vais m'en aller très bientôt. Le courrier met parfois longtemps. »

« Oh, mais il faut que je vous rembourse. »

« Alors je vais vous dire comment me rembourser. Vous m'écoutez ? »

« Oui. »

« Je serai ici l'été prochain. Au même endroit. La même boutique. J'y serai de retour en juin au plus tard. L'été prochain. Vous choisirez donc votre pièce et vous viendrez ici en train et vous viendrez à la boutique. »

« Je vous rembourserai à ce moment-là ? »

« Oh oui. Et je ferai à dîner et nous boirons du vin et je vous raconterai tout ce qui est arrivé pendant cette année et vous me le raconterez. Et je veux encore autre chose. »

« Quoi ? »

« Vous porterez la même robe. Votre robe verte. Et la même coiffure. »

Elle rit. « Pour que vous me reconnaissiez. »

« Oui. »

Ils étaient à l'extrémité du quai et il dit, « Faites attention, là », puis, « Ça va ? » en descendant sur le gravier.

« Ça va », dit Robin avec un tremblement dans la voix dû à la surface inégale du gravier ou peut-être parce qu'il l'avait à présent saisie par les épaules puis descendait les mains le long de ses bras nus.

« C'est important que nous nous soyons rencontrés, dit-il. Je le crois. Le croyez-vous ? »

Elle dit, « Oui. »

« Oui. Oui. »

Il glissa les mains sous ses bras pour la tenir plus serré, autour de la taille, et ils s'embrassèrent et s'embrassèrent.

Une conversation de baisers. Subtile, captivante, intrépide, qui la transforma. Quand ils s'arrêtèrent, tous deux tremblaient, et ce fut au prix d'un effort qu'il maîtrisa sa voix, s'efforça de prendre un ton objectif et détaché.

« Nous n'écrirons pas de lettres, les lettres ne sont pas une bonne idée. Nous nous souviendrons seulement l'un de l'autre et l'été prochain nous nous retrouverons. Inutile de me le faire savoir. Il vous suffira de venir. Si vos sentiments sont restés les mêmes, vous viendrez, voilà tout. »

Ils avaient entendu le train approcher. Il l'avait aidée à remonter sur le quai, puis ne l'avait plus touchée, se contentant de marcher d'un pas vif à côté d'elle, cherchant quelque chose dans sa poche.

Juste avant de la quitter, il lui avait tendu un morceau de papier plié. « J'ai écrit dessus avant que nous sortions de la boutique », avait-il dit.

Dans le train elle avait lu son nom. *Danilo Adzic.* Et les mots *Bjelojevici. Mon village.*

Elle rentra à pied de la gare, sous les arbres feuillus et sombres. Joanne n'était pas couchée. Elle faisait une réussite.

« Je suis désolée d'avoir raté le premier train, dit Robin. J'ai dîné. J'ai mangé un stroganov. »

« C'est donc ça cette odeur. »

« Et j'ai bu un verre de vin. »

« Oui, ça aussi, je le sens. »

« Je crois que je vais monter me coucher tout de suite. »

« Je crois que tu ferais mieux, oui. »

Traînant après soi des nuages de gloire, songea Robin en montant l'escalier. *Venant de Dieu qui est notre demeure*[2].

---

2. Wordsworth, *Intimations of Immortality.*

Comme c'était sot, et même sacrilège, si on arrivait à croire au sacrilège. Se faire embrasser sur un quai de gare et s'entendre dire de revenir dans un an. Si Joanne l'apprenait, que dirait-elle? Un étranger. Les étrangers choisissent des filles dont personne d'autre ne veut.

Pendant une quinzaine de jours les deux sœurs s'adressèrent à peine la parole. Puis, constatant qu'il n'y avait ni coups de téléphone ni lettres et que Robin sortait le soir seulement pour aller à la bibliothèque, Joanne se détendit. Elle savait que quelque chose avait changé mais pensait que ce n'était pas grave. Elle se mit à en plaisanter avec Willard.

Devant Robin, elle dit, « Sais-tu que mademoiselle ici présente a maintenant de mystérieuses aventures à Stratford? Mais oui. Je te le dis. Elle est rentrée sentant l'alcool et le goulasch. Sais-tu l'odeur que ça a? Celle du vomi. »

Elle pensait probablement que Robin était allée dans un restaurant excentrique, proposant des plats européens, et avait commandé un verre de vin avec son repas, se croyant très raffinée.

Robin allait à la bibliothèque pour se documenter sur le Monténégro.

« Pendant plus de deux siècles, lut-elle, les Monténégrins ont tenu tête aux Albanais et aux Turcs, ce qui pour eux représentait la presque totalité du devoir d'un homme. (Ce qui vaut aux Monténégrins une réputation de dignité, de pugnacité et d'aversion pour le travail, ce dernier trait étant la cible traditionnelle de plaisanteries yougoslaves.) »

Quels étaient ces deux siècles, elle ne put le découvrir. Elle lut des histoires de rois, de guerres, d'assassinats, et le plus grand de tous les poèmes serbes, intitulé « La guirlande des montagnes », écrit par un roi monténégrin. C'est à peine si elle avait retenu un mot de ce qu'elle avait lu. À l'exception du nom, le vrai nom du Monténégro, qu'elle ne savait comment prononcer. *Crna Gora.*

Elle regarda des cartes, où il était assez difficile de situer le pays lui-même, mais possible, pour finir, à l'aide d'une loupe, de se familiariser avec les noms de diverses villes (Bjelojevici n'étant pas du nombre), et avec les cours d'eau Moraca et Tara, et les chaînes de montagnes qui semblaient être partout sauf dans la vallée de la Zeta.

Son besoin de mener cette enquête était difficile à expliquer, et elle n'essayait d'ailleurs pas de l'expliquer (encore, bien sûr, que sa présence à la bibliothèque ait été remarquée, et sa concentration). Ce qu'elle essayait peut-être de faire — et en quoi elle réussit au moins à moitié — était d'inscrire Danilo dans un lieu réel et un passé réel, de penser que ces noms qu'elle apprenait devaient lui être connus, que cette histoire devait être celle qu'il avait apprise à l'école, que certains de ces lieux devaient avoir été visités par lui dans son enfance ou sa jeunesse. Et l'étaient peut-être encore à présent. Quand elle touchait un nom imprimé du bout du doigt, ç'aurait pu être l'endroit même où il se trouvait à cet instant-là.

Elle s'efforça aussi d'apprendre dans des livres et des diagrammes des rudiments d'horlogerie, mais sans succès.

Il ne la quittait plus. Il était là dans sa pensée quand elle s'éveillait, comme pendant les accalmies, au travail. Les célébrations de Noël l'amenèrent par la pensée aux cérémonies de l'Église orthodoxe, découvertes au cours de ses lectures, prêtres barbus dans leur chasuble d'or, cierges et encens, et basses profondes psalmodiant tristement dans une langue étrange. Le temps froid et la glace qui avait pris le lac jusque fort loin de ses rives la firent songer à l'hiver dans les montagnes. Elle avait l'impression d'avoir été choisie pour être reliée à cette lointaine partie du monde, choisie pour un destin différent. Tels étaient les mots dont elle se servait pour elle-même. *Destin. Amant.* Pas *petit ami. Amant.* Parfois elle songeait à la façon détachée dont il avait parlé comme à contrecœur de retourner dans ce pays et d'en ressortir, et elle avait peur pour lui, l'imaginant impliqué dans d'obscures machinations, complots et dangers de cinéma. C'était probablement une bonne chose qu'il ait décidé de proscrire les lettres. Elle aurait englouti toute sa vie dans la composition des unes et dans l'attente des autres. Écrire et attendre, attendre et écrire. Et bien sûr s'inquiéter, si elles n'arrivaient pas.

Elle avait à présent quelque chose à transporter tout le temps et partout avec elle. Elle avait conscience qu'il émanait d'elle une luminosité, de son corps, de sa voix et de tous ses actes. Cela avait changé sa démarche et la faisait sourire sans raison et traiter les patients avec une tendresse peu commune. Elle prenait plaisir à se concentrer sur une seule chose à la fois et pouvait le faire tout en s'acquittant de ses devoirs, ou pendant le dîner avec Joanne. Le mur nu de la pièce, avec les rectangles de lumière rayée qui s'y reflétaient à travers les lattes des stores. Le papier rugueux des magazines illustrés de gravures comme autrefois, et non de photographies. L'épais saladier de faïence cerclé d'une bande jaune, dans lequel il avait servi le stroganov. La nuance chocolat du mufle de Junon et ses minces pattes vigoureuses. Puis l'air rafraîchi dans les rues, et le parfum des massifs floraux de la municipalité et les réverbères le long de la rivière, autour desquels toute une civilisation d'insectes minuscules tournoyait en zig-zaguant.

Le trou béant dans sa poitrine, qui s'était refermé quand il était revenu avec son billet. Mais après cela la promenade, à pas comptés, la descente du quai sur le gravier. À travers la mince semelle de ses chaussures, elle avait ressenti la morsure douloureuse des cailloux aigus.

Rien ne s'estompait pour elle, aussi répétitif que pût être ce programme. Ses souvenirs, et ce qu'elle brodait sur ces souvenirs, ne faisaient qu'approfondir sans cesse le sillon.

C'est important que nous nous soyons rencontrés.
Oui. Oui.

Pourtant, quand juin arriva, elle tergiversa. Elle n'avait pas encore choisi la pièce, ni commandé sa place. Pour finir, elle songea que le mieux serait de choisir le jour anniversaire, le même jour que l'année précédente. Ce jour-là on donnait *Comme il vous plaira*. Elle s'avisa qu'elle pouvait très bien aller à Downie Street sans se donner la peine de voir la pièce, parce qu'elle serait trop préoccupée, trop énervée, pour s'intéresser à grand-chose. Mais la superstition lui interdit de modifier le déroulement de la journée. Elle réserva sa place. Et elle porta sa robe verte chez le teinturier. Elle ne l'avait pas mise depuis ce jour-là mais la voulait d'une fraîcheur parfaite, comme neuve.

La femme qui faisait le repassage, chez le teinturier, avait été absente quelques jours cette semaine-là. Elle avait un enfant malade. Mais on lui promit qu'elle serait de retour, que la robe serait prête le samedi matin.

« J'en mourrai, dit Robin. Si ma robe n'est pas prête demain, j'en mourrai. »

Elle regarda Joanne et Willard qui jouaient au rami à la table de bridge. Elle les avait vus si souvent dans cette position, et voilà qu'il était possible qu'elle ne les revoie jamais plus. Qu'ils étaient donc loin de la tension, du défi, du risque de sa vie à elle.

La robe n'était pas prête. L'enfant était encore malade. Robin pensa emporter la robe à la maison et la repasser elle-même mais se dit qu'elle serait trop nerveuse pour le faire correctement. Surtout sous le regard de Joanne. Elle alla aussitôt au centre-ville dans la seule boutique de vêtements possible, et se jugea assez chanceuse d'y trouver une robe verte qui lui allait aussi bien que l'autre mais qui était droite et sans manches. Le vert en était moins tendre, plus acide. La dame du magasin dit que c'était la couleur à la mode cette année-là et que les jupes cintrées et arrondies ne se faisaient plus.

Par la fenêtre du train, elle vit la pluie commencer à tomber. Elle n'avait même pas de parapluie. Et en face d'elle avait pris place une voyageuse qu'elle connaissait, une femme qui s'était fait opérer de la vésicule biliaire quelques mois auparavant à l'hôpital. Cette femme avait une fille mariée à Stratford. C'était quelqu'un qui croyait que deux personnes de connaissance se rencontrant dans un train et se rendant au même endroit sont tenues d'entretenir une conversation.

« Ma fille vient me chercher, dit-elle. Nous pourrons vous déposer là où vous allez. D'autant plus qu'il pleut. »

Il ne pleuvait plus quand elles arrivèrent à Stratford, le soleil était revenu et il faisait très chaud. Robin ne vit néanmoins pas le moyen de refuser l'offre de sa compagne de voyage. Elle s'assit sur la banquette arrière avec deux enfants qui suçaient des glaces à l'eau. Il lui sembla miraculeux qu'aucun liquide coloré d'orange ou de fraise ne dégouline sur sa robe.

Elle ne put attendre que la pièce se termine. Elle frissonnait dans la salle climatisée du théâtre parce que sa robe était faite d'un tissu ultraléger et dépourvue de manches. Mais peut-être était-ce de nervosité. Elle fit son chemin en s'excusant sans cesse jusqu'au bout de la rangée, remonta l'allée aux marches irrégulières pour sortir à la lumière du jour dans le foyer. Il pleuvait de nouveau, très violemment. Seule dans les toilettes des dames, celles-là mêmes où elle avait perdu son sac, elle s'efforça d'arranger sa coiffure. L'humidité en détruisait le gonflant, sa chevelure dans laquelle elle avait posé des rouleaux la veille pour la lisser retombait en mèches défaites, noires et bouclées autour de son visage. Elle aurait dû apporter de la laque. Elle fit ce qu'elle put, se coiffa en arrière.

La pluie avait cessé quand elle sortit et le soleil brillait de nouveau d'un violent éclat sur le trottoir mouillé. Alors elle se mit en route. Elle avait des faiblesses dans les jambes comme les fois où elle devait aller au tableau, à l'école, pour la démonstration d'un problème de maths, ou se tenir face à la classe pour réciter une leçon apprise par cœur. Trop vite, elle fut à l'angle de Downie Street. Dans quelques minutes, à présent, sa vie serait changée. Elle n'était pas prête, mais ne pouvait plus supporter le moindre délai.

Dans le deuxième pâté de maisons, plus loin devant elle, elle apercevait cette bicoque bizarre, tenue en place par les bâtiments plus classiques qui l'encadraient.

Elle approchait, approchait. La porte était ouverte, comme celle de la plupart des boutiques de la rue — peu s'étaient dotées de la climatisation. Il n'y avait qu'une porte en fin treillage pour empêcher les mouches d'entrer.

Ayant monté les deux marches, elle se tint devant cette porte. Mais attendit quelques instants avant de l'ouvrir, pour que ses yeux s'habituent à la demi-obscurité qui régnait à l'intérieur, afin de ne pas trébucher quand elle entrerait.

Il était là, dans l'espace de travail derrière le comptoir, s'affairant sous une ampoule unique. Il était penché en avant, vu de profil, absorbé dans le travail qu'il effectuait sur une pendule. Elle avait redouté un changement. Redouté, en fait, n'avoir pas gardé de lui un souvenir exact. Ou que le Monténégro ait pu modifier quelque chose — lui donner une nouvelle coupe de cheveux, une barbe. Mais non — c'était le même. L'ampoule brillant au-dessus de sa tête éclairait les mêmes cheveux ras, luisant comme avant, d'argent mêlé de brun rouge. Une épaule épaisse, légèrement voûtée, une manche relevée dénudant l'avant-bras musclé. Sur son visage une expression de concentration aiguë, l'appréciation parfaite de ce qu'il était en train de faire, du mécanisme sur lequel il travaillait. L'expression même qu'elle avait eue à l'esprit sans l'avoir jamais vu au travail sur ses pendules. C'était avec cette expression qu'elle l'avait imaginé penché sur elle.

Non. Elle ne voulait pas entrer. Elle voulait qu'il se lève, vienne vers elle, ouvre la porte. Aussi l'appela-t-elle. Daniel. N'osant, intimidée à la dernière seconde, l'appeler Danilo, de peur de prononcer gauchement ces syllabes étrangères.

Il n'avait pas entendu — ou, probablement, à cause de ce qu'il faisait, retardait le moment de lever les yeux. Puis il les leva, mais pas sur elle — il sembla chercher quelque chose dont il avait besoin. Mais en levant les yeux, il l'aperçut. Il déplaça soigneusement quelque chose qui lui barrait le chemin, se repoussa des deux mains pour s'écarter de l'établi, se leva, vint de mauvaise grâce dans sa direction.

Il secoua légèrement la tête en la regardant.

Elle était prête à ouvrir la porte d'une poussée de la main mais n'en fit rien. Elle attendit qu'il parle. Mais il ne parla pas. Il secoua de nouveau la tête. Il était troublé. Il resta immobile. Cessant de la regarder, il fit des yeux le tour de la boutique — le tour des pendules exposées, comme si elles allaient lui donner un renseignement ou du soutien. Quand il la regarda de nouveau en face, il frissonna, et machinalement — mais peut-être pas — découvrit les dents. Comme si elle lui faisait peur, lui faisait redouter un danger.

Et elle resta là, figée sur place, comme s'il y avait encore une possibilité pour que ce fût une blague, un jeu.

Il vint alors dans sa direction, comme si sa décision était prise quant à ce qu'il convenait de faire. Sans plus la regarder, mais agissant avec détermination et — crut-elle voir — révulsion, il posa la main sur la porte de bois, la porte de la boutique, qui restait ouverte, et la lui ferma au nez.

C'était un raccourci. Avec horreur elle comprit ce qu'il était en train de faire. Il jouait cette saynète parce que c'était une façon de se débarrasser d'elle plus facile qu'une explication, lui évitant d'avoir à affronter son étonnement et ses manifestations féminines, ses sentiments blessés et peut-être même son effondrement et ses larmes.

La honte, ce fut une honte terrible qu'elle éprouva. Une femme plus expérimentée, avec plus de confiance en elle, aurait éprouvé de la colère, et serait repartie animée d'une belle fureur. *Je l'emmerde.* Au travail, Robin avait entendu une femme parler de l'homme qui l'avait abandonnée. *On peut faire confiance à rien de ce qui porte pantalon.* Cette femme s'était comportée comme si elle n'était pas surprise. Et au plus profond, Robin non plus n'était pas surprise à présent, mais ne pouvait s'en prendre qu'à elle-même. Elle aurait dû comprendre que ces mots de l'été passé, la promesse et les adieux à la gare, étaient un moment de folie, une gentillesse sans nécessité, faite à une pauvre fille esseulée qui avait perdu son sac et venait voir des pièces toute seule. Il devait l'avoir regretté avant même d'être rentré chez lui, et avoir prié pour qu'elle ne l'ait pas pris au sérieux.

Il était tout à fait possible qu'il ait ramené une épouse du Monténégro, une épouse à l'étage — voilà qui expliquerait l'inquiétude qui s'était peinte sur ses traits, le frisson de désarroi. S'il avait pensé à Robin, ce devait être dans la crainte de la voir faire précisément ce qu'elle avait fait — rêvé ses mornes rêves de vierge, échafaudé ses projets ineptes. D'autres femmes déjà s'étaient probablement ridiculisées pour lui et il devait avoir trouvé des façons de s'en débarrasser. C'en était une. Mieux valait la cruauté que la bienveillance. Pas d'excuses, pas d'explications, pas d'espoir. Faire semblant de ne pas la reconnaître, et si ça ne fonctionne pas, lui claquer la porte au nez. Plus vite elle te haïra, mieux cela vaudra.

Encore qu'avec certaines, ce soit une rude entreprise.

Exactement. Et voilà, elle était en sanglots. Elle avait réussi à les retenir en rebroussant chemin dans la rue, mais dans le sentier qui longeait la rivière, elle était en sanglots. Le même cygne noir glissant seul sur l'eau, les mêmes familles de canetons avec leurs parents cancanant, le soleil sur l'eau. Mieux valait ne pas chercher d'échappatoire, mieux valait ne pas ignorer ce coup. Car si l'on parvenait à le faire pendant quelque temps, il fallait s'attendre à le voir revenir vous frapper, avec une violence à vous couper le souffle et vous estropier, en pleine poitrine.

« Meilleure gestion du temps, cette année, dit Joanne. Comment était ta pièce ? »

« Je ne l'ai pas vue en entier. Juste en arrivant au théâtre, une bestiole volante m'est entrée dans l'œil. J'ai eu beau cligner et cligner des yeux, je n'ai pas réussi à m'en débarrasser. J'ai dû me relever pour aller aux toilettes, essayer de la faire partir avec de l'eau. J'ai dû arriver à en sortir un morceau sur la serviette et du coup je l'ai mis dans l'autre œil en frottant. »

« Tu as l'air d'avoir pleuré comme une madeleine. Quand tu es entrée, j'ai cru que la pièce devait être incroyablement triste. Tu ferais mieux d'aller te rincer le visage à l'eau salée. »

« J'y allais, justement. »

Il y avait d'autres choses qu'elle allait faire, ou ne pas faire. Ne jamais plus aller à Stratford, ne jamais plus marcher dans ces rues, ne jamais plus assister à une autre pièce. Ne jamais plus mettre de robe verte, tendre ou acide. Éviter d'entendre la moindre nouvelle du Monténégro, ce qui ne devait pas être trop difficile.

II

Maintenant l'hiver s'est installé pour de bon et le lac est gelé presque jusqu'au déversoir. La glace est tourmentée, par endroits on dirait que de grosses vagues ont gelé sur place. Des ouvriers sont en train de démonter les éclairages de Noël. On évoque une épidémie de grippe. Les yeux des gens larmoient quand ils marchent contre le vent. La plupart des femmes ont revêtu leur uniforme d'hiver, pantalon de jogging et blouson de ski.

Mais pas Robin. Quand elle descend de l'ascenseur pour sa visite du deuxième et dernier étage de l'hôpital, elle porte une longue veste noire, une jupe de laine grise et un chemisier de soie lilas tirant sur le gris. Son épaisse chevelure, raide, gris anthracite, est coupée aux épaules, et elle a de minuscules diamants dans les oreilles. (On remarque encore, exactement comme autrefois, que certaines des plus jolies femmes et des mieux habillées de la ville sont celles qui ne se sont pas mariées.) Elle n'a pas besoin de porter la tenue d'infirmière à présent, parce qu'elle travaille à temps partiel et seulement à cet étage.

On peut prendre l'ascenseur pour le deuxième de la manière habituelle, mais il est plus difficile de redescendre. L'infirmière qui est au comptoir doit presser un bouton dissimulé dessous pour vous libérer. C'est le service psychiatrique, encore qu'on le nomme rarement ainsi. Il donne à l'ouest sur le lac, comme l'appartement de Robin, aussi l'appelle-t-on souvent l'Hôtel du Ponant. Parmi les gens plus âgés, certains le nomment Royal York. Les patients n'y sont qu'en court séjour, quoique pour certains d'entre eux les courts séjours soient à répétition. Ceux dont les fantasmes ou le repli sur soi et les souffrances deviennent permanents sont logés ailleurs, au foyer du Comté, le bien nommé Centre de Soins de Longue Durée, juste en dehors de la ville.

En quarante ans, la ville ne s'est pas beaucoup agrandie mais elle a changé. Il y a deux centres commerciaux, et les boutiques du centre continuent de vivoter. Il y a de nouvelles maisons — un lotissement de retraités actifs — sur les promontoires, et deux des vieilles demeures surplombant le lac ont été converties en appartements. Robin a eu la chance d'en obtenir un. La maison d'Isaac Street qu'elle habitait autrefois avec Joanne, embellie à la peinture acrylique, est devenue le siège d'une agence immobilière. La maison de Willard est restée la même, plus ou moins. Il a eu une attaque voilà quelques années mais a bien récupéré, quoiqu'il doive s'aider de deux cannes pour marcher. Quand il était à l'hôpital Robin l'a beaucoup vu. Il parlait des bonnes voisines qu'elle et Joanne avaient été, évoquant le plaisir de toutes ces parties de cartes.

Joanne est morte depuis dix-huit ans, et après avoir vendu la maison Robin s'est éloignée de ses anciennes fréquentations. Elle a cessé d'aller à l'église et, à l'exception de ceux qui deviennent des patients à l'hôpital, elle ne voit pour ainsi dire jamais les gens qu'elle connaissait quand elle était jeune, ceux avec qui elle allait à l'école.

Les éventualités d'un mariage se sont rouvertes de façon limitée, à cette époque de sa vie. Il y a des veufs en recherche, des hommes qui se sont retrouvés seuls. D'ordinaire, ils désirent une femme qui ait déjà l'expérience du mariage — encore qu'un bon emploi ne soit pas une qualité négligeable. Mais Robin a fait savoir clairement qu'elle n'est pas intéressée. Les gens qu'elle a connus depuis sa jeunesse disent qu'elle n'a jamais été intéressée, qu'elle est comme ça, voilà. Certains de ceux qu'elle connaît pensent à présent qu'elle doit être lesbienne, mais qu'elle a été élevée dans un milieu si primaire et débilitant qu'elle est incapable de l'assumer.

Il y a différentes sortes de gens en ville, à présent, et ce sont les gens avec lesquels elle s'est liée d'amitié. Certains d'entre eux vivent ensemble sans être mariés. D'autres sont nés en Inde et en Égypte, aux Philippines et en Corée. Les anciens modes de vie, les règles d'autrefois, se perpétuent en partie, mais bien des gens vont leur propre chemin sans même se douter de l'existence de telles choses. On trouve à acheter la presque totalité des aliments existant et par les belles matinées dominicales on peut s'asseoir à une terrasse pour boire un café de qualité supérieure en écoutant sonner les cloches des églises, sans la moindre idée de religion. La plage n'est plus entourée de hangars et de dépôts du chemin de fer — une promenade de planches s'étend sur près de deux kilomètres le long du lac. Il y a une chorale et un groupe de théâtre. Robin est très engagée dans les activités de ce groupe, même si on la voit moins sur scène qu'autrefois. Voilà plusieurs années elle a joué le rôle de Hedda Gabler. Le sentiment général fut que c'était une pièce déplaisante mais qu'elle avait joué Hedda magnifiquement. Performance d'autant plus remarquable que le personnage — à ce qu'avaient dit les gens — était tellement à l'opposé de ce qu'elle était dans la vraie vie.

Un assez grand nombre de gens de la ville vont à Stratford maintenant. Elle au contraire va voir des pièces à Niagara-on-the-Lake.

Robin remarque trois lits d'appoint alignés contre le mur face au comptoir.

« Que se passe-t-il ? » demande-t-elle à Coral, l'infirmière de service.

« C'est provisoire, dit Coral de l'air d'en douter. À cause de la redistribution. »

Robin va accrocher sa veste et son sac dans le placard derrière le comptoir et Coral lui dit que ce sont des patients de l'hôpital du comté voisin. Une espèce de transfert dû au surpeuplement là-bas, dit-elle. Sauf que quelqu'un s'est emmêlé les pinceaux et qu'ici, l'établissement du comté n'est pas encore prêt à les accueillir, alors on a décidé de les garer chez nous pour l'instant.

« Il faut que j'aille leur dire bonjour ? »

« À toi de voir. La dernière fois que j'y suis allée, ils dormaient tous les trois. »

De part et d'autre des trois lits d'appoint les abattants sont relevés, et les patients, allongés sur le dos. Et Coral disait vrai, ils ont l'air de dormir. Deux vieilles femmes et un vieil homme. Robin tourne les talons et puis se ravise. Elle regarde le vieil homme. Il a la bouche ouverte et ses fausses dents, s'il en possède, lui ont été retirées. Il a encore ses cheveux, blancs et coupés court. Décharné, les joues creuses, mais le visage reste large aux tempes, conservant une expression d'autorité et — comme la dernière fois qu'elle le vit — de trouble. Des taches de peau flétrie, pâle, presque argentée, probablement là où des boutons cancéreux ont été excisés. Le corps usé, diminué, les jambes presque disparues sous les couvertures, mais encore une certaine ampleur de la cage thoracique et des épaules, très proche du souvenir qu'elle a gardé.

Elle lit la pancarte accrochée au pied du lit.

Alexandre Adzic.

Danilo. Daniel.

C'est peut-être son deuxième prénom. Alexandre. Ou alors il a menti, pris la précaution de faire un mensonge ou un demi-mensonge dès le début et quasiment jusqu'à la fin.

Elle retourne au comptoir parler à Coral.

« On a des renseignements sur ce monsieur ? »

« Pourquoi ? Tu le connais ? »

« Il me semble que ça se pourrait. »

« Je vais voir ce qu'il y a. Je peux faire monter le dossier. »

« Il n'y a pas d'urgence, dit Robin. Quand tu auras le temps. Simple curiosité. Il faut que j'aille voir mon petit monde maintenant. »

Le travail de Robin est de s'entretenir avec ces patients deux fois par semaine, de rédiger des rapports sur eux, sur l'amélioration de leur état délirant ou de leur dépression, sur l'effet des médicaments et sur la façon dont les visites de leurs parents ou de leur conjoint ont affecté leur humeur. Elle travaille à cet étage depuis longtemps, depuis que l'habitude fut prise dans les années soixante-dix de garder les patients psychiatriques le plus près possible de leur domicile, et elle connaît beaucoup de ceux qui reviennent fréquemment. Elle a suivi des cours supplémentaires pour se qualifier dans le traitement des cas psychiatriques, mais c'était un domaine pour lequel elle possédait une certaine sensibilité de toute manière. Quelque temps après être rentrée de Stratford, sans y avoir vu *Comme il vous plaira,* elle avait commencé à se sentir attirée par ce travail. Quelque chose — mais pas ce à quoi elle s'attendait — avait bel et bien changé sa vie.

Elle garde M. Wray pour la fin, parce que c'est lui qui prend le plus de temps d'ordinaire. Elle n'est pas toujours en mesure de lui en accorder autant qu'il voudrait, cela dépend des problèmes des autres. Chez eux, aujourd'hui, l'amélioration est générale, grâce aux traitements, et ils ne font que s'excuser de tout le dérangement qu'ils ont causé. Mais M. Wray, qui croit que sa contribution à la découverte de l'ADN n'a jamais été récompensée ni reconnue, est dans tous ses états à propos d'une lettre à James Watson. Jim, comme il l'appelle.

« Cette lettre, que j'ai envoyée à Jim, dit-il. Je ne suis pas assez naïf pour envoyer une lettre pareille sans en conserver une copie. Mais hier, j'ai compulsé mes dossiers et devinez quoi ? Allez-y, dites-le-moi. »

« Mieux vaut que vous me le disiez », dit Robin.

« Elle n'y est plus. Elle n'y est plus. Volée. »

« Vous l'avez peut-être égarée. Je vais la chercher. »

« Je ne suis pas surpris. J'aurais dû renoncer depuis long-temps. Je suis en lutte contre les Pontes, et a-t-on jamais vu quelqu'un gagner contre Eux? Dites-moi la vérité. Dites-moi. Faut-il que je renonce? »

« C'est à vous de décider. Vous seul. »

Il se met à lui débiter une fois de plus le récit détaillé de son infortune. Ce n'est pas un scientifique, il a travaillé dans l'administration, mais il doit avoir suivi le progrès scientifique toute sa vie. L'information qu'il lui a fournie, et même les croquis qu'il a réussi à tracer avec un crayon mal taillé, sont indiscutablement justes. C'est seulement l'histoire de l'escroquerie dont il a été victime qui est gauche et prévisible et doit probablement beaucoup au cinéma ou à la télévision.

Mais elle adore toujours le moment du récit où il décrit la façon dont l'hélice se défait en deux brins qui se séparent. Il lui montre leur dérive avec une telle grâce, une telle finesse dans les mains. Chaque brin entreprenant le voyage qui lui incombe pour se répliquer selon ses propres instructions.

Il l'adore tout autant, il s'en émerveille, les larmes aux yeux. Elle le remercie toujours de son explication, souhaitant qu'il puisse en rester là, mais bien sûr il ne le peut pas.

N'empêche, elle croit qu'il va mieux. Quand il commence à fouiller dans les à-côtés de l'injustice, à se concentrer sur quelque chose du genre de la lettre volée, cela veut probablement dire que son état s'améliore.

Avec un petit encouragement, un petit déplacement de son attention, il tomberait peut-être amoureux d'elle. Cela s'est produit avec un ou deux patients, avant celui-ci. Les deux étaient mariés. Ce qui ne l'avait pas empêchée de coucher avec eux, après leur sortie de l'hôpital. Mais à ce moment-là, les sentiments étaient altérés, l'homme éprouvait de la gratitude, elle de la bonne volonté, les deux une espèce de nostalgie décalée.

Non qu'elle le regrette. Il y a très peu de choses à présent qu'elle regrette. Certainement pas sa vie sexuelle, qui a été sporadique et secrète mais, dans l'ensemble, réconfortante. L'effort qu'elle a déployé pour la garder secrète n'était peut-être pas nécessaire, tant le siège des gens est fait à son sujet — celui des gens qu'elle connaît aujourd'hui aussi inébranlablement et faussement que celui des gens qu'elle a connus autrefois.

Coral lui tend une feuille d'imprimante.

« Il n'y a pas grand-chose », dit-elle.

Robin la remercie, plie la feuille et l'emporte jusqu'au placard pour la mettre dans son sac. Elle a besoin d'être seule quand elle la lira. Mais elle ne peut attendre d'être rentrée chez elle. Elle descend à la salle de repos, qui était autrefois la salle de prière. Personne ne s'y repose pour l'instant.

Adzic, Alexandre. Né le 3 juillet 1924 à Bjelojevici, Yougoslavie. Émigré au Canada le 29 mai 1962, aux soins de son frère Adzic Danilo, né à Bjelojevici le 3 juillet 1924, citoyen canadien.

Alexandre Adzic vivait avec son frère Danilo jusqu'au décès de ce dernier, le 7 septembre 1995. Il a été hospitalisé dans le Centre de Soins de Longue Durée du Comté de Perth le 25 septembre 1995, où il demeure hospitalisé depuis cette date.

Il semble qu'Alexandre Adzic ait été sourd-muet de naissance ou à la suite d'une maladie contractée peu après. N'a pas été pris en charge dans un établissement spécialisé pendant son enfance. Son QI n'a jamais été mesuré mais il a reçu une formation d'horlogerie. On ne lui a pas enseigné le langage des signes. Dépendant de son frère et selon toute apparence incapable de tout autre lien affectif. Apathique, sans appétit, épisodes d'agressivité, régression générale depuis son hospitalisation.

Exorbitant.

Des frères.

Des jumeaux.

Robin voudrait mettre ce bout de papier sous les yeux de quelqu'un, d'une autorité.

C'est ridicule. Je ne peux pas accepter ça.

N'empêche.

Shakespeare aurait dû la préparer. Des jumeaux sont souvent à l'origine de quiproquos et de catastrophes, chez Shakespeare. Moyens d'une fin, voilà ce que ces subterfuges sont censés être. Et à la fin les mystères sont résolus, les fredaines pardonnées, l'amour vrai ou quelque chose qui y ressemble, ranimé, et les dindons de la farce ont la bonne grâce de ne pas se plaindre.

Il devait être sorti faire une course. Une course brève. Il ne devait pas confier très longtemps le magasin à un frère de cette trempe. Peut-être le crochet était-il mis à la porte de treillage — elle n'avait jamais essayé de l'ouvrir. Peut-être avait-il dit à son frère d'y mettre le crochet et de ne pas l'ouvrir pendant que lui-même promenait Junon dans le quartier. Elle s'était demandé pourquoi Junon n'était pas là. Si elle était arrivée un peu plus tard. Un peu plus tôt. Si elle était restée jusqu'à la fin de la pièce, ou avait décidé de ne pas la voir du tout. Si elle ne s'était pas souciée de sa coiffure.

Et puis quoi ? Comment auraient-ils pu se débrouiller, lui avec Alexandre, elle avec Joanne ? À en juger par la façon dont Alexandre s'était comporté ce jour-là, il ne semblait pas qu'il aurait accepté la moindre intrusion, les moindres changements. Et Joanne aurait certainement souffert. Moins peut-être d'avoir ce sourd-muet à la maison que du mariage de Robin avec un étranger.

On croirait difficilement aujourd'hui comment étaient les choses à l'époque.

Tout avait été gâché en un jour, en deux minutes, sans accès, sans secousse, sans dispute, sans espoir, sans déception, et non de la façon étirée à l'infini dont ces choses sont gâchées le plus souvent. Et s'il est vrai que les choses sont ordinairement gâchées, la façon la plus rapide n'est-elle pas la plus facile à supporter?

Mais on ne peut adopter vraiment ce point de vue, pas pour soi-même. Robin ne l'adopte pas. Aujourd'hui encore, elle peut déplorer de n'avoir pas eu sa chance. Elle n'a pas une once de gratitude pour ce subterfuge du destin. Mais elle en viendra à éprouver la gratitude de l'avoir découvert. De cela, au moins — la découverte qui laisse à toute chose son intégrité, jusqu'à l'instant de cette intervention frivole. Qui vous laisse outrée, mais réchauffée à distance, et vous épargne la honte.

C'était dans un autre monde qu'ils s'étaient rencontrés, à coup sûr. Comme n'importe lequel de ces mondes échafaudés pour la scène. Leur fragile accord, leur cérémonie de baisers, la folle témérité qui leur avait fait croire que tout voguerait de l'avant comme prévu. Un écart d'un centimètre à gauche ou à droite, dans ce genre de cas, et tout est perdu.

Robin a eu des patients convaincus que les peignes et les brosses à dents doivent être disposés dans un ordre constant, que les souliers doivent être alignés dans la bonne direction, que les pas doivent être comptés, sans quoi un châtiment s'abattra.

Si elle a erré dans ce domaine, ç'aura été dans cette affaire de la robe verte. À cause de la femme de la teinturerie, de l'enfant malade, elle n'avait pas mis celle qu'il fallait.

Elle voudrait pouvoir le dire à quelqu'un. À lui.

Pouvoirs

UNE INFIDÉLITÉ À DANTE

13 mars 1927. Maintenant nous avons l'hiver qui débarque, au moment même où le printemps est censé être en vue. De grosses tempêtes de neige bloquent les routes, les écoles sont fermées. Et on dit qu'un vieux bonhomme parti se promener loin des pistes est vraisemblablement gelé. Aujourd'hui, avec mes raquettes, j'ai marché au beau milieu de la rue et il n'y avait pas d'autre marque que la mienne dans la neige. Et le temps que je revienne du magasin, mes traces avaient été entièrement comblées et effacées. Tout cela parce que le lac n'a pas autant gelé qu'à l'ordinaire, et que le vent d'ouest ramasse des monceaux d'humidité qu'il déverse sur nous transformée en neige. J'étais allée acheter du café et un ou deux autres produits de première nécessité. Sur qui a-t-il fallu que je tombe à l'épicerie sinon Tessa Netterby que je n'avais pas vue depuis un an peut-être. Je ne suis pas fière de n'être jamais allée la voir parce que je me suis efforcée d'entretenir une espèce d'amitié après qu'elle a quitté le secondaire. Je crois que je fus la seule à le faire. Elle était tout enveloppée dans un grand châle et avait l'air d'une illustration dans un livre de contes. Un peu déséquilibrée du haut, à vrai dire, parce qu'elle a ce visage large avec cette épaisse tignasse noire et bouclée et de larges épaules, alors qu'elle ne doit guère mesurer plus d'un mètre cinquante. Elle m'a souri simplement, Tessa, telle qu'on la connaît, égale à elle-même. Et je lui ai demandé comment elle allait — on le fait toujours

quand on la voit, sérieusement, à cause du long siège qu'elle a soutenu contre la maladie, quelle qu'elle soit, qui l'a contrainte à arrêter ses études aux environs de quatorze ans. Mais on le lui demande aussi parce qu'on ne trouve pas grand-chose d'autre à dire, elle ne vit pas dans le même monde que la plupart d'entre nous. Elle n'est membre d'aucun club, ne peut pratiquer aucun sport ni mener une vie mondaine normale. Elle a bien une espèce de vie impliquant des gens et qui n'a rien de répréhensible, mais je ne saurais comment en parler et peut-être qu'elle non plus.

M. McWilliams était là pour aider Mme McWilliams au magasin parce que les employés n'avaient pas pu passer. Il est affreusement taquin et s'est mis à taquiner Tessa, lui demandant si elle n'avait pas su que cette tempête de neige approchait et disant qu'elle aurait pu en avertir le reste d'entre nous, etc. et Mme McWilliams lui a dit d'arrêter. Tessa n'avait pas l'air d'avoir entendu et a demandé une boîte de sardines. J'ai été soudain envahie d'un affreux chagrin en l'imaginant attablée pour dîner d'une boîte de sardines. Ce qui n'est guère vraisemblable, je ne vois aucune raison qui l'empêcherait de cuisiner un repas comme tout le monde.

La grande nouvelle que j'ai apprise à l'épicerie, c'est que le toit de la Salle des Chevaliers de Pythias s'est affaissé. Adieu notre scène pour *Les Gondoliers*, qu'on devait donner à la fin du mois de mars. La scène de l'hôtel de ville n'est pas assez grande et l'ancien Opéra sert désormais à entreposer les cercueils des Meubles Hay's. Nous sommes censés avoir une répétition ce soir mais je ne sais donc ni qui pourra y venir ni ce qu'il en sortira.

16 mars. Décision de suspendre *Les Gondoliers* cette année. N'étions que six à la répétition dans la salle de l'école du dimanche et avons donc renoncé pour aller chez Wilf boire un café. Wilf aussi a annoncé qu'il avait décidé que ce serait sa dernière participation parce que ses patients lui donnaient de plus

en plus de travail et qu'il nous faudrait trouver un nouveau ténor. Ce sera un coup parce que c'est lui le meilleur.

Cela me fait encore tout drôle d'appeler un médecin par son prénom même s'il n'a qu'une trentaine d'années. Sa maison était autrefois celle du Dr Coggan et bien des gens continuent de l'appeler encore ainsi. Elle a été construite spécialement pour être celle d'un médecin, avec une aile indépendante réservée au cabinet. Mais Wilf l'a fait entièrement refaire, des cloisons ont été abattues de sorte qu'elle est très spacieuse et lumineuse et Sid Ralston l'a plaisanté en lui disant qu'il avait tout préparé pour accueillir une épouse. C'était un sujet plutôt épineux en présence de Ginny mais Sid ne le savait probablement pas. (Ginny a eu trois demandes en mariage. La première de Wilf Rubstone, ensuite de Tommy Shuttles, puis d'Euan McKay. Un médecin, puis un opticien, puis un pasteur. Elle a huit mois de plus que moi mais j'imagine n'avoir aucun espoir de la rattraper. Je crois qu'elle les embobine un peu, quoiqu'elle dise toujours qu'elle ne comprend pas et que, chaque fois qu'on l'a demandée en mariage, c'est venu comme un coup de tonnerre dans un ciel bleu. Ce que je pense, moi, c'est qu'il y a des façons de tout prendre à la blague pour leur faire savoir qu'on n'accueillerait pas favorablement une demande, avant de les laisser se ridiculiser.)

Si jamais je tombe gravement malade, j'espère que je pourrai détruire mon journal ou le parcourir pour en biffer toutes les rosseries, au cas où je mourrais.

Nous nous sommes tous mis à parler assez sérieusement, je ne sais pas pourquoi, et la conversation a roulé sur les choses que nous avions apprises à l'école et la part que nous en avions déjà oubliée. Quelqu'un a évoqué le club de débat qu'il y avait autrefois en ville et la façon dont tout cela est passé à la trappe après la guerre quand tout le monde a eu une auto pour se déplacer, a commencé à aller au cinéma, et à jouer au golf. Les sujets sérieux dont on débattait alors. « Laquelle de la science ou de la littérature est plus importante pour former le caractère humain ? » Qui imaginerait aujourd'hui faire sortir les gens de chez eux pour écouter une chose pareille ? Même si la chose n'était pas organisée, on se sentirait idiot de se réunir dans un salon pour en parler. Puis Ginny a dit que nous devrions au moins former un club de lecture et cela nous a amenés à parler des livres importants qu'on a l'intention de lire depuis toujours sans jamais s'y mettre pour de bon. La collection des classiques de Harvard qui est là sur l'étagère derrière les portes vitrées dans le salon, intacte depuis des années et des années. Pourquoi pas *Guerre et Paix,* dis-je, mais Ginny a prétendu l'avoir déjà lu. Alors on en est venu à voter entre *Le Paradis perdu* et *La Divine Comédie*. Et c'est *La Divine Comédie* qui a gagné. Tout ce qu'on en sait, c'est que ça ne ressemble guère à une comédie et que c'est écrit en italien, alors que nous la lirons naturellement en anglais. Sid croyait que c'était en latin et il a dit qu'il en avait lu assez dans la classe de Mlle Hurt pour toute une vie. Devant nos éclats de rire il a fait semblant de l'avoir su dès le début. Quoi qu'il en soit, maintenant que *Les Gondoliers* sont suspendus, nous devrions disposer d'un peu de temps pour nous réunir une semaine sur deux afin de nous encourager mutuellement.

Wilf nous a fait visiter toute sa maison. La salle à manger est d'un côté du vestibule et le salon de l'autre, et la cuisine est équipée de placards encastrés, d'un évier double et de la toute dernière cuisinière électrique. Il y a une nouvelle buanderie dans le fond et une salle de bains ultramoderne et les placards sont assez vastes pour qu'on y entre de plain-pied avec de grands miroirs derrière chacune des portes. Partout des parquets de chêne doré. Quand je suis rentrée ici j'ai trouvé la maison exiguë et les lambris sombres et démodés. J'ai parlé à Père au petit déjeuner de la possibilité de construire un solarium attenant à la salle à manger pour disposer au moins d'une pièce lumineuse et moderne. (J'ai oublié de dire que Wilf a un solarium du côté opposé à celui de son cabinet, ce qui confère une bonne symétrie à la maison.) Père a demandé à quoi cela nous servirait puisque nous avons deux vérandas où prendre le soleil, l'une le matin, l'autre le soir. Je vois donc que je n'ai guère de chances d'aboutir dans mes manœuvres d'amélioration de la maison.

1er avril. Sitôt réveillée, j'ai fait un poisson d'avril à Père. Je suis sortie dans le couloir en criant qu'une chauve-souris était entrée par la cheminée dans ma chambre et il est sorti en trombe de la salle de bains, ses bretelles pendant sur son pantalon et de la mousse à raser plein la figure pour me dire de cesser de hurler et de me conduire comme une hystérique, et d'aller chercher le balai. Ce que j'ai fait, et puis je me suis cachée dans l'escalier du fond en faisant semblant d'être terrifiée pendant qu'avec un vacarme de tous les diables il s'efforçait sans ses lunettes de trouver la chauve-souris. Pour finir, j'ai eu pitié de lui et j'ai crié, « Poisson d'avril ! »

Voilà qu'ensuite Ginny a téléphoné pour dire, « Nancy, qu'est-ce que je vais faire ? Je perds mes cheveux, il y en a partout sur l'oreiller, mes beaux cheveux, en touffes, partout sur l'oreiller, je suis à moitié chauve. Je ne pourrai plus jamais sortir de la maison, peux-tu venir ici tout de suite voir s'il y a moyen d'en faire une perruque ? »

J'ai donc répondu avec beaucoup de sang-froid, « Tu n'as qu'à mélanger de l'eau et de la farine pour les recoller. Et n'estce pas une coïncidence que cela t'arrive justement le 1er avril ? »

J'en viens à ce que je me serais volontiers passée de noter.

Je suis allée chez Wilf sans attendre mon petit déjeuner parce que je sais qu'il part tôt pour l'hôpital. Il est venu ouvrir lui-même en gilet et manches de chemise. Je n'avais pas essayé le cabinet dans l'idée qu'il serait encore fermé. La vieille femme qui tient sa maison — je ne connais même pas son nom — s'affairait dans la cuisine. J'imagine que c'est elle qui aurait dû ouvrir la porte mais il était justement dans le vestibule, s'apprêtant à partir. « Vous, Nancy ? » a-t-il dit.

Sans un mot, j'ai fait une grimace de souffrance en m'agrippant la gorge.

« Qu'avez-vous, Nancy ? »

Me tenant toujours la gorge avec un pauvre coassement, j'ai secoué la tête pour montrer que je ne pouvais parler. Comme c'était pitoyable.

« Entrez », dit Wilf. Et il me conduit par un couloir latéral jusqu'à son cabinet. J'ai vu que la vieille femme lançait un coup d'œil dans notre direction mais j'ai fait celle qui ne la voyait pas pour continuer ma comédie.

« Voyons », dit-il en m'invitant à m'asseoir sur le fauteuil des patients et en allumant la lumière. Les stores étaient encore tirés aux fenêtres et cela sentait très fort je ne sais quel désinfectant. Il a pris un de ces bâtonnets qui vous aplatissent la langue et l'instrument qu'il a pour vous regarder dans la gorge en l'éclairant.

« Ouvrez aussi grand que vous pourrez. »

Ce que je fais, mais à l'instant où il va appuyer le bâtonnet sur ma langue, je crie, « Poisson d'avril ! »

Il n'est pas passé l'ombre d'un sourire sur ses traits. Il a jeté le bâtonnet et éteint la lumière de l'instrument sans dire un mot jusqu'à ce qu'il ait ouvert d'un geste brusque la porte de son cabinet donnant sur l'extérieur. Alors seulement il a dit, « Il se trouve que j'ai des malades à voir, Nancy. Pourquoi n'apprenez-vous pas à vous conduire comme une grande personne ? »

Il ne me restait plus qu'à détaler la queue entre les jambes. Je n'ai pas eu le front de lui demander pourquoi il était incapable de comprendre la plaisanterie. Nul doute que cette vieille fouine qu'il a dans sa cuisine va se répandre dans toute la ville en racontant qu'il était furieux et que je me suis enfuie humiliée. J'en ai été bouleversée toute la journée. Et la pire et la plus stupide coïncidence, c'est que j'ai même été malade, fiévreuse, et avec un léger mal de gorge, alors je suis restée au salon, une couverture sur les jambes, à lire ce brave Dante. Demain soir, le club de lecture se réunit et j'aurai donc pris une avance considérable sur les autres. L'ennui, c'est que je n'en ai rien retenu, parce que pendant que je lisais, je pensais en même temps à cette stupide sottise, et je l'entendais me dire d'une voix si tranchante de me conduire en grande personne. Puis je me mettais à discuter avec lui dans ma tête, disant qu'après tout ce n'est pas si épouvantable de s'amuser un peu dans la vie. Je crois que son père était pasteur, est-ce que cela expliquerait son caractère? Les familles de pasteur déménagent si souvent qu'il n'aura jamais eu le temps de s'intégrer dans une petite bande de gens qui grandissent ensemble, apprennent à se comprendre et à se jouer des tours.

En ce moment même je le revois tenir la porte ouverte dans son gilet et sa chemise amidonnée. Grand et mince comme une lame de couteau. Ses cheveux divisés par une raie impeccable, sa petite moustache stricte. Quelle catastrophe.

Je me demande si je ne dois pas lui écrire pour expliquer qu'une farce n'est pas la pire des offenses d'après moi. Ou simplement un petit mot d'excuse très digne.

Je ne puis me concerter avec Ginny parce qu'il l'a demandée en mariage et que cela signifie qu'elle vaut plus que moi à ses yeux. Et je suis d'une telle humeur que je me demanderais si cela ne lui donnerait pas une arme secrète contre moi. (Bien qu'elle l'ait éconduit.)

4 avril. Wilf n'est pas venu au club de lecture parce qu'un vieux bonhomme a eu une attaque. Alors je lui ai écrit un mot. Me suis efforcée de le tourner en un mot d'excuse mais pas trop humble. Cela ne cesse de me tourmenter abominablement. Pas le mot mais ce que j'ai fait.

12 avril. J'ai eu la surprise de ma vie de jeune écervelée en allant ouvrir la porte à midi aujourd'hui. Père venait de rentrer et s'était installé à la table du déjeuner et voilà que c'était Wilf. Il n'avait pas répondu à mon mot et je m'étais résignée à son intention d'être à jamais dégoûté de moi, tout ce que je pouvais faire à l'avenir étant de le snober parce que je n'avais pas le choix.

Il a demandé s'il avait interrompu mon repas.

Cela lui aurait été impossible parce que j'ai décidé de renoncer à manger au déjeuner pour perdre deux kilos. Pendant que Père et Mme Box mangent le leur, je me contente de m'enfermer en tête à tête avec Dante.

J'ai dit non.

Il a dit, eh bien alors, que dirais-je d'une promenade avec lui en voiture? Nous pourrions aller voir la débâcle sur la rivière, a-t-il dit. Il a poursuivi en m'expliquant qu'il avait passé presque toute la nuit debout et devait ouvrir son cabinet à treize heures, ce qui ne lui laissait pas le temps de faire un somme et que le grand air le revigorerait. Il n'a pas dit pourquoi il était resté debout pendant la nuit, j'en ai donc conclu que c'était la naissance d'un enfant et qu'il pensait qu'il aurait risqué de me gêner en m'en parlant.

J'ai dit que j'entamais à peine ma séance quotidienne de lecture.

«Faites une infidélité à Dante pendant une heure ou deux», a-t-il dit.

J'ai donc pris mon manteau, j'ai dit à Père que nous sortions et je suis montée dans son auto. Nous sommes allés aux limites de la ville, au pont du Nord, où plusieurs personnes, surtout des hommes et des jeunes gens profitant de leur pause déjeuner, s'étaient assemblés pour regarder la glace. Les blocs n'étaient pas si gros cette année avec l'hiver qui avait commencé tellement en retard. Ils n'en heurtaient pas moins les piles du pont et se brisaient à grand fracas comme la glace fait toujours, avec les ruisseaux qui s'y forment entre les plaques. Il n'y avait rien à faire que rester à regarder ce spectacle comme si on était fascinés et j'avais froid aux pieds. C'est peut-être la débâcle mais l'hiver n'a pas l'air d'avoir renoncé pour l'instant et le printemps semble plutôt loin. Je me suis demandé comment il était possible que des gens restent plantés là et s'y divertissent suffisamment pour regarder pendant des heures.

Wilf non plus n'a pas mis longtemps à s'en lasser. Nous sommes retournés dans l'auto où nous n'avons rien trouvé à dire jusqu'à ce que je prenne le taureau par les cornes et lui demande s'il avait eu mon mot.

Il a répondu oui, qu'il l'avait eu.

J'ai dit que je me sentais vraiment sotte d'avoir fait ce que j'avais fait (c'était vrai mais peut-être sur un ton un peu plus contrit que je n'en avais eu l'intention).

Il dit, « Oh, oubliez cela. »

Il est passé en marche arrière et nous avons repris la direction de la ville, et il a dit, « J'espérais vous demander de m'épouser. Seulement, je ne comptais pas m'y prendre ainsi. J'aurais amené les choses insensiblement, par degrés. Jusqu'à une situation plus propice et convenable. »

J'ai dit, « Vous voulez dire que vous espériez le faire mais que maintenant vous ne le faites pas ? Ou au contraire que vous êtes en train de le faire ? »

Je jure qu'en disant cela je ne voulais pas lui tendre la perche. Je cherchais sincèrement à comprendre.

« Je veux dire que je suis en train de le faire », a-t-il dit.

« J'accepte » est sorti de ma bouche avant même que je me sois remise du choc. Je ne sais comment l'expliquer. J'ai accepté gentiment et poliment mais sans trop d'empressement. Plutôt comme j'aurais accepté une tasse de thé. Je n'ai même pas joué la surprise. J'ai eu l'impression que je devais nous tirer au plus vite de cet épisode pour que nous puissions ensuite nous détendre et nous conduire normalement. Alors qu'à vrai dire je n'avais jamais été précisément détendue et normale avec Wilf. Pendant un certain temps, il m'a laissée assez perplexe et je le trouvais à la fois intimidant et comique. Et après, depuis mon malheureux poisson d'avril, j'étais simplement paralysée par la gêne. J'espère que je ne suis pas en train de dire que j'ai accepté de l'épouser pour surmonter ma gêne. Je me rappelle avoir pensé que j'aurais dû reprendre mon *j'accepte* et dire qu'il me fallait réfléchir, mais je ne pouvais le faire sans nous plonger de nouveau dans un océan de gêne aggravée. Et je ne vois pas ce à quoi j'aurais bien pu réfléchir.

Je suis fiancée à Wilf. Je n'arrive pas à le croire. Est-ce ainsi que cela arrive à tout le monde?

14 avril. Wilf est venu parler à Père et je suis allée parler à Ginny. J'ai commencé par avouer de but en blanc que j'étais embarrassée de lui raconter, puis j'ai dit que j'espérais qu'elle ne se sentirait pas embarrassée d'être ma demoiselle d'honneur. Bien sûr que non, m'a-t-elle répondu, et nous sommes devenues assez sentimentales, tombant dans les bras l'une de l'autre et versant quelques larmes.

« Que sont les hommes à côté de deux amies? » a-t-elle demandé.

J'ai alors été prise d'une de mes humeurs de risque-tout et lui ai dit qu'il y allait d'ailleurs entièrement de sa faute à elle.

J'ai dit que je n'aurais pu supporter que le pauvre se fasse éconduire par deux fois.

30 mai. Si je n'ai pas écrit dans ce journal depuis si longtemps, c'est que je suis dans un tourbillon d'activités impératives. Le mariage est fixé au 10 juillet. Je fais faire ma robe par Mlle Cornish qui me rend folle quand je suis devant elle en sous-vêtements criblés d'épingles et qu'elle m'aboie de me tenir tranquille. C'est de la mousseline blanche et je ne veux pas de traîne parce que je sais que je m'arrangerais d'une façon ou d'une autre pour me prendre les pieds dedans. Puis un trousseau d'une demi-douzaine de chemises de nuit d'été, d'un kimono japonais de soie moirée à motifs de lys et de trois pyjamas d'hiver, venant tous de chez Simpson à Toronto. Apparemment les pyjamas ne sont pas l'article idéal pour un trousseau mais les chemises de nuit ne valent rien pour ce qui est de vous tenir chaud et je les déteste de toute façon parce qu'elles finissent toujours par remonter et s'entortiller autour de vos reins. Un tas de combinaisons de soie et d'autres articles, tous pêche ou « chair ». Ginny me conseille d'en amasser tant que cela m'est possible parce que, si une guerre survient en Chine, beau-

coup d'articles de soie deviendront rares. Elle est selon son habitude toujours la première au courant des nouvelles. Sa robe de demoiselle d'honneur est bleu pastel.

Hier, Mme Box a confectionné le gâteau. Il est censé reposer pendant six semaines, nous sommes donc tout juste dans les temps. Il a fallu que je tourne la pâte parce que cela porte bonheur mais elle était si épaisse et pleine de fruits que j'ai cru que mon bras allait y rester. Ollie était là et a donc pu prendre le relais et remuer un peu pour moi quand Mme B. ne regardait pas. En quoi cela peut-il me porter bonheur, je l'ignore.

Ollie est le cousin de Wilf, en visite ici pour un ou deux mois. Comme Wilf n'a pas de frère, il — c'est-à-dire Ollie — sera son garçon d'honneur. Il a sept mois de plus que moi, de sorte qu'on dirait que lui et moi sommes encore des enfants contrairement à Wilf (dont je n'arrive pas à imaginer qu'il en fut jamais un). Ollie a passé trois ans en sanatorium mais maintenant il va mieux. On lui a fait un pneumothorax pendant qu'il était là-bas. J'avais déjà entendu parler de cette opération et croyais qu'on vit ensuite avec un seul poumon mais j'avais tort apparemment. On provoque seulement l'affaissement du poumon pour qu'il cesse momentanément de fonctionner pendant qu'on le traite avec un médicament qui fait que l'infection s'enkyste et n'est plus que dormante. (Ne suis-je pas en passe de devenir une véritable autorité médicale, maintenant que je suis destinée à épouser un médecin!) Pendant que Wilf nous expliquait cela, Ollie a mis les mains sur les oreilles. Il dit qu'il préfère ne pas penser à ce qu'on lui a fait, pour se raconter qu'il est creux comme une poupée de celluloïd. Il a une personnalité très à l'opposé de celle de Wilf mais ils semblent s'entendre à merveille.

Nous allons confier le glaçage du gâteau à des professionnels, à la boulangerie, Dieu merci. Je crois que Mme Box ne survivrait pas à la tension s'il en était autrement.

11 juin. Moins d'un mois encore avant le grand jour. Je ne

devrais même plus écrire dans ce journal, je devrais m'attaquer à la liste de mariage. Je n'arrive pas à croire que toutes ces affaires vont être à moi. Wilf est sans cesse après moi pour je choisisse le papier peint. Je croyais que les pièces étaient toutes plâtrées et peintes en blanc parce que c'était ainsi qu'il les aimait, mais il semble qu'il les ait laissées pour que sa femme puisse choisir le papier. Je crains de m'être montrée confondue devant cette tâche puis je me suis reprise et lui ai dit que je trouvais cela très attentionné de sa part mais que je ne pouvais vraiment pas imaginer ce que je voulais avant de vivre dans les murs. (Il avait sans doute espéré que tout serait prêt quand nous rentrerions de la lune de miel.) De cette façon, j'ai réussi à faire remettre à plus tard.

Je continue d'aller à la scierie deux jours par semaine. Je m'attendais plutôt à ce que cela se poursuive même après mon mariage mais Père dit bien sûr que non. Ensuite il m'a raconté comme quoi ce ne serait pas tout à fait légal d'embaucher une femme mariée à moins qu'elle ne soit veuve ou dans une très mauvaise situation, mais je lui ai fait remarquer que ce n'était pas une embauche puisque de toute façon il ne me paye pas. Il a dit alors ce que la gêne l'avait empêché de dire d'emblée, qu'il y aurait, quand je serais mariée, des interruptions.

« Des moments où tu ne te montreras pas en public », a-t-il dit.

« Oh, ça, je ne sais pas », ai-je dit avant de rougir comme une idiote.

Bref, il s'est mis en tête (Père) que ce serait bien si Ollie acceptait de me remplacer et il espère vraiment (Père, toujours) qu'Ollie pourrait apprendre le métier sur le tas et finir par être capable de reprendre toute l'affaire. Peut-être regrette-t-il que je n'épouse pas quelqu'un de ce genre — encore qu'il dise que Wilf sera *un gendre épatant*. Et Ollie, n'ayant aucune perspective d'emploi tout en étant intelligent et en ayant fait des études (j'ignore où et ce qu'il a étudié exactement mais il en sait manifestement plus qu'à peu près tout le monde ici), peut passer pour un choix de premier ordre. C'est pour cette raison que j'ai dû l'emmener au bureau hier, afin de lui montrer les livres, etc., puis Père a pris le relais et l'a présenté aux ouvriers et à tous ceux qui pouvaient se trouver sur les lieux, et on dirait que tout s'est bien passé. Ollie a été très attentif, il a pris son air le plus sérieux au bureau et s'est montré ensuite enjoué et blagueur (mais pas trop blagueur) avec les ouvriers, il a même changé juste ce qu'il fallait sa façon de parler et Père en a été enchanté et tout revigoré. Quand je lui ai dit bonne nuit, il a dit, « Je considère comme un véritable coup de chance que ce jeune homme soit venu ici. Il est en quête d'un avenir et d'un lieu pour fonder un foyer. »

Et je ne l'ai pas contredit mais je crois qu'il y a autant de chances qu'Ollie s'installe ici pour diriger une scierie que j'en ai d'entrer dans la troupe des Ziegfeld Follies.

Il ne peut tout simplement s'empêcher de faire ce qu'il faut pour se montrer sous un jour avantageux.

J'ai cru un moment que Ginny m'en débarrasserait. Elle est cultivée, elle fume, et bien qu'elle aille à l'église, ses opinions sont de celles qui passent aux yeux de certains pour de l'athéisme. Et elle m'avait dit qu'elle trouvait Ollie pas mal de sa personne malgré sa petite taille (je dirais autour d'un mètre soixante-dix). Il a les yeux bleus qu'elle aime et les cheveux caramel avec un cran qui lui retombe sur le front, d'un charme un peu étudié. Il a été très gentil avec elle, bien sûr, quand ils se sont rencontrés et il l'a fait beaucoup parler puis, quand elle est rentrée chez elle, il a dit, « Votre petite amie a tout d'une intellectuelle, n'est-ce pas ? »

« Petite. » Ginny est au moins aussi grande que lui et l'envie m'a démangée de le lui dire. Mais c'est extrêmement rosse de parler de taille avec un homme tant soit peu déficient dans ce domaine et je suis donc restée coite. Je ne savais trop que dire de cette histoire d'intellectuelle. À mes yeux Ginny est une intellectuelle (Ollie a-t-il lu *Guerre et Paix,* par exemple ?) mais je n'aurais pu décider à son ton s'il pensait qu'elle en était une ou pas. Tout ce que je pouvais constater, c'est que si elle en était une, ce n'était pas une qualité aux yeux d'Ollie, et que si elle n'en était pas une, elle se comportait comme si elle en était une, ce qui n'était pas non plus une qualité aux yeux d'Ollie. J'aurais dû dire quelque chose de froidement déplaisant comme « Vous êtes trop intelligent pour moi », mais n'ai évidemment rien trouvé sur le moment. Et le pire, c'est qu'il n'avait pas sitôt dit ça qu'en secret, dans mon cœur, un doute infime a commencé à poindre au sujet de Ginny, et que tout en la défendant (dans mes pensées) je me trouvais d'une manière un peu sournoise en accord avec lui. Je ne sais pas si elle me semblera désormais aussi intelligente qu'avant.

Wilf était présent et a dû entendre tout cet échange mais n'a rien dit. J'aurais pu lui demander s'il ne se sentait pas tenu de prendre la défense de la jeune fille qu'il avait naguère envisagé d'épouser, mais je ne lui ai jamais révélé ce que je connais au juste de cette affaire. Il se contente souvent de nous écouter Ollie et moi quand nous bavardons, penchant un peu la tête en avant (comme il y est contraint avec la plupart des gens, il est si grand), un petit sourire aux lèvres. Je ne suis même pas sûre que ce soit un sourire ou seulement la forme de sa bouche. Le soir ils viennent chez nous tous les deux et cela se termine souvent par une crapette entre Père et Wilf et une conversation à bâtons rompus entre Ollie et moi. À moins que Wilf, Ollie et moi ne jouions au bridge à trois. (Père ne s'est jamais laissé séduire par le bridge, qu'il juge je crois un peu snob.) Wilf reçoit parfois un appel de l'hôpital ou d'Elsie Bainton (sa gouvernante dont je ne puis retenir le nom — je viens de le demander en hurlant à Mme Box) et il doit repartir. D'autres fois, quand la crapette est finie, il va s'asseoir au piano et joue d'oreille. De temps à autre, dans l'obscurité. Père sort sur la véranda pour s'asseoir avec Ollie et moi et nous nous balançons tous en écoutant. Il semble alors que Wilf joue pour lui-même sans chercher à nous donner un récital. Ça ne l'ennuie pas plus que nous l'écoutions ou que nous ne l'écoutions pas. Ou même que nous

nous mettions à bavarder. Et parfois nous ne nous en privons pas parce que la chose tend à devenir un peu trop classique pour Père dont le morceau favori est « My Old Kentucky Home ». On voit peu à peu qu'il a du mal à tenir en place, ce genre de musique lui donne l'impression que le monde devient flou et c'est pour son bien que nous entamons alors une conversation. Ensuite c'est lui — Père — qui tient à dire à Wilf combien nous avons tous apprécié son jeu et Wilf remercie poliment d'un air distrait. Ollie et moi savons qu'il vaut mieux nous taire parce qu'en l'occurrence il se moque absolument de notre opinion quelle qu'elle soit.

Une fois, j'ai surpris Ollie à chantonner tout bas sur ce que jouait Wilf.

« À l'aube d'un nouveau jour, Peer Gynt bâille comme un four… »

J'ai chuchoté, « Quoi ? »

« Rien, a dit Ollie. C'est ce qu'il joue. »

Je le lui ai fait épeler. P-e-e-r G-y-n-t.

Il faudrait que j'en apprenne plus sur la musique, cela ferait quelque chose que Wilf et moi aurions en commun.

Le temps est soudain devenu chaud. Les pivoines sont épanouies comme des petits cœurs de laitues et les fleurs des buissons de spirée tombent comme neige. Mme Box se promène en disant que si cela continue, tout aura desséché d'ici la noce.

Tandis que j'écrivais cela j'ai bu trois tasses de café et n'ai pas encore arrangé mes cheveux. Mme Box dit, « Vous allez devoir changer vos façons sous peu. »

Ce qu'elle entend par là, c'est qu'Elsie Machintrucchouette a dit à Wilf qu'elle allait prendre sa retraite pour que je puisse m'occuper de la maison.

Je change donc maintenant mes façons et adieu journal, en tout cas pour le moment. J'avais autrefois l'impression que quelque chose de vraiment peu ordinaire arriverait dans ma vie et qu'il serait donc important d'avoir tout consigné par écrit. N'était-ce qu'une impression ?

« Ne croyez pas que vous pouvez vous prélasser ici. Je vous réserve une surprise. »

Ollie dit, « Vous ne cessez de me surprendre. »

C'était un dimanche et Ollie avait plutôt espéré qu'il pourrait se prélasser. Une chose qu'il n'appréciait pas toujours, chez Nancy, était son énergie.

Il imaginait qu'elle en aurait bientôt besoin, dans la maisonnée sur laquelle Wilf — dans son style robuste et ordinaire — croyait pouvoir compter.

Après le service à l'église, Wilf s'était rendu directement à l'hôpital et Ollie était revenu déjeuner avec Nancy et son père. Ils faisaient un repas froid le dimanche — Mme Box allait à l'église de son culte ce jour-là et passait l'après-midi à se reposer longuement dans sa propre petite maison. Ollie avait aidé Nancy à remettre de l'ordre dans la cuisine. Des ronflements prolongés leur parvenaient de la salle à manger.

« Votre père, dit Ollie après avoir jeté un coup d'œil. Il dort dans un fauteuil à bascule avec le *Saturday Evening Post* sur les genoux. »

« Il ne reconnaît jamais qu'il va faire un somme le dimanche après-midi, dit Nancy. Il pense toujours qu'il va lire. »

Nancy portait un tablier noué autour de la taille — pas le genre qu'on porte pour des travaux de cuisine sérieux. Elle l'ôta et, l'accrochant à la poignée, regonfla sa coiffure devant un petit miroir près de la porte de la cuisine.

« Je suis affreuse », dit-elle d'une voix plaintive mais pas mécontente.

« C'est vrai. Je me demande ce que Wilf peut bien voir en vous ! »

« Attention ou je vous en retourne une. »

Elle l'entraîna dans le jardin, contourna les cassissiers et les groseilliers et le conduisit sous l'érable où — elle le lui avait déjà raconté deux ou trois fois — elle avait naguère sa balançoire. Puis par l'allée du fond jusqu'au bout du pâté de maisons. Personne n'était occupé à tondre sa pelouse puisqu'on était dimanche. D'ailleurs il n'y avait personne dans les jardins derrière les maisons et celles-ci semblaient bien closes, fières et protectrices, comme si à l'intérieur de chacune d'entre elles des gens aussi dignes que le père de Nancy se fermaient provisoirement au monde extérieur pour prendre un repos bien gagné.

Cela ne signifiait pas que la ville était entièrement silencieuse. Le dimanche après-midi était le moment que choisissaient les gens des campagnes et les habitants des villages ruraux pour fondre sur la plage qui se trouvait à cinq cents mètres en contrebas d'un promontoire. Les glapissements aigus venant des toboggans se mêlaient aux cris des enfants qui pataugeaient en s'éclaboussant, aux avertisseurs des autos, aux coups de trompette du marchand de glaces, aux vociférations des jeunes hommes follement désireux de se faire remarquer et des mères follement inquiètes. Le tout formant un ensemble cacophonique, une rumeur embrouillée.

Au bout de l'allée, de l'autre côté d'une rue plus pauvre, sans revêtement, se dressait une bâtisse vide dont Nancy dit que c'était l'ancien dépôt de glace, et au-delà s'étendait un terrain vague, puis un pont de planches enjambant un fossé à sec, et ils se retrouvèrent sur une route juste assez large pour une auto — ou de préférence pour un cheval tirant un cabriolet. De part et d'autre de cette route, un mur de buissons épineux à petites feuilles vertes luisantes semés de fleurs roses et sèches. Il ne laissait passer nulle brise et ne procurait pas d'ombre, et les branches tentaient d'accrocher ses manches de chemise.

« Des roses sauvages », dit Nancy quand il demanda ce que pouvaient bien être ces saletés.

« J'imagine que c'est la surprise ? »

« Vous verrez. »

Il était en nage dans ce tunnel et aurait bien voulu qu'elle ralentisse. Il était souvent surpris du temps qu'il passait avec cette enfant gâtée, dont le caractère n'avait rien d'exceptionnel, sinon peut-être son degré d'impertinence et d'égoïsme. Était-ce qu'il aimait la troubler? Elle était plus maligne que la moyenne des filles, juste assez pour être accessible à ses petites piques.

Ce qu'il apercevait, un peu plus loin, était le toit d'une maison ombragée de quelques arbres dignes de ce nom, et puisqu'il n'y avait aucun espoir de tirer plus de renseignements de Nancy, il se contenta d'espérer qu'une fois arrivés là-bas ils pourraient s'asseoir dans un endroit frais.

« Il y a déjà quelqu'un, dit Nancy. J'aurais dû le savoir. »

Une Ford modèle T, plus toute jeune, était garée sur l'espace aménagé pour qu'on puisse faire demi-tour, à l'extrémité de la route.

« Au moins, il n'y en a qu'une, dit-elle. Espérons qu'ils ont presque fini. »

Mais quand ils arrivèrent au niveau de l'auto, personne n'était encore sorti de la modeste maison, un rez-de-chaussée surmonté d'un grenier — construite en briques qu'on disait « blanches » dans cette partie du pays et « jaunes » là d'où Ollie venait. (C'était en réalité une espèce de beige grisâtre.) Il n'y avait pas de haie — rien qu'une clôture en grillage à poules affaissée autour du jardin dans lequel l'herbe n'avait pas été coupée. Il n'y avait pas non plus d'allée cimentée menant de l'entrée jusqu'à la porte, seulement un chemin de terre. Non que tout cela fût inhabituel en dehors de la ville — peu de cultivateurs cimentaient leurs allées ou possédaient une tondeuse.

Peut-être y avait-il eu autrefois des plates-bandes fleuries — du moins des fleurs blanc et or se dressaient-elles çà et là parmi les hautes herbes. C'étaient des marguerites, il en était à peu près sûr, mais il n'avait aucune intention de le demander à Nancy pour risquer de s'entendre corriger et tourner en dérision.

Nancy le mena jusqu'à une véritable relique de jours plus fastes ou plus oisifs — une balançoire de bois dépourvue de peinture mais complète, avec deux bancs qui se faisaient face.

L'herbe n'avait pas été piétinée tout autour — apparemment elle n'était guère utilisée. Elle était à l'ombre du lourd feuillage de deux des arbres. Nancy ne s'y était pas sitôt assise qu'elle se redressa d'un bond et, s'accrochant aux montants entre les deux bancs, entreprit de propulser cet appareil grinçant d'avant en arrière et d'arrière en avant.

« Comme ça elle saura que nous sommes là », dit-elle.

« Qui ? »

« Tessa. »

« Est-ce une amie à vous ? »

« Évidemment. »

« Une vieille dame ? » demanda Ollie sans enthousiasme. Il avait eu bien souvent l'occasion de voir à quel point Nancy était prodigue de ce qu'on aurait pu appeler — qu'on appelait effectivement dans certains des romans pour jeunes filles qu'elle avait peut-être pris à cœur — le réconfort de sa lumineuse personnalité. Cela évoqua pour lui ses taquineries innocentes avec les plus vieux ouvriers de la scierie.

« On est allées à l'école ensemble, moi et Tessa. Tessa et moi. »

Cela lui amena une autre pensée — la façon dont elle avait essayé de lui caser Ginny.

« Et qu'a-t-elle de si intéressant ? »

« Vous verrez. Oh ! »

Sautant à bas de la balançoire à mi-vol, elle courut jusqu'à une pompe à bras près de la maison. Elle se mit à pomper vigoureusement. Elle dut pomper fort et longtemps avant de faire venir l'eau. Et malgré tout, elle ne semblait pas fatiguée, elle continua de pomper un moment jusqu'à avoir empli le quart de fer-blanc qu'elle prit à son crochet, juste à côté, et l'emporta, débordant un peu, jusqu'à la balançoire. Il crut à son expression enthousiaste qu'elle allait le lui offrir aussitôt mais en fait elle le porta à ses propres lèvres et déglutit joyeusement.

« Ce n'est pas l'eau de la ville, dit-elle en le lui tendant. C'est de l'eau de puits. Elle est délicieuse. »

Elle était fille à boire n'importe quelle eau non traitée dans le premier vieux quart de fer-blanc pendu au-dessus d'un puits. (Pour lui, les calamités qui s'étaient produites dans son corps l'avaient rendu plus conscient de ce genre de risque que n'aurait pu l'être un autre jeune homme.) Certes, elle aimait faire de l'épate. Mais elle était vraiment, naturellement casse-cou et pleine d'une conviction très pure qu'un charme la protégeait dans la vie.

Il n'en aurait pas dit autant de lui-même. Il avait pourtant l'idée — il n'aurait pu en parler sans le tourner en plaisanterie — qu'il était destiné à quelque chose d'inhabituel, que sa vie aurait un sens. Peut-être était-ce ce qui les attirait l'un vers l'autre. Mais la différence était que lui persévérerait, qu'il ne se satisferait pas de moins. Alors qu'elle y serait bien obligée — qu'elle l'avait déjà fait — étant une fille. La pensée d'un éventail de choix plus vaste qu'aucune fille n'en connaîtrait jamais le mit soudain à l'aise, lui inspira de la compassion pour elle et le rendit joueur. Il y avait des moments où il n'éprouvait pas le besoin de se demander pourquoi il était avec elle, des moments où la taquiner, et être taquiné par elle, faisait filer le temps avec une facilité étincelante.

L'eau était réellement délicieuse et merveilleusement fraîche.

« Les gens viennent voir Tessa, dit-elle en s'asseyant en face de lui. On ne peut jamais savoir quand il y aura quelqu'un. »

« Vraiment ? » demanda-t-il. L'idée folle lui traversa l'esprit qu'elle était peut-être assez perverse, assez indépendante, pour être l'amie d'une demi-professionnelle, une prostituée occasionnelle de la campagne. D'être restée amie, en tout cas, avec une fille qui avait mal tourné.

Elle lut dans ses pensées — il lui arrivait d'être fine.

« Oh non, dit-elle. Je n'ai rien voulu dire de semblable. Oh, c'est absolument la pire idée que j'aie jamais entendu exprimer. Tessa est la dernière fille au monde… c'est dégoûtant. Vous devriez avoir honte. C'est la dernière… Oh, et puis vous verrez. » Son visage était devenu très rouge.

La porte s'ouvrit et sans aucun des longs échanges d'adieux habituels — ni aucun au revoir audible — un homme et une femme, la cinquantaine, usés mais pas jusqu'à la corde, comme leur auto, s'amenèrent dans le sentier, regardèrent en direction de la balançoire et virent Nancy et Ollie mais ne dirent pas un mot. Assez bizarrement, Nancy ne dit rien non plus, ne lança aucune salutation enjouée. Le couple passa de part et d'autre du véhicule, y monta, et s'en fut.

Puis une silhouette sortit de l'ombre du seuil, et alors seulement Nancy lança, « Hou, hou. Tessa. »

La jeune femme était bâtie comme une enfant robuste. Une grosse tête couverte de cheveux noirs et bouclés, de larges épaules ; ses jambes, courtes, étaient nues et elle portait un curieux costume — une blouse de serge à col marin et une jupe. Curieux du moins par une journée chaude et tenant compte du fait qu'elle n'était plus une écolière. Très vraisemblablement, c'était une tenue qu'elle avait autrefois portée à l'école, et qu'étant de nature économe elle finissait d'user à la maison. C'était d'ailleurs le genre de vêtements qui ne s'usaient jamais et qui, d'après Ollie, ne flattaient pas non plus la silhouette des filles. Elle semblait gauche ainsi vêtue, ni plus ni moins que la plupart des écolières.

Nancy l'entraîna jusqu'à elle pour le présenter et il dit à Tessa — de la façon insinuante qui est d'ordinaire acceptable par les filles — qu'il avait beaucoup entendu parler d'elle.

« Pas du tout, dit Nancy. Ne crois pas un mot de ce qu'il dit. Je l'ai amené ici avec moi parce que je ne savais que faire de lui, franchement. »

Les yeux de Tessa étaient protégés de lourdes paupières et pas très grands mais leur couleur était d'un bleu surprenant, profond et doux. Quand elle les leva sur Ollie, ils ne brillaient d'aucune amitié, d'aucune animosité, ni même d'aucune curiosité particulières. Ils étaient seulement très profonds et très sûrs et l'empêchèrent totalement de continuer à débiter des fadaises polies.

« Ne restez pas là, entrez, dit-elle en leur montrant le chemin. J'espère que ça ne vous ennuie pas que je termine mon barattage. J'étais en train de baratter quand les derniers visiteurs sont arrivés et je me suis arrêtée, mais si je ne m'y remets pas, le beurre risque de tourner. »

« Tu travailles le dimanche, vilaine, dit Nancy. Vous voyez, Ollie. C'est ainsi qu'on fait le beurre. Je parie que vous pensiez qu'il sort de la vache tout prêt et tout emballé pour aller au magasin. Continue, dit-elle à Tessa. Si tu te fatigues, je veux bien essayer de te remplacer un moment. D'ailleurs, je viens simplement t'inviter à ma noce. »

« Il m'en était revenu quelque chose aux oreilles », dit Tessa.

« Je t'aurais bien envoyé une invitation mais j'ai craint que tu n'y prêtes pas attention. J'ai pensé qu'il valait mieux venir ici te tordre le cou jusqu'à ce que tu dises que tu viendras. »

Ils étaient passés directement à la cuisine. Les stores des fenêtres étaient tirés jusqu'en bas, un ventilateur battait l'air très haut au-dessus des têtes. La pièce sentait la cuisine, les soucoupes de poison pour les mouches, l'huile de lampe et le torchon. Toutes ces odeurs étaient peut-être bien incrustées dans les murs et le plancher depuis des dizaines d'années. Mais quelqu'un — à n'en pas douter, la fille qui barattait, le souffle lourd, grognant presque — s'était donné la peine de peindre en bleu pâle les placards et les portes. Des journaux étaient étalés autour de la baratte pour protéger le plancher, qui était usé en creux le long des itinéraires réguliers autour de la table et de la cuisinière. Ollie aurait été assez galant avec la plupart des jeunes paysannes pour demander s'il pouvait s'essayer à la baratte, mais en l'occurrence il ne se sentit pas suffisamment sûr de lui. Elle ne semblait pas morose, cette Tessa, simplement un peu vieille pour son âge, décourageante, à force de franchise et d'indépendance. Même Nancy finit par se taire en sa présence.

Le beurre survint. Nancy bondit pour y jeter un coup d'œil et lui intima d'en faire autant. Il fut surpris par sa pâleur, presque pas jaune du tout, mais il ne dit rien, supposant que

Nancy en aurait profité pour moquer son ignorance. Puis les deux filles posèrent la motte collante et pâle sur une étamine sur la table et la battirent avec des spatules de bois avant de l'envelopper entièrement dans l'étamine. Tessa souleva une trappe et toutes deux l'emportèrent dans l'escalier d'un cellier dont il n'aurait pas soupçonné l'existence. Nancy poussa un glapissement quand elle faillit rater une marche. Il avait idée que Tessa se serait mieux débrouillée seule mais que cela ne l'ennuyait pas d'accorder à Nancy quelques faveurs comme on fait avec une charmante petite peste. Elle laissa Nancy ramasser les journaux étalés par terre pendant qu'elle-même ouvrait les bouteilles de limonade qu'elle avait rapportées du cellier. Elle prit un gros morceau de glace dans une glacière d'angle, le débarrassa d'un reste de sciure en le rinçant dans l'évier avant de l'y casser à coups de marteau pour pouvoir en mettre un peu dans leurs verres. Là encore, il n'essaya pas de l'aider.

« Allez, Tessa, dit Nancy après une gorgée de limonade. C'est le moment. Sois gentille. S'il te plaît. »

Tessa buvait sa limonade.

« Dis-le à Ollie, fit Nancy. Dis-lui ce qu'il a dans les poches. Commence par la droite. »

Tessa dit, sans lever les yeux, « Bah, je pense qu'il a son portefeuille. »

« Oh, allez, quoi », dit Nancy.

« Mais elle a raison, dit Ollie. J'y ai mon portefeuille. Faut-il qu'elle devine ce qu'il y a dedans, maintenant? Parce qu'il n'y a pas grand-chose. »

« Oublions ça, dit Nancy. Dis-lui ce qu'il y a d'autre, Tessa. Dans sa poche droite. »

« Mais de quoi s'agit-il au juste? » demanda Ollie.

« Tessa, dit Nancy, cajoleuse. Allez, Tessa, tu me connais. N'oublie pas que nous sommes de vieilles amies, amies depuis notre première salle de classe. Fais-le pour moi. »

« C'est un jeu? demanda Ollie. Une espèce de jeu que vous avez imaginé toutes les deux? »

Nancy lui rit au nez.

« Qu'y a-t-il ? demanda-t-elle. Qu'avez-vous dans la poche pour en avoir honte ? Une vieille chaussette malodorante ? »

« Un crayon, dit Tessa, tout bas. Un peu d'argent. De la monnaie. Je ne peux pas dire la valeur des pièces. Un bout de papier, avec quelque chose écrit dessus ? Imprimé ? »

« Videz votre poche, Ollie, s'écria Nancy. Videz-la. »

« Oh, et une tablette de gomme à mâcher, dit Tessa. Une tablette de gomme à mâcher, je crois. C'est tout. »

Le chewing-gum n'était pas enveloppé, il était couvert de brins d'étoffe.

« J'avais oublié que je l'avais », dit Ollie, alors qu'il n'avait pas oublié. Il sortit un bout de crayon, quelques piécettes d'un et de cinq cents, une coupure de journal pliée et défraîchie.

« C'est quelqu'un qui me l'a donné », dit-il quand Nancy la saisit et la déplia.

« *Nous recherchons des manuscrits originaux d'une qualité supérieure, prose ou poésie,* lut-elle à haute voix. *Ils feront l'objet de la plus attentive…* »

Ollie le lui avait arraché de la main.

« Je vous dis que c'est quelqu'un qui me l'a donné. Pour avoir mon avis, est-ce que je pensais que c'était une maison sérieuse ? »

« Oh, Ollie. »

« Je ne savais même pas que je l'avais encore. Comme le chewing-gum. »

« N'êtes-vous pas surpris ? »

« Bien sûr que si. J'avais oublié. »

« Surpris par Tessa ? Qu'elle l'ait su ? »

Ollie parvint à sourire à Tessa, alors qu'il avait les joues en feu tant il était troublé. Ce n'était pas à elle qu'il en voulait.

« C'est ce que la plupart des hommes ont dans les poches, dit-il. De la monnaie ? Naturellement. Un crayon… »

« Du chewing-gum ? » l'interrompit Nancy.

« C'est possible. »

« Et le papier avec quelque chose d'imprimé. Elle a dit *imprimé*. »

« Elle a dit un bout de papier. Elle ne savait pas ce qu'il y avait dessus. N'est-ce pas que vous ne le saviez pas ? » demanda-t-il à Tessa.

Elle secoua la tête. Elle regarda en direction de la porte, tendant l'oreille.

« Je crois qu'il y a une auto dans l'allée. »

Elle avait raison. Tous l'entendaient à présent. Nancy alla jeter un coup d'œil à travers le rideau et à cet instant Tessa adressa à Ollie un sourire inattendu. Ce n'était pas un sourire de complicité ou d'excuse, ni de banale coquetterie. Ç'aurait pu être un sourire de bienvenue, mais dépourvu de toute invitation explicite. Ce n'était que l'offrande d'une certaine chaleur, d'un esprit bénin qui était en elle. Et en même temps il y eut un mouvement de ses larges épaules, une détente paisible, comme si le sourire se répandait à travers tout son être.

« Oh, flûte », dit Nancy. Mais elle dut maîtriser son enthousiasme et Ollie sa surprise et l'attirance en porte-à-faux qu'il ressentait.

Tessa ouvrit la porte au moment même où un homme descendait de l'auto. Il attendit à la barrière que Nancy et Ollie aient parcouru le chemin. Il était probablement sexagénaire, les épaules massives, le visage sérieux, portant un costume d'été de couleur pâle et un chapeau de chez Christie of London. Son auto était un coupé du dernier modèle. Il salua de la tête Nancy et Ollie avec le bref respect et l'absence délibérée de curiosité qu'il aurait pu manifester en leur tenant la porte à leur sortie d'un cabinet médical.

La porte de Tessa ne s'était pas refermée derrière lui depuis longtemps quand une autre auto parut à l'extrémité de l'allée.

« Ils font la queue, dit Nancy. Elle a du monde le dimanche après-midi. En été, en tout cas. Les gens font des kilomètres pour venir la voir. »

« Pour qu'elle puisse leur dire ce qu'ils ont dans les poches ? »

Nancy ne releva pas.

« Le plus souvent pour l'interroger au sujet de choses qu'ils ont perdues. Des choses de valeur. En tout cas, à leurs yeux. »

« Se fait-elle payer ? »

« Je ne crois pas. »

« Forcément. »

« Pourquoi, forcément ? »

« N'est-elle pas pauvre ? »

« Elle mange à sa faim. »

« Peut-être qu'elle ne réussit pas très souvent. »

« Eh bien moi, je crois que si, pourquoi les gens continueraient-ils à venir, autrement, je vous le demande ? »

Le ton de leur conversation changea pendant qu'ils parcouraient le tunnel lumineux et étouffant entre les églantiers. Ils essuyèrent leur visage en sueur, ayant perdu l'énergie de se chamailler.

Ollie dit, « Je n'y comprends rien. »

Nancy dit, « Personne n'y comprend rien, je crois. Et ce ne sont pas seulement des objets perdus. Elle a aidé à retrouver des cadavres. »

« Des cadavres ? »

« Un homme dont on croyait qu'il avait suivi la voie de chemin de fer avant d'être pris dans une tempête de neige et de mourir gelé et qu'on n'arrivait pas à localiser, elle a dit d'aller chercher près du lac au bas de la falaise. Et ça n'a pas manqué. Il n'avait pas du tout suivi la voie de chemin de fer. Et une fois, une vache qui avait disparu, elle a dit qu'elle s'était noyée. »

« Et puis ? demanda Ollie. Si c'est vrai, pourquoi n'y a-t-il eu aucune enquête ? Je veux dire, scientifique. »

« C'est tout à fait vrai. »

« Je ne veux pas dire que je ne lui fais pas confiance. Mais je voudrais savoir comment elle s'y prend. Ne le lui avez-vous jamais demandé ? »

Nancy le surprit. « Est-ce que ce ne serait pas grossier ? » demanda-t-elle.

À présent c'était elle qui semblait en avoir assez de la conversation.

« Alors, insista-t-il, voyait-elle des choses quand elle était petite, à l'école ? »

« Non. Je ne sais pas. Elle n'en a jamais rien laissé paraître. »

« Était-elle exactement comme tout le monde ? »

« Pas exactement. Mais qui est exactement comme tout le monde ? Je veux dire que je n'ai jamais trouvé que moi, je l'étais. Et Ginny n'a jamais trouvé qu'elle était comme tout le monde non plus. Pour Tessa, c'était simplement qu'elle habitait en dehors de la ville et qu'elle devait traire la vache avant de venir à l'école le matin. Ce qu'aucune autre d'entre nous ne faisait. J'ai toujours essayé d'être son amie. »

« Je n'en doute pas », dit benoîtement Ollie.

Elle poursuivit comme si elle n'avait pas entendu.

« Mais je crois que ça a commencé… je crois que ça doit avoir commencé pendant sa maladie. Pendant notre deuxième année de secondaire, elle est tombée malade, elle avait des convulsions. Elle a quitté l'école et n'est jamais revenue, c'est là qu'elle a pour ainsi dire perdu le contact avec le monde. »

« Des convulsions, dit Ollie. Des crises d'épilepsie ? »

« Je ne l'ai jamais entendu dire. Oh… » Elle se détourna de lui. « J'ai été vraiment dégoûtante. »

Ollie s'immobilisa. Il dit, « Pourquoi ? »

Nancy s'arrêta aussi.

« Je vous ai emmené là-bas exprès pour vous montrer que nous avions quelque chose de particulier, ici. Elle. Tessa. Enfin, pour vous montrer Tessa. »

« Oui. Et alors ? »

« Parce que vous pensez que nous n'avons rien de remarquable, ici. Vous pensez que nous sommes juste bons à être ridiculisés. Tous tant que nous sommes, par ici. Alors j'ai voulu vous la montrer. Comme un monstre, un phénomène de foire. »

« Monstre n'est pas un mot dont je me servirais pour parler d'elle. »

« C'était bien mon intention, en tout cas. Je suis à tuer. »

« Pas tout à fait. »

« Je devrais aller lui demander pardon. »

« À votre place, je ne ferais pas ça. »

« Ah non ? »

« Non. »

Ce soir-là Ollie aida Nancy à disposer un dîner froid. Mme Box avait laissé un poulet cuit et des salades en gelée dans le réfrigérateur et Nancy avait confectionné une génoise le samedi, qu'on servirait avec des fraises. Ils disposèrent tout sur la véranda qui était à l'ombre, l'après-midi. Entre le plat de résistance et le dessert, Ollie emporta les assiettes et les saladiers à la cuisine.

De but en blanc, il dit, « Je me demande s'il y en a qui pensent à lui apporter une quelconque gâterie. Du poulet, ou des fraises. »

Nancy choisissait les plus belles fraises pour les tremper dans le sucre. Au bout d'un moment, elle dit, « Pardon ? »

« Cette fille. Tessa. »

« Ah, dit Nancy. Elle a des poulets, elle pourrait en tuer un si elle en avait envie. Je ne serais pas surprise non plus qu'elle ait un carré de fraises. Ils en ont presque tous un, à la campagne. »

Son accès de contrition sur le chemin du retour lui avait fait du bien, et à présent c'était fini.

« Ce n'est pas seulement qu'elle n'est pas un monstre, dit Ollie. C'est qu'elle-même ne se considère pas comme un monstre. »

« Mais bien sûr que non. »

« Elle se contente d'être ce qu'elle est. Elle a des yeux remarquables. »

Nancy appela Wilf pour lui demander s'il voulait jouer du piano pendant qu'elle s'affairait à préparer le dessert.

« Il faut que je fouette la crème, et par ce temps j'en ai pour une éternité. »

Wilf dit qu'ils pouvaient attendre, il était fatigué.

Il joua pourtant, plus tard, quand la vaisselle eut été faite et que l'obscurité tombait. Le père de Nancy n'allait pas à l'office du soir — il jugeait que c'était trop demander — mais il n'autorisait aucun jeu de cartes ni aucun jeu de société le dimanche. Il feuilleta de nouveau le Post pendant que Wilf jouait. Nancy alla s'asseoir sur les marches de la véranda, hors de sa vue, pour fumer une cigarette en espérant que son père ne la sentirait pas.

« Quand je serai mariée… dit-elle à Ollie qui était accoudé à la balustrade. Quand je serai mariée, je fumerai quand il me plaira. »

Ollie, lui, ne fumait pas, bien sûr, à cause de ses poumons.

Il rit. Il dit, « Allons donc. Est-ce là une assez bonne raison ? »

Wilf jouait, d'oreille, *Une petite musique de nuit*.

« Il est bon, dit Ollie. Il a de bonnes mains, mais les filles disaient qu'elles étaient froides. »

Il ne pensait guère, pourtant, à Wilf, ni à Nancy, ni à leur style de mariage. Il pensait à Tessa, à son étrangeté et sa placidité. Se demandait ce qu'elle faisait par cette longue et chaude soirée au bout de son allée de roses sauvages. Avait-elle encore des visiteurs, s'occupait-elle encore de résoudre les problèmes de la vie des gens ? Ou allait-elle s'asseoir sur la balançoire et se balancer en crissant, avec la lune montante pour seule compagnie ?

Il devait découvrir, quelque temps après, qu'elle passait ses soirées à transporter des seaux d'eau de la pompe à ses plants de tomates, et à butter les haricots et les pommes de terre, et que s'il souhaitait avoir la moindre chance de parler avec elle, il faudrait que cela devienne ses occupations à lui aussi.

Pendant ce temps, Nancy allait être de plus en plus accaparée par les préparatifs de son mariage, sans une pensée pour Tessa, ni guère plus pour lui, sinon pour remarquer, une ou deux fois, qu'il n'était apparemment plus là désormais, quand elle avait besoin de lui.

29 avril. Cher Ollie,

Depuis que nous sommes rentrés de Québec, je n'ai pas cessé de penser que nous aurions de vos nouvelles et j'ai été surprise que nous n'en ayons pas (pas même à Noël!), mais ensuite je crois pouvoir dire que j'ai découvert pourquoi — j'ai commencé plusieurs lettres que j'ai dû interrompre en attendant d'avoir remis de l'ordre dans mes sentiments. Je pourrais dire, me semble-t-il, que l'article ou la chronique ou je ne sais comment vous l'appelez, dans le *Saturday Evening*, était bien écrit et que ce doit être un sujet de fierté et une manière d'exploit pour vous, j'en suis sûre, d'être publié dans un magazine. Père n'a pas apprécié votre référence à un « petit » port sur un lac et me demande de vous rappeler que nous sommes le port le meilleur et le plus actif de ce côté-ci du lac Huron, et quant à moi je ne suis pas sûre d'avoir aimé le mot « prosaïque ». Je ne sache pas que nous vivions dans un endroit plus prosaïque que n'importe quel autre, et que voudriez-vous qu'il soit — poétique?

Mais le principal problème est Tessa et l'effet que cela aura sur sa vie. J'imagine que vous n'y avez pas pensé. Je n'ai pas pu la joindre par téléphone et ne puis m'installer confortablement derrière le volant d'une auto (pour des raisons que je laisse à votre imagination) afin d'aller la voir. En tout cas, à ce que j'entends dire, elle est absolument assaillie de visites alors que c'est le pire moment de l'année pour aller en automobile là où elle vit, et la dépanneuse a travaillé à sortir les gens du fossé (ce qui ne vaut pas aux dépanneurs le moindre remerciement, mais des remontrances sur notre arriération). La route est dans un état épouvantable, transformée en bourbier et si défoncée qu'elle n'est plus réparable. Les roses sauvages à n'en pas douter appartiendront bientôt au passé. Déjà le conseil municipal est en effervescence à l'idée de ce que cela va finir par coûter et un tas de gens enragent parce qu'ils croient que Tessa était derrière toute cette publicité et rafle les bénéfices. Ils ne croient pas qu'elle fasse ce qu'elle fait gratuitement, et si quelqu'un en a tiré de l'argent, c'est vous. En disant cela, je cite Père — je sais que vous n'avez pas l'esprit mercenaire. Pour vous, tout tient à la gloire d'être publié. Pardonnez-moi si cela vous semble sarcastique. C'est très joli d'être ambitieux mais faut-il pour autant oublier les autres ?

Ma foi, vous vous attendiez peut-être à une lettre de félicitations, mais j'espère que vous m'excuserez, j'avais besoin de me soulager du poids qui pesait sur ma poitrine.

Une dernière chose, pourtant. Je veux vous demander si vous aviez dès le début l'idée d'écrire cet article. J'apprends maintenant que vous êtes allé seul voir Tessa à plusieurs reprises. Vous ne m'en avez jamais dit un mot et moins encore proposé de vous accompagner. Vous ne m'avez jamais indiqué que vous alliez glaner du Matériel (je crois que c'est le terme que vous emploieriez), et si ma mémoire est fidèle, vous vous étiez empressé d'exprimer le manque d'intérêt de cette expérience en termes abrupts et définitifs. Et dans votre article entier, il n'y a pas un mot du fait que c'est moi qui vous y ai emmené et vous ai présenté à Tessa. Cela n'est pas reconnu. Pas plus que vous ne l'aviez reconnu ni ne m'aviez remerciée à titre privé. Et j'ignore si vous avez franchement mis Tessa au courant de vos intentions ou si vous avez demandé son autorisation pour exercer — c'est vous que je cite maintenant — votre curiosité scientifique. Lui avez-vous expliqué ce que vous faisiez? Ou vous êtes-vous contenté d'aller et de venir en vous servant des gens prosaïques d'ici pour vous lancer dans votre carrière de journaliste?

Alors bonne chance, Ollie, je ne pense plus avoir de vos nouvelles. (Non que vous nous ayez fait l'honneur de nous en donner une seule fois jusqu'ici.)

Votre cousine par alliance, Nancy.

Chère Nancy,
Entre nous je dois dire que vous grimpez, je crois, aux

rideaux pour pas grand-chose. Tessa ne pouvait manquer d'être découverte par quelqu'un qui aurait écrit à son sujet, et pourquoi n'aurais-je pas été ce quelqu'un ? L'idée de rédiger cet article n'a pris forme dans mon esprit que graduellement, pendant que j'allais parler avec elle. Et j'ai réellement agi poussé par ma curiosité scientifique, qui est le seul trait de ma nature pour lequel je n'estimerai jamais avoir à m'excuser. Vous semblez croire que j'aurais dû demander votre permission ou vous tenir informée de tous mes projets et mouvements, à un moment où vous couriez partout en proie à la plus monumentale panique au sujet et de votre robe de mariée, et de vos réceptions, et du nombre de plats d'argent qu'on allait vous offrir, et Dieu sait quoi encore.

Quant à Tessa, vous êtes entièrement dans l'erreur si vous croyez que je l'ai oubliée maintenant que l'article est paru ou que je n'ai pas envisagé l'effet que cela aura sur sa vie. Et de fait, j'ai reçu un mot d'elle qui ne semble pas indiquer que les choses sont prises dans le tourbillon que vous décrivez. Quoi qu'il en soit, elle n'aura pas à s'accommoder bien longtemps de sa vie là-bas. Je suis en relation avec des gens qui ont lu l'article et sont très intéressés. Il existe des recherches tout à fait légitimes en ces matières, certaines ici mais la plupart aux États-Unis. Je pense qu'il y a plus d'argent disponible pour ce genre de choses et plus d'intérêt véritable de l'autre côté de la frontière où je suis donc en train d'étudier certaines possibilités — pour Tessa en tant que sujet de recherche et pour moi en tant que journaliste scientifique dans ce domaine — à Boston ou à Baltimore ou peut-être en Caroline du Nord.

Je regrette que vous ayez si mauvaise opinion de moi. Vous ne dites rien — à l'exception de l'annonce voilée d'un (heureux ?) événement — de votre vie de femme mariée. Pas un mot de Wilf, mais j'imagine que vous l'avez emmené avec vous à Québec et j'espère que vous vous êtes bien amusés tous les deux. J'espère aussi qu'il est plus prospère que jamais.

Bien à vous, Ollie.

Chère Tessa,

Selon toute apparence, tu as fait interrompre ta ligne téléphonique, ce qui a peut-être été rendu nécessaire par toute cette célébrité dont tu jouis. J'espère que cela n'a pas l'air d'une rosserie. Je laisse depuis quelque temps échapper des choses qui ne correspondent pas à mes intentions. J'attends un enfant — je ne sais pas si tu l'as appris — et cela a l'air de me rendre très susceptible et agressive.

J'imagine que tu es fort occupée et que tu ne dois plus savoir où donner de la tête avec tous ces visiteurs que tu reçois maintenant. Tu dois avoir du mal à ne pas changer tes habitudes. Si cela t'est possible, j'aimerais beaucoup te voir. Cette lettre est donc en réalité une invitation à venir me voir si jamais tu passes en ville (à l'épicerie, on m'a dit que tu te faisais dorénavant livrer toutes tes commissions). Tu n'as jamais vu l'intérieur de ma nouvelle — je veux dire nouvellement décorée et nouvelle pour moi — maison. Ni même mon ancienne maison, maintenant que j'y pense — c'était toujours moi qui allais chez toi. Et pas aussi souvent que je l'aurais voulu, d'ailleurs. La vie est toujours si remplie. Nous la passons à acquérir et dépenser, détruisant ainsi nos pouvoirs. Pourquoi nous laissons-nous accaparer au point de ne pas faire les choses que nous aurions dû, ou aurions pu, aimer faire ? Te rappelles-tu quand nous avions battu le beurre avec les vieilles spatules de bois ? Ça m'avait bien plu. C'était quand j'avais amené Ollie te voir, et j'espère que tu ne le regrettes pas.

Vois-tu, Tessa, j'espère que tu ne vas pas me trouver indiscrète ou penser que je fourre mon nez dans ce qui ne me regarde pas, mais Ollie me parle dans une lettre de ses contacts avec des gens qui font des recherches ou je ne sais quoi aux États-Unis. J'imagine qu'il t'aura contactée à ce propos. Je ne sais pas de quel genre de recherches il parle mais je dois dire qu'en lisant ce passage de sa lettre, mon sang s'est glacé. Mon cœur me dit que ce n'est pas une bonne chose pour toi de partir d'ici — si c'est bien ce que tu envisages — pour aller là où nul ne te connaît ou ne te considère comme une amie et une personne normale. Je me sentais tenue de te le dire.

Il y a autre chose que je me sens tenue de te dire bien que je ne sache pas comment m'y prendre. Voici. Ollie n'est certainement pas une mauvaise personne mais il produit un effet — et maintenant que j'y pense, pas seulement sur les femmes, mais aussi sur les hommes — et ce n'est pas qu'il l'ignore, mais qu'il n'en prend pas précisément la responsabilité. Pour parler franchement, je n'arrive pas à imaginer pire sort que de s'éprendre de lui. Il a l'air de songer à faire équipe avec toi, je ne sais trop comment, pour écrire à ton sujet ou au sujet de ces expériences, ou de ce qui se passera, et il se montrera très amical et très naturel, mais tu risques de prendre sa façon d'agir pour quelque chose de plus que ce qu'elle est. Je t'en prie, ne m'en veuille pas de t'avoir dit ça. Viens me voir. Baisers, Nancy.

Chère Nancy,

S'il te plaît, ne t'inquiète pas pour moi. Ollie est resté en contact avec moi pour me tenir au courant de tout. Quand tu recevras cette lettre, nous serons mariés et peut-être déjà aux États-Unis. Je suis bien triste de ne pas avoir pu connaître l'intérieur de ta nouvelle maison. Bien à toi, Tessa.

UN TROU DANS LA TÊTE

Dans la région centrale du Michigan, les collines sont couvertes de forêts de chênes. Nancy s'y est rendue une seule et unique fois, à l'automne 1968, après que les feuilles des chênes avaient changé de couleur mais restaient accrochées aux branches des arbres. Elle n'avait pas l'habitude des forêts mais des plantations de feuillus, avec de nombreux érables dont les couleurs d'automne sont le rouge et l'or. Les couleurs plus sombres, rouille ou lie-de-vin, du feuillage des grands chênes, n'avaient pour elle rien d'exaltant, même dans le soleil.

La colline sur laquelle était située la clinique ne portait aucun arbre et était assez éloignée de toute ville ou village et même de toute ferme habitée. C'était le genre de bâtisse qu'on voyait autrefois « transformée » en hôpital dans certaines bourgades, après avoir été la vaste demeure d'une importante famille dont tous les membres étaient morts ou n'avaient plus les moyens de l'entretenir. Deux baies vitrées de part et d'autre de la porte d'entrée, mansardes d'un bout à l'autre de la façade du deuxième étage. Vieille brique couverte de suie et absence de tout buisson, de toute haie, du moindre verger, rien que la pelouse rase et un stationnement de gravillons.

Nulle part où se cacher s'il avait pris à quiconque la fantaisie de s'enfuir.

Une telle idée ne lui serait pas venue — du moins pas aussi vite — du temps où Wilf n'était pas malade.

Elle rangea sa voiture à côté de quelques autres, se demandant si elles appartenaient au personnel ou à des visiteurs. Combien de visiteurs pouvaient venir dans un lieu si isolé ?

Il fallait gravir plusieurs marches pour lire l'écriteau apposé sur la porte principale qui vous avisait de faire le tour pour entrer par une porte latérale. De plus près, elle vit des barreaux à certaines fenêtres. Pas aux baies vitrées — qui étaient, toutefois, sans rideaux — mais à certaines fenêtres au-dessus et à d'autres en dessous, qui devaient éclairer une espèce de cave en demi-sous-sol.

La porte par laquelle on lui avait enjoint de passer donnait accès à ce niveau inférieur. Elle sonna, puis frappa, puis essaya de nouveau la sonnette. Elle crut qu'elle pouvait l'entendre sonner mais n'en était pas sûre parce qu'il y avait un grand vacarme à l'intérieur. Elle essaya la poignée, et à sa surprise — au vu des barreaux aux fenêtres — elle céda. Elle se retrouva sur le seuil de la cuisine, la vaste cuisine affairée d'un grand établissement, où un tas de gens lavaient et rangeaient la vaisselle après le déjeuner.

Les fenêtres étaient nues. Le plafond haut amplifiait le

bruit, les murs et les placards étaient tous peints de blanc. Un certain nombre de lampes étaient allumées, alors que c'était l'heure la plus lumineuse de cette claire journée d'automne.

Elle ne passa évidemment pas inaperçue. Mais personne ne semblait pressé de l'accueillir et d'apprendre ce qu'elle faisait là.

Elle reconnut autre chose. En même temps que la forte pression de la lumière et du bruit, il y avait là un élément dont elle ressentait désormais la présence aussi chez elle, dans sa propre maison, et dont ceux qui y entraient devaient prendre une conscience encore plus vive.

Le sentiment de quelque chose d'un peu décalé, hors d'usage, d'une façon qu'on ne pouvait ni réparer ni changer mais à laquelle on pouvait seulement résister de son mieux. Il y a des gens qui entrant dans ce genre de lieu abandonnent immédiatement, ils ne savent comment résister, ils sont outragés ou effrayés, ils doivent fuir.

Un homme en tablier blanc vint, poussant un chariot contenant une poubelle. Elle n'aurait pu dire s'il venait à sa rencontre ou croisait simplement son chemin, mais il souriait, semblait aimable, elle lui dit donc qui elle était et qui elle venait voir. Il l'écouta, approuva deux ou trois fois du chef, sourit plus largement, et se mit à remuer la tête en tapotant des doigts sur sa bouche — pour lui montrer qu'il ne pouvait parler ou que cela lui était interdit, comme dans certains jeux — et poursuivit son chemin en faisant cahoter son chariot le long d'une rampe descendant vers une cave encore en contrebas.

Ce devait être un pensionnaire, pas un employé. C'était le genre d'endroit où l'on mettait les gens au travail, s'ils pouvaient travailler. L'idée étant que ça leur faisait du bien, ce qui était possible.

Enfin arriva une personne qui semblait responsable, une femme de l'âge de Nancy en tailleur sombre — ne portant pas le tablier blanc dont la plupart des autres étaient enveloppés — et Nancy lui exposa tout, de nouveau. Qu'elle avait reçu une lettre, son nom ayant été donné par une pensionnaire — une résidente, ainsi qu'on tenait à vous le faire dire ici — comme celui de la personne à contacter.

Elle avait vu juste en pensant que les gens présents dans la cuisine n'étaient pas des employés.

« Mais ils semblent aimer travailler ici, dit l'infirmière chef. Ils en sont fiers. » S'ouvrant un chemin en souriant de gauche et de droite, elle conduisit Nancy dans son bureau, qui était attenant à la cuisine. Il apparut pendant leur conversation qu'elle devait faire face à toutes sortes d'interruptions, prendre des décisions au sujet du travail en cuisine et s'occuper des réclamations chaque fois qu'une personne affublée d'un tablier blanc passait la tête par la porte. Elle devait aussi traiter les archives, les factures, ou les avis, qui étaient fichés de façon guère officielle à des crochets un peu partout sur les murs. Tout en recevant les visiteurs comme Nancy.

« Nous avons parcouru les vieux dossiers qui nous restent et en avons sorti les noms des parents… »

« Je ne suis pas une parente », dit Nancy.

« Ou autres, et nous avons rédigé des lettres comme celle que vous avez reçue, pour avoir une idée de la façon dont ils souhaitent voir traiter *de tels cas*. Je dois dire que nous n'avons pas eu beaucoup de réponses. Vous êtes bien bonne d'avoir fait toute cette route en voiture. »

Nancy demanda ce qu'on entendait par *de tels cas*.

L'infirmière chef répondit qu'il y avait là des gens depuis des années alors que ce n'était peut-être pas leur place.

« Il faut que vous compreniez que je suis nouvelle ici, fit-elle, mais je vais vous dire ce que je sais. »

D'après elle l'établissement avait joué le rôle d'un attrape-tout, littéralement, destiné à recevoir de véritables malades mentaux, ou des gens séniles, mais aussi ceux qui ne connaî-traient jamais un développement normal d'une façon ou d'une autre, ou encore des gens dont les familles ne pouvaient ou ne voulaient s'occuper. Il y avait donc toujours eu et il y avait encore un vaste assortiment. Les cas graves étaient tous dans l'aile nord, sous haute sécurité.

À l'origine, c'était une clinique privée, propriété du médecin qui la dirigeait. Après son décès, sa famille avait pris le relais et il était apparu qu'elle avait une façon très originale de faire les choses. L'établissement était devenu pour une part un hôpital caritatif et des dispositions peu courantes avaient été prises pour faire subventionner le séjour de patients qui ne relevaient pas, à proprement parler, de la charité publique. Certains de ceux-là étaient encore dans les livres alors qu'ils étaient décédés et d'autres n'avaient aucun titre à y figurer. Nombre de ceux-là travaillaient, certes, pour payer leur entretien, ce qui avait pu être — qui était — d'ordinaire bon pour leur moral, mais le tout était néanmoins contraire aux règles et illégal.

Or, il y avait eu une enquête approfondie à la suite de laquelle l'établissement allait fermer. Le bâtiment était vétuste de toute manière. Sa capacité d'accueil insuffisante, on ne faisait plus les choses de cette façon, à présent. Les cas graves iraient dans un grand établissement, à Flint ou Lansing — ce n'était pas encore très défini —, d'autres patients rejoindraient des appartements protégés, des maisons de groupe, conformément à la nouvelle tendance, et il y avait enfin ceux qui pourraient vivre placés chez des parents.

Tessa était considérée comme faisant partie de ces derniers. Elle avait apparemment eu besoin de soins électrothérapeutiques lors de son arrivée, mais depuis longtemps ne recevait plus qu'une médication extrêmement légère.

« Électrochocs ? » demanda Nancy.

« Peut-être une thérapie par chocs électriques, dit l'infirmière chef comme si cela changeait quelque chose. Vous dites que vous n'êtes pas de la famille. Cela signifie que vous n'avez pas l'intention de la prendre avec vous. »

« J'ai un mari… dit Nancy. Mon mari est… il serait sans doute dans un établissement comme celui-ci mais je m'occupe de lui à la maison. »

« Ah, vraiment », dit l'infirmière chef avec un soupir qui, sans être d'incrédulité, n'était pas de sympathie non plus. « Et un autre problème, c'est qu'apparemment elle n'a pas d'état civil. Ce n'est pas une citoyenne. Elle-même ne se considère pas comme telle… alors j'imagine que cela ne vous intéresse plus de la voir ? »

« Si, dit Nancy. Si, ça m'intéresse. C'est pour ça que je suis venue. »

« Ah, très bien. Elle est à deux pas d'ici, au fournil. Elle fait notre pain depuis des années. Je crois qu'il y avait un boulanger professionnel au début, mais quand il est parti on n'a plus embauché personne d'autre, c'était inutile, avec Tessa. »

En se levant, elle dit, « Écoutez, vous aurez peut-être besoin que je vienne, au bout d'un moment, dire qu'il y a une chose dont j'aimerais vous parler. Cela vous permettra de prendre congé. Tessa est assez intelligente pour se rendre compte de ce qui est en train de se passer et risque d'être très perturbée en vous voyant partir sans elle. Je vous donnerai donc la possibilité de vous éclipser sans en avoir l'air. »

La chevelure de Tessa n'était pas entièrement grise. Ses boucles étaient retenues en arrière dans un filet serré, découvrant son front sans rides, brillant, encore plus large, plus haut et plus blanc qu'autrefois. Sa silhouette aussi s'était élargie. Elle avait de gros seins qui semblaient aussi rigides que deux rochers arrondis sous l'armure de sa tenue blanche de boulangère, et malgré ce poids, malgré sa position à cet instant — penchée sur une table pour étaler un gros morceau de pâte à l'aide d'un rouleau —, ses épaules étaient carrées et majestueuses.

Elle était seule au fournil, à l'exception d'une fille — non, d'une femme — de haute taille, mince, aux traits fins, dont le joli visage était constamment tordu par de bizarres grimaces.

« Oh, Nancy, c'est toi », dit Tessa. Elle parlait très naturellement, encore qu'avec la vaillance du souffle un peu court, la familiarité involontaire de ceux qui ont un noble poids de chair sur les os. « Arrête ça, Elinor. Ne sois pas bête. Va chercher une chaise pour mon amie. »

Voyant que Nancy avait l'intention de la serrer dans ses bras, comme les gens en avaient pris l'habitude, elle se troubla. « Non, je suis couverte de farine. Et puis d'ailleurs, Elinor risquerait de te mordre. Elinor n'aime pas que les gens soient trop amicaux avec moi. »

Elinor était revenue en hâte avec une chaise. Nancy ne manqua pas alors de la regarder en face et de lui parler gentiment.

« Merci beaucoup, Elinor. »

« Elle ne parle pas, dit Tessa. Mais c'est ma fidèle assistante. Je ne pourrais pas me débrouiller sans elle, n'est-ce pas, Elinor ? »

« Alors, dit Nancy. Je suis surprise que tu m'aies reconnue. Je me suis pas mal délabrée depuis le temps. »

« Oui, dit Tessa. Je me demandais si tu allais venir. »

« J'aurais même pu être morte, j'imagine. Tu te rappelles Ginny Ross ? Elle est morte. »

« Oui. »

De la pâte à tarte, voilà ce que Tessa était en train de faire. Elle en découpa un rond, le plaqua dans un moule en fer-blanc qu'elle souleva puis fit tourner d'une main experte pour découper de l'autre main l'excès de pâte à l'aide d'un couteau. Elle répéta rapidement l'opération plusieurs fois.

Elle dit, « Wilf n'est pas mort ? »

« Mort, non. Mais il s'est mis à débloquer, Tessa. » Nancy se rendit compte, mais un peu tard, que l'expression manquait de tact et elle essaya de se rattraper d'un ton plus léger. « Ses manières sont devenues assez étranges, mon pauvre Loulou. » Il y avait bien longtemps elle avait essayé de surnommer Wilf Loulou, trouvant que cela allait bien à sa longue mâchoire, sa fine moustache, ses yeux brillants et mélancoliques. Mais cela ne lui avait pas plu, il soupçonnait une moquerie, elle avait donc cessé. Maintenant, il n'y voyait plus d'inconvénient, et du simple fait qu'elle prononçait ce nom, elle se sentait à la fois de meilleure humeur et plus tendre envers lui, ce qui n'était pas inutile dans les circonstances présentes.

« Par exemple, il a pris les tapis en grippe. »

« Les tapis ? »

« Il marche autour de sa chambre comme ça, dit Nancy, traçant un rectangle dans les airs. J'ai dû écarter les meubles des murs. Et il tourne, tourne, tourne. » D'une façon inattendue et, en un sens, pour se faire pardonner, elle se mit à rire.

« Oui, nous en avons ici qui font la même chose, dit Tessa en hochant du chef pour confirmer d'un air d'initiée. Il ne leur faut rien entre eux et le mur. »

« Et il est très dépendant. C'est tout le temps *Où est Nancy ?* Je suis la seule en qui il ait confiance désormais. »

« Est-il violent ? » De nouveau Tessa avait parlé en professionnelle, en connaisseuse.

« Non. Mais il est très soupçonneux. Il croit que des gens viennent pour cacher ses affaires. Il croit que quelqu'un change l'heure des pendules et même la date du journal. Puis, il en sort d'un seul coup quand je parle des symptômes de tel ou tel et il fait aussitôt un diagnostic. L'esprit est une drôle d'affaire tout de même. »

Et voilà. Encore un joli manque de tact.

« Il a les idées embrouillées mais il n'est pas violent. »

« Tant mieux. »

Tessa posa le moule et entreprit de le garnir avec une louche qu'elle plongeait dans une grande boîte sans marque étiquetée *Bleuets*. La garniture semblait peu épaisse et gluante.

« Tiens, Elinor, dit-elle. Tiens, tes rognures. »

Elinor, qui était restée debout juste derrière la chaise de Nancy — laquelle avait soigneusement évité de se retourner pour regarder —, se glissa maintenant jusqu'à l'autre côté de la table sans lever les yeux et se mit à modeler ensemble les morceaux de pâte que le couteau avait découpés.

« Lui, il est mort, en tout cas, dit Tessa. Je sais au moins ça. »

« Mais de qui parles-tu ? »

« Ce bonhomme, là. Ton ami. »

« Ollie ? Tu veux dire qu'Ollie est mort ? »

« Tu ne le sais pas ? » demanda Tessa.

« Non. Non. »

« Je pensais que tu l'aurais su. Wilf ne l'avait pas appris ? »

« *Ne l'a*, Wilf ne l'a pas appris », corrigea Nancy par pur automatisme, défendant son époux en le plaçant parmi les vivants.

« J'aurais pourtant cru, dit Tessa. N'étaient-ils pas parents ? »

Nancy ne répondit pas. Évidemment, elle aurait dû penser qu'Ollie était mort, puisque Tessa était là.

« Je crois qu'il a dû garder ça pour lui », dit Tessa.

« C'est une chose que Wilf a toujours su faire, dit Nancy. Où est-ce arrivé ? Tu étais avec lui ? »

Tessa secoua la tête pour dire non, ou qu'elle ne savait pas.

« Alors quand ? Qu'est-ce qu'on t'a dit ? »

« Personne ne me l'a dit. On ne me disait jamais rien. »

« Oh, Tessa. »

« J'avais un trou dans la tête. Je l'ai eu pendant longtemps. »

« C'est comme ça que tu savais des choses ? demanda Nancy. Tu te rappelles comment ? »

« On m'a donné du gaz. »

« Qui ? demanda Nancy d'un ton sévère. Qu'est-ce que ça veut dire, on t'a donné du gaz ? »

« Les responsables, ici. On m'a fait des piqûres. »

« Tu as dit du gaz. »

« On m'a fait des piqûres et on m'a aussi donné du gaz. C'était pour me guérir la tête. Et pour m'empêcher de me rappeler. Il y a certaines choses que je me rappelle, mais j'ai du mal à dire à quand elles remontent. Il y avait ce trou dans ma tête pendant très longtemps. »

« Est-ce qu'Ollie est mort avant que tu viennes ici ou après ? Tu ne te rappelles pas comment il est mort ? »

« Oh, je l'ai vu. Il avait la tête enveloppée dans un manteau noir. Attaché par une corde autour du cou. Quelqu'un lui avait fait ça. » Ses lèvres restèrent soudées un moment. « Quelqu'un aurait mérité la chaise électrique. »

« C'est peut-être un cauchemar que tu as fait. Tu as peut-être mélangé ton cauchemar et ce qui s'est réellement passé. »

Tessa leva le menton comme pour régler la question. « Pas ça. Ça, je ne l'ai pas mélangé. »

Les électrochocs, songea Nancy. Les électrochocs laissent-ils des trous dans la mémoire? Quelque chose devait figurer dans les dossiers. Elle irait parler de nouveau avec l'infirmière chef.

Elle regarda ce qu'Elinor était en train de faire avec les morceaux de pâte. Elle les avait modelés adroitement, y collant des têtes, des oreilles et des queues. De petites souris de pâte.

D'un mouvement vif et preste, Tessa ouvrit des fentes dans la fine couche de pâte dont elle avait recouvert ses tartes. Les souris furent enfournées avec ces dernières, sur une plaque de fer-blanc rien que pour elles.

Puis Tessa tendit les mains et Elinor alla chercher une petite serviette humide pour la débarrasser des restes de pâte et de farine qui pouvaient y adhérer.

« Chaise », dit Tessa à voix basse, et Elinor apporta une chaise qu'elle plaça au bout de la table près de celle de Nancy afin que Tessa s'asseye. « Et peut-être pourrais-tu aller nous faire une tasse de thé, dit Tessa. Ne t'inquiète pas, nous garderons un œil sur tes friandises. Nous surveillerons tes souricettes.

« Oublions tout ce dont nous étions en train de parler, dit-elle à Nancy. Est-ce que tu n'attendais pas un enfant, la dernière fois que j'ai eu de tes nouvelles? C'était un garçon ou une fille? »

« Un garçon, dit Nancy. C'était il y a des années et des années. Et après j'ai eu deux filles. Ils sont tous les trois adultes à présent. »

« On ne voit pas le temps passer, ici. C'est peut-être une bénédiction, ou peut-être pas, je ne sais pas. Et que font-ils dans la vie? »

« Le garçon… »

« Comment l'as-tu appelé ? »

« Alan. Il a fait médecine, lui aussi. »

« Il est médecin ? À la bonne heure. »

« Les filles sont mariées toutes les deux. D'ailleurs, Alan est marié aussi. »

« Alors, comment s'appellent-elles ? Les filles ? »

« Susan et Patricia. Elles ont fait une école d'infirmières, toutes les deux. »

« Tu as choisi de jolis prénoms. »

On leur apporta le thé — la bouilloire devait être sur le feu en permanence dans le service — et Tessa le versa.

« Ce n'est pas la plus fine porcelaine du monde », dit-elle en se réservant une tasse un peu ébréchée.

« C'est très bien ainsi, dit Nancy. Tessa, te rappelles-tu ce que tu étais capable de faire ? Tu étais capable de… Tu savais des choses autrefois. Quand les gens perdaient des objets, tu étais capable autrefois de leur dire où les retrouver. »

« Oh non, dit Tessa. Je faisais semblant, voilà tout. »

« Tu n'aurais pas pu. »

« Ça me fait mal à la tête d'en parler. »

« Pardon. »

L'infirmière chef venait de s'encadrer sur le seuil.

« Je ne voudrais pas vous déranger pendant que vous buvez votre thé, dit-elle à Nancy. Mais si vous vouliez bien passer dans mon bureau rien qu'une minute quand vous aurez fini… »

Tessa n'attendit même pas que la femme ne puisse plus l'entendre.

« C'est pour que tu n'aies pas à me dire au revoir », dit-elle. Elle semblait s'en tenir à rire d'une blague familière. « C'est un truc à elle. Tout le monde est au courant. Je savais que tu ne venais pas pour m'emmener. Comment pourrais-tu ? »

« Ça n'a rien à voir avec toi, Tessa. C'est simplement parce que j'ai Wilf. »

« C'est juste. »

« Il a du mérite. Il a été un bon mari pour moi, aussi bon qu'il pouvait l'être. Je me suis juré qu'il ne finirait pas dans un établissement. »

« Non. Pas dans un établissement », dit Tessa.

« Ah, ce que je peux être bête. »

Tessa souriait et Nancy vit dans ce sourire la même chose qui l'avait laissée perplexe des années auparavant. Pas exactement une supériorité, mais une extraordinaire bienveillance sans contrepartie.

« C'était gentil d'être venue me voir, Nancy. Tu peux constater que j'ai gardé ma bonne santé. C'est déjà quelque chose. Maintenant, file, va passer la tête par l'entrebâillement de la porte du bureau de cette brave dame. »

« Je n'ai nullement l'intention d'aller voir cette brave dame, dit Nancy. Je ne vais pas filer en douce. Je compte bien te dire au revoir. »

Elle n'avait donc plus aucun moyen de demander à l'infirmière chef quoi que ce soit au sujet de ce que Tessa lui avait raconté, et elle ne savait d'ailleurs pas si elle aurait dû le demander — cela lui aurait semblé agir dans le dos de Tessa et risquer d'attirer des représailles contre cette dernière. Ce qui risquait d'entraîner des représailles, dans un établissement pareil, on ne pouvait jamais le savoir.

« Bon, alors ne dis pas au revoir avant d'avoir mangé une des souris d'Elinor. Les souris aveugles d'Elinor. Elle veut que tu y goûtes. Maintenant elle t'aime bien. Et ne t'en fais pas — je veille à ce qu'elle ait toujours les mains propres. »

Nancy mangea la souris et dit à Elinor qu'elle était très bonne. Sur quoi Elinor consentit à lui serrer la main, et puis Tessa en fit autant.

« S'il n'était pas mort, dit Tessa d'un ton parfaitement robuste et raisonnable, pourquoi ne serait-il pas venu ici me chercher ? Il avait dit qu'il le ferait. »

Nancy approuva de la tête. « Je t'écrirai », dit-elle.

Et elle en avait l'intention, vraiment, mais Wilf se mit à réclamer tant de soins sitôt qu'elle fut chez elle, et l'ensemble de cette visite dans le Michigan devint si bouleversant, et pourtant irréel, dans son esprit, qu'elle ne le fit jamais.

UN CARRÉ, UN CERCLE, UNE ÉTOILE

Un jour de fin d'été, au début des années soixante-dix, une femme se promenait dans Vancouver, ville qu'elle n'avait encore jamais visitée et qu'à sa connaissance elle ne reverrait jamais. Venant de son hôtel du centre-ville, elle avait traversé à pied le pont de Burrard Street et, au bout d'un moment, s'était retrouvée dans la Quatrième Avenue. Laquelle, à cette époque, était une artère envahie de petites boutiques où l'on vendait de l'encens, des cristaux, d'immenses fleurs en papier, des affiches de Salvador Dali et du Lapin Blanc, et des vêtements bon marché, soit brillamment colorés et légers, soit couleur de terre et épais comme des couvertures, fabriqués dans des parties du monde pauvres et légendaires. La musique diffusée à l'intérieur de ces boutiques vous assaillait — elle semblait presque vous renverser — quand on passait devant. Ainsi que le faisaient les douceâtres odeurs étrangères, et la présence indolente de garçons et de filles, ou de jeunes hommes et de jeunes femmes, qui avaient pour ainsi dire installé leurs pénates sur le trottoir. La femme avait entendu parler de cette culture jeune, ainsi qu'elle croyait qu'on l'appelait, elle avait lu des articles à son sujet. Elle était apparue depuis quelques années et on la supposait en fait sur le déclin. Mais jamais encore la femme n'avait eu à se frayer un chemin à travers une telle concentration de cette culture ni ne s'était retrouvée seule et livrée à elle-même, comme elle en avait l'impression, au milieu de cette jeunesse.

Elle avait soixante-sept ans, elle était si mince que ses hanches et sa poitrine avaient presque disparu, et elle marchait d'un pas conquérant, la tête en avant, tournant d'un côté à l'autre d'un air de défi des regards inquisiteurs.

Apparemment, il n'y avait personne dans les parages qui ne lui rende au moins trente ans.

Un garçon et une fille l'abordèrent avec une solennité qui avait quand même quelque chose de légèrement fêlé. Ils portaient des cercles de rubans tressés autour de la tête. Ils voulaient lui faire acheter un minuscule rouleau de papier.

Elle demanda s'il renfermait son avenir.

« Peut-être », dit la fille.

Et le garçon, réprobateur, « Il renferme la sagesse. »

« Ah, alors là », dit Nancy, et elle mit un dollar dans le bonnet brodé qu'on lui tendait.

« Maintenant, dites-moi comment vous vous appelez », demanda-t-elle avec un sourire qu'elle ne put réprimer et qui ne lui fut pas rendu.

« Adam et Ève », dit la fille en prenant le billet et en le fourrant quelque part dans ses draperies.

« *Adam et Ève sont dans un bateau,* dit Nancy. *Avec Pince-mi et Pince-moi…* »

Mais le couple se retira, plein de dédain et de lassitude.

Elle en fut pour ses frais. Elle poursuivit sa promenade.

Est-ce qu'il existe une loi m'interdisant d'être ici ?

Dans la vitrine d'un minuscule café, elle avisa un écriteau. Elle n'avait rien mangé depuis son petit déjeuner à l'hôtel. Il était quatre heures passées à présent. Elle s'arrêta pour voir ce qu'ils proposaient.

Bénie soit l'herbe. Et derrière ces mots griffonnés, il y avait une créature à l'air furibond, toute ridée, presque larmoyante, avec une fine chevelure qui voletait autour de son front et de ses joues. Une chevelure qui semblait sèche, d'un pâle brun rougeâtre. Toujours choisir plus clair que votre couleur naturelle, avait dit le coiffeur. Sa couleur naturelle était foncée, très foncée, presque noire.

Mais non. Sa couleur naturelle, désormais, c'était le blanc.

Cela n'arrive que quelques fois dans une vie — du moins dans une vie de femme — tomber ainsi sur sa propre image sans préparation. C'était aussi pénible que ces rêves dans lesquels elle se retrouvait dans la rue en chemise de nuit ou nonchalamment vêtue du seul haut de son pyjama.

Au cours des dix ou quinze dernières années, elle avait certainement pris le temps d'examiner son visage dans une dure lumière, pour mieux voir l'effet du maquillage ou décider si le moment était indiscutablement venu de commencer à se teindre les cheveux. Mais jamais elle n'avait reçu un tel coup, un instant au cours duquel elle ne vit pas seulement d'anciennes et de nouvelles zones inquiétantes, ni tel déclin qu'elle ne pourrait plus ignorer, mais une étrangère.

Quelqu'un qu'elle ne connaissait pas et n'avait pas envie de connaître.

Elle adoucit aussitôt son expression, évidemment, et il y eut une amélioration. On pourrait dire qu'alors elle se reconnut. Et elle entreprit promptement de chercher des raisons d'espérer, comme s'il n'y avait pas une minute à perdre. Il lui fallait laquer ses cheveux pour qu'ils ne volettent pas de cette façon autour de son visage. Il lui fallait une nuance plus nette de rouge à lèvres. Un corail brillant qu'on avait le plus grand mal à se procurer à présent, au lieu de ce terne brun rosâtre plus à la mode qui faisait presque nu. Bien décidée à trouver illico ce qu'il lui fallait, elle pivota sur elle-même — elle avait vu une pharmacie à trois ou quatre rues de là — et préférant ne pas passer de nouveau devant Adam-et-Ève elle traversa la rue.

Sans cet incident, la rencontre n'aurait pas eu lieu.

Une autre personne âgée s'avançait sur le trottoir. Un homme, pas grand, mais droit et musclé, chauve au sommet du crâne, couvert pour le reste d'un frisson de fins cheveux blancs, voletant en tous sens, exactement comme faisaient ses cheveux à elle. Une chemise de toile bleue au col ouvert, une vieille veste, un vieux pantalon. Rien qui donne l'impression qu'il essayait de ressembler aux jeunes hommes de la rue — ni ruban, ni foulard, ni jean. Et pourtant on n'aurait jamais pu le confondre avec le genre d'hommes qu'elle voyait tous les jours depuis deux semaines.

Elle le sut presque tout de suite. C'était Ollie. Mais elle se figea sur place, ayant d'excellentes raisons de croire que ça ne pouvait pas être vrai.

Ollie. Vivant. Ollie.

Et il dit, « Nancy ! »

L'expression de son visage (une fois qu'elle eut surmonté un instant de terreur qu'il ne sembla pas remarquer) devait être à peu près la même que celle qui se peignit sur les traits d'Ollie. Incrédule, hilare, contrite.

Contrite à propos de quoi ? Le fait qu'ils ne s'étaient pas séparés bons amis, qu'ils n'avaient jamais cherché à reprendre contact au long de tant d'années ? Ou à propos des changements qui avaient eu lieu en chacun d'eux, de la façon dont il leur fallait se présenter désormais, qui ne laissait aucun espoir.

Certes, Nancy avait plus de raisons que lui d'être sous le choc. Mais elle n'aborderait pas le sujet pour l'instant. Pas avant de savoir où ils en étaient.

« Je ne suis ici que pour la journée, dit-elle. Enfin, de la nuit dernière à demain matin. J'ai fait une croisière en Alaska. Avec une armée de vieilles veuves. Wilf est mort, vous savez. Il y a presque un an. Je suis affamée. Il y a des heures que je marche. Je ne sais même pas comment je suis arrivée ici. »

Et elle ajouta, assez sottement : « Je ne savais pas que vous viviez ici. » Parce qu'elle ne pensait pas qu'il vivait où que ce soit. Mais elle n'avait pas été absolument certaine qu'il était mort, non plus. D'après ce qu'elle avait pu reconstituer, Wilf n'avait jamais reçu de nouvelles de ce genre. Encore qu'elle n'ait pas pu tirer grand-chose de lui, il avait dérivé hors d'atteinte pendant le temps, pourtant bref, qu'elle avait passé à cette virée dans le Michigan pour voir Tessa.

Ollie était en train de dire qu'il ne vivait pas à Vancouver, que lui aussi y était de passage. Il était venu pour une question médicale, à l'hôpital, une visite de routine. Il vivait sur l'île de Texada. Où était-ce ? Il dit que c'était trop compliqué à expliquer. Il suffisait de savoir qu'il fallait prendre trois bateaux différents, trois traversiers, pour s'y rendre à partir de Vancouver.

Il la mena jusqu'à un minibus Volkswagen blanc et crasseux rangé dans une rue adjacente et ils roulèrent jusqu'à un restaurant. Le minibus sentait l'océan, songea-t-elle, les algues, le poisson et le caoutchouc. Et il s'avéra qu'il se nourrissait de poisson désormais, jamais de viande. Le restaurant, qui ne comptait qu'une demi-douzaine de petites tables, était japonais. Un jeune Japonais dont le doux visage aux yeux baissés aurait pu être celui d'un moine découpait du poisson à une vitesse terrifiante derrière le comptoir. Ollie lança, « Ça va, Pete ? » et le jeune homme répliqua, « Fantastique », dans une parodie d'accent nord-américain sans rien perdre de son rythme. Nancy se sentit brièvement mal à l'aise — était-ce parce qu'Ollie avait appelé le jeune homme par son nom et que ce dernier n'en avait pas fait autant pour lui ? Et parce qu'elle espérait qu'Ollie ne remarquerait pas qu'elle l'avait remarqué ? Certains — certains hommes — attachent une telle importance à montrer qu'ils sont amis avec les gens dans les boutiques et les restaurants.

L'idée de manger du poisson cru la révulsant, elle prit des nouilles. Les baguettes lui semblèrent bizarres — elles ne ressemblaient pas aux baguettes chinoises dont elle avait eu l'occasion de se servir une ou deux fois. Mais il n'y avait rien d'autre.

Maintenant qu'ils étaient installés, elle aurait dû parler de Tessa. Mais il était peut-être plus convenable d'attendre qu'il lui en parle le premier.

Elle se lança donc sur le sujet de la croisière. Elle dit qu'elle n'en ferait plus jamais, dût sa vie en dépendre. Ce n'était pas le temps, encore qu'il ait été mauvais en partie, avec pluie et brouillard empêchant de voir le paysage. Ils en avaient vu assez, à vrai dire, plus qu'il n'en fallait pour une vie entière. Montagne après montagne, île après île, et rochers et eau et arbres. Tout le monde se récriant, n'est-ce pas prodigieux? N'est-ce pas sensationnel?

Sensationnel, sensationnel, sensationnel. Prodigieux.

Ils avaient vu des ours. Ils avaient vu des phoques, des otaries, une baleine. Tout le monde prenant des photos. En nage et pestant, craignant que leurs luxueux appareils flambant neufs ne fonctionnent pas bien. Puis à terre, la balade dans le célèbre chemin de fer jusqu'à la célèbre ville de chercheurs d'or et encore des photos et des figurants habillés comme à la Belle Époque, et que faisaient la plupart des gens? La queue pour acheter des caramels.

Les chansons dans le train. Et à bord, l'alcool. Pour certains, dès le petit déjeuner. Les cartes, le jeu. Bal tous les soirs, avec dix vieilles pour un vieux.

« Nous, tout enrubannées, frisées, pailletées, enchoucroutées, comme des chienchiens pour une exposition canine. J'aime mieux vous le dire, la concurrence était féroce. »

Ollie éclata de rire en différents points du récit, mais elle le surprit pourtant une fois à regarder en direction du comptoir, d'un air absent et anxieux. Il avait fini sa soupe et pensait peut-être à ce qui allait venir ensuite. Peut-être faisait-il partie de ces hommes qui ressentent comme un affront de devoir attendre pour être servis.

Les nouilles de Nancy esquivaient sans arrêt ses baguettes.

« Et Dieu tout-puissant, ne cessais-je de me demander, qu'est-ce que je fiche, mais qu'est-ce que je fiche ici? Tout le monde me conseillait de voyager. Wilf n'était plus lui-même pendant quelques années et je m'étais occupée de lui à la maison. Après sa mort, les gens me disaient qu'il fallait que j'adhère. Que j'adhère au club du livre des seniors, que j'adhère au groupe de randonnée des seniors, à l'association des aquarellistes. Et même aux seniors visiteurs bénévoles, qui font intrusion dans la chambre de pauvres créatures sans défense à l'hôpital. Et comme je n'avais évidemment envie de rien faire de tout ça, ils ont commencé avec leurs Pars en vacances, voyage, voyage. Même mes enfants. Il te faut des vacances loin de tout. Alors j'ai hésité et hésité, je ne savais vraiment pas quel parti prendre, où aller, et quelqu'un m'a dit, mais tu n'as qu'à faire une croisière. Et je me suis dit ma foi, je n'ai qu'à faire une croisière. »

« C'est curieux, dit Ollie. Je ne crois pas qu'en deuil d'une épouse je me serais avisé de partir en croisière. »

Nancy ne perdit pas une seconde. « Vous avez bien raison », dit-elle.

Elle attendit qu'il dise quelque chose au sujet de Tessa, mais son poisson était arrivé et accaparait son attention. Il tenta de la convaincre d'en goûter un peu. Elle refusa. En fait, elle renonça entièrement au repas, alluma une cigarette.

Elle dit qu'elle n'avait jamais cessé de guetter et d'attendre autre chose qu'il aurait écrit après cet article qui avait soulevé tant de fureur. Il y avait démontré un talent d'écrivain, disait-elle.

Il sembla momentanément perdu, comme s'il ne pouvait se rappeler de quoi elle parlait. Puis il secoua la tête comme s'il était ébahi et dit qu'il y avait des années de cela, des années et des années.

« Ce n'était pas vraiment ce que je voulais. »

« Qu'entendez-vous par là ? dit Nancy. Vous n'êtes pas comme vous étiez autrefois, n'est-ce pas ? Vous n'êtes pas le même. »

« Bien sûr que non. »

« C'est-à-dire qu'il y a quelque chose de fondamental, de physiquement différent. Vous êtes bâti différemment. Vos épaules. Ou ma mémoire me joue-t-elle des tours ? »

Il dit que c'était ça, exactement. Il s'était rendu compte qu'il avait besoin d'un genre de vie plus physique. Non. Ce qui s'était passé, dans l'ordre, c'était qu'il avait eu un retour du vieux démon (elle pensa qu'il faisait allusion à la tuberculose) et s'était rendu compte qu'il faisait tout ce qu'il ne fallait pas, alors il avait changé. Il y avait des années de ça. Il était entré comme apprenti chez un constructeur de bateaux. Puis s'était associé à un organisateur de pêche au gros. Il s'était occupé des bateaux d'un multimillionnaire. C'était dans l'Oregon. Divers emplois l'avaient ramené jusqu'au Canada, et il avait passé un moment dans le coin — à Vancouver — avant d'acheter un bout de terrain à Sechelt — en bord de mer, quand c'était encore bon marché. Il avait monté une affaire de kayaks. Construction, location, vente, école. Le moment était arrivé où il avait commencé à trouver Sechelt trop fréquenté, et il avait cédé son terrain pour presque rien à un ami. Il était la seule personne qu'il connaissait qui n'ait pas gagné d'argent dans le foncier, à Sechelt.

« Mais ce n'est pas l'argent qui compte dans ma vie », dit-il.

Il avait appris qu'on pouvait acheter du terrain dans l'île de Texada. Et à présent, il n'en partait plus que très rarement. Il faisait des choses et d'autres pour gagner sa vie. Encore un peu dans le domaine du kayak et dans la pêche. Il se louait comme homme à tout faire, maçon, menuisier.

« Je m'en sors », dit-il.

Il lui décrivit la maison qu'il s'était construite, de l'extérieur une cabane, en apparence, mais à l'intérieur délicieuse, du moins à ses yeux. Un grenier pour dormir, avec une petite fenêtre ronde. Tout ce dont il avait besoin juste à portée de main, à découvert, rien dans des placards. À quelques pas de la maison, il avait une baignoire enfoncée dans la terre, au milieu d'une plate-bande d'herbes odorantes. Il y emportait des seaux d'eau chaude et s'y prélassait sous les étoiles, même en hiver.

Il cultivait des légumes qu'il partageait avec les cerfs.

Pendant tout ce récit, Nancy éprouva un sentiment malheureux. Ce n'était pas de l'incrédulité — en dépit de la principale incohérence, le gros mensonge par omission. C'était plutôt une perplexité croissante, puis un sentiment de déception. Il parlait comme un certain nombre d'autres hommes. (Par exemple, celui avec lequel elle avait passé un certain temps sur le navire de croisière — où elle n'avait pas vécu dans une solitude aussi hautaine et ne s'était pas montrée aussi peu sociable qu'elle l'avait fait croire à Ollie.) Beaucoup d'hommes n'ont jamais rien à dire de leur vie, en dehors de quand et où. Mais il y en a d'autres, plus à la page, qui débitent des récits apparemment improvisés et pourtant bien mis au point, dans lesquels il est dit que la vie est une route accidentée, mais que les malheurs ont indiqué la direction de jours meilleurs, où des leçons ont été apprises et où, sans l'ombre d'un doute, la joie est venue un matin.

Elle ne voyait pas d'objections à ce que des hommes parlent ainsi — elle pouvait d'ordinaire penser à autre chose pendant ce temps-là — mais quand c'était Ollie, quand il le fit, penché au-dessus de la petite table branlante et du plateau de bois où étaient disposés d'inquiétants tronçons de poisson, elle sentit une tristesse envahir tout son être.

Il n'était plus le même. Il n'était vraiment plus le même.

Et elle ? Ah, l'ennui, c'est qu'elle était tout à fait la même. En parlant de la croisière, elle s'était animée — elle avait pris plaisir à s'entendre parler, à la description qu'elle avait dévidée. Non que ce fût la façon dont elle avait réellement parlé à Ollie autrefois — c'était plutôt la façon dont elle regrettait de ne pas lui avoir parlé, et dont elle lui avait parlé parfois, par la pensée, après son départ. (Pas tant que sa colère contre lui n'était pas retombée, évidemment.) Quelque chose se produisait qui lui faisait penser, J'aimerais pouvoir raconter ça à Ollie. Quand elle parlait comme elle en avait envie à d'autres, elle allait parfois trop loin. Elle voyait bien ce qu'ils pensaient. *Sarcastique*, ou *critique*, ou même *amère*. Wilf ne se servait jamais de ces mots-là, mais il les pensait peut-être, elle n'avait jamais pu le discerner. Ginny souriait, mais pas de son sourire d'autrefois. Dans son âge mûr de célibataire, elle était devenue secrète, douce et charitable. (Le secret fut révélé peu avant sa mort quand elle reconnut être devenue bouddhiste.)

Ollie avait donc beaucoup manqué à Nancy sans qu'elle

parvienne jamais à démêler en quoi au juste il lui manquait. Quelque chose de déplaisant qui brûlait en lui comme une fièvre chronique, et sur quoi elle ne pouvait avoir le dessus. Ce qui lui avait tapé sur les nerfs pendant la courte période où elle l'avait connu s'était révélé avec le recul ce qu'il y avait de lumineux.

À présent il lui parlait sincèrement. Il lui souriait, les yeux dans les yeux. Elle se rappelait l'usage commode qu'il faisait autrefois de son charme. Mais elle avait cru qu'il ne s'en servirait jamais avec elle.

Elle craignait à moitié qu'il dise « Je ne vous ennuie pas au moins ? » ou « N'est-ce pas que la vie est étonnante ? »

« J'ai eu une chance incroyable, dit-il. Dans la vie. Oh, je sais qu'il y en a qui ne seraient pas d'accord. Ils diraient que je ne suis allé au bout de rien, ou que je n'ai pas gagné un sou. Ils diraient que j'ai gâché le temps pendant lequel j'étais dans la dèche. Mais ce n'est pas vrai.

« J'ai entendu l'appel, poursuivit-il, levant les sourcils, avec un demi-sourire pour lui-même. Sérieusement. Oui, oui. J'ai entendu l'appel à sortir de nos boîtes. À sortir de la boîte il-faut-faire-quelque-chose-de-grand. La boîte du moi surdimensionné. J'ai eu de la chance d'un bout à l'autre. Même la tuberculose a été une chance. Elle m'a permis d'éviter l'université, où j'aurais dû m'encombrer la tête d'un tas d'inepties. Et elle m'aurait évité la mobilisation si la guerre avait éclaté plus tôt. »

« Vous n'auriez pas été mobilisable de toute façon, puisque vous étiez marié », dit Nancy.

(Elle avait même été d'humeur assez cynique, un jour, pour se demander tout haut devant Wilf si cela avait pu être la raison de ce mariage.

« Les raisons des autres ne m'intéressent pas beaucoup », avait dit Wilf. Il avait dit qu'il n'y aurait pas de guerre de toute manière. Et il n'y en avait pas eu. Pendant dix ans.)

« Ma foi, oui, dit Ollie. Mais ce n'était pas une union tout à fait officielle. J'étais en avance sur mon temps, vous savez,

339

Nancy. J'oublie toujours que je n'étais pas vraiment marié. Peut-être parce que Tessa était une femme très profonde et sérieuse. Quand on était avec elle on était avec elle. Rien de superficiel et facile, avec Tessa. »

« Alors, dit Nancy, avec le plus de légèreté possible. Alors. Vous et Tessa. »

« C'est le krach de 29 qui a tout arrêté », dit Ollie.

Ce qu'il entendait par là, poursuivit-il, c'était que l'intérêt, et par conséquent les fonds, avaient en grande partie disparu. Le financement des investigations. Il y avait eu un changement de la pensée, la communauté scientifique se détournant de ce qu'elle devait alors avoir jugé frivole. Quelques expériences se poursuivirent un moment, mais sans grande conviction, dit-il. Et même les gens qui avaient paru le plus intéressés, le plus engagés — des gens qui l'avaient contacté, dit Ollie, ce n'est pas comme si c'était lui qui les avait contactés —, ces gens furent les premiers à devenir injoignables, à cesser de répondre aux lettres, à cesser de vous contacter, jusqu'à finir par vous envoyer un mot de leur secrétaire pour dire que tout était annulé. Tessa et lui avaient été traités comme des moins-que-rien par ces gens, comme des fâcheux et des opportunistes, une fois que le vent avait tourné.

« Les universitaires, dit-il. Après tout ce que nous avions supporté pour nous mettre à leur disposition. Je n'ai que faire de ces gens-là. »

« J'aurais cru que vous traitiez principalement avec des médecins. »

« Des médecins. Des agents. Des universitaires. »

Pour le faire sortir de cette voie de garage des vieilles blessures et des vieilles rancœurs, Nancy l'interrogea sur les expériences.

La plupart comportaient des cartes. Pas des cartes à jouer ordinaires mais des cartes spéciales de Perception Extra-Sensorielle avec leurs propres symboles. Une croix, un cercle, une étoile, des lignes sinueuses, un carré. On disposait une carte de chaque symbole ouverte sur la table, le reste du paquet était battu et laissé fermé. Tessa était censée dire quel symbole de ceux qu'elle avait sous les yeux correspondait à celui de la première carte du paquet. C'était le test à cartes découvertes. Le test à l'aveugle était le même, sauf que les cinq symboles étaient retournés eux aussi. Il y avait d'autres tests d'une difficulté croissante. Parfois utilisant des dés, ou des pièces de monnaie. Parfois rien d'autre qu'une image dans l'esprit. Des séries d'images mentales, rien d'écrit. Sujet et examinateur dans la même pièce ou dans des pièces séparées ou à cinq cents mètres l'un de l'autre.

Ensuite, le taux de réussite de Tessa était mesuré en comparaison des résultats qu'on obtiendrait par pur hasard. Les probabilités, qui étaient croyait-il de vingt pour cent.

Rien dans la pièce qu'une chaise, une table et une lampe. Comme pour un interrogatoire. Tessa en ressortait lessivée. Les symboles continuaient de lui tourner dans la tête pendant des heures, où qu'elle pose les yeux. Ses migraines avaient commencé.

Et les résultats n'étaient pas concluants. Toutes sortes d'objections surgissaient, pas à propos de Tessa mais à propos des tests qui étaient biaisés. On disait que les gens ont des préférences. Pour tirer à pile ou face, par exemple, ils sont plus nombreux à choisir face plutôt que pile. C'est comme ça. Tout ça. Et il s'y ajouta ce qu'il avait déjà évoqué, le climat de l'époque, le climat intellectuel, qui rangeait ce genre d'investigations dans le royaume de la frivolité.

L'obscurité tombait. L'écriteau FERMÉ fut apposé à la porte du restaurant. Ollie avait du mal à déchiffrer la note. Il s'avéra que la raison pour laquelle il était venu à Vancouver, la raison médicale, était un problème oculaire. Nancy se mit à rire, lui prit la note et paya.

« Mais bien sûr… ne suis-je pas une riche veuve ? »

Ensuite, parce qu'ils n'avaient pas terminé leur conversation — qu'ils étaient loin de l'avoir terminée, aux yeux de Nancy —, ils remontèrent la rue jusqu'à un Denny's, pour prendre un café.

« Vous aimeriez peut-être un endroit un peu plus huppé ? demanda Ollie. Vous pensiez peut-être prendre un verre ? »

Nancy s'empressa de répondre qu'elle avait assez bu à bord du bateau pour un certain temps.

« Moi j'ai assez bu pour toute ma vie, dit Ollie. Voilà quinze ans que j'ai arrêté. Quinze ans et neuf mois, pour être exact. C'est à ça qu'on reconnaît les anciens alcooliques, ils comptent les mois. »

Pendant la période des expériences, des parapsychologues, Tessa et lui s'étaient fait quelques amis. Ils connurent ainsi des gens qui gagnaient leur vie grâce à leurs dons. Pas dans l'intérêt d'une prétendue science mais grâce à ce qu'on appelait dire la bonne aventure, lire dans la pensée, ou encore télépathie et numéros de voyance. Certains s'installaient dans un lieu propice, travaillaient dans une maison ou dans une boutique et y restaient des années. C'étaient ceux qui prodiguaient des conseils personnels, prédisaient l'avenir, pratiquaient l'astrologie ou avaient diverses activités de guérisseur. D'autres se produisaient en public. Cela pouvait signifier s'intégrer à une tournée, dans la tradition de ce qui se faisait au lac Chautauqua, avec des conférences et des lectures, des scènes de Shakespeare, des extraits chantés d'opéra et des projections de diapos de voyage (privilégier l'éducatif sur le sensationnel), avec tous les niveaux jusqu'au bas de l'échelle, les attractions foraines à bon marché mêlant des bribes de music-hall, des numéros d'hypnotiseurs et une femme presque nue enveloppée de serpents. Naturellement, Ollie et Tessa se plaisaient à croire qu'ils appartenaient à la première catégorie. L'éducatif, pas le sensationnel, était effectivement ce qu'ils avaient en tête. Mais là encore, la période était mal choisie. Le genre de choses de la catégorie supérieure était presque mort. On pouvait entendre de la musique et se cultiver dans une certaine mesure en écoutant la radio et le public avait vu dans les salles paroissiales tous les documentaires de voyage qu'il fallait voir.

La seule façon de gagner de l'argent qu'ils découvrirent fut de suivre ces spectacles forains, qui se produisaient dans les salles municipales ou les foires d'automne. Ils partageaient la scène avec les hypnotiseurs, les femmes-serpents, les diseurs de blagues cochonnes et les effeuilleuses emplumées. Ces choses-là aussi étaient sur le déclin, mais l'arrivée de la guerre leur donna un bizarre regain de vie. Vie qui fut artificiellement prolongée un moment quand le rationnement de l'essence empêcha le public de se rendre dans les boîtes de nuit ou les grandes salles de cinéma des villes. Et la télévision n'était pas encore venue pour lui présenter des tours de magie à domicile sans qu'il quitte son canapé. Le début des années cinquante, Ed Sullivan, et cetera — là ce fut la fin pour de bon.

Il y avait néanmoins eu du monde pendant un certain temps, des salles combles — Ollie s'amusait bien parfois, chauffant le public avec une petite conférence sérieuse mais intrigante. Et il n'avait pas tardé à s'intégrer au numéro. Il leur avait fallu mettre au point quelque chose d'un peu plus excitant, avec plus de spectaculaire ou de suspense, que ce que Tessa avait fait toute seule. Et il y avait un autre facteur à prendre en considération. Elle était à la hauteur nerveusement et pour son endurance physique mais ses pouvoirs, quels qu'ils soient, s'avérèrent moins fiables. Elle avait commencé à cafouiller. Il lui fallait se concentrer plus que jamais auparavant, et souvent sans résultat. Les migraines persistaient.

Ce que la plupart des gens soupçonnent est vrai. Les numéros de ce genre sont pleins de trucs, pleins de faux-semblants, de tromperies. Parfois il n'y a rien d'autre. Mais ce que les gens — la plupart des gens — espèrent voir est parfois vrai aussi. Ils espèrent que tout n'est pas que supercherie. Et c'est parce que les personnes comme Tessa, qui sont réellement honorables, connaissent cet espoir et le comprennent — qui mieux qu'elles pourraient le comprendre? — qu'elles peuvent avoir recours à certains trucs, certains numéros qui leur garantissent qu'elles obtiendront le résultat recherché. Parce que chaque soir, chaque soir, il faut obtenir ces résultats.

Parfois les moyens sont grossiers, évidents comme le double-fond de la boîte dans laquelle on scie la femme en deux. Un micro caché. Plus vraisemblablement l'utilisation d'un code, mis au point entre celui ou celle des protagonistes qui est en scène et celui qui est dans la salle. Ces codes peuvent constituer un art en eux-mêmes. Ils sont secrets, rien n'est jamais écrit.

Nancy demanda si son code, le code de Tessa et lui, constituait un art en lui-même.

« Il ne manquait pas de portée, dit-il, son visage s'éclairant. Ni de nuance. »

Puis il dit, « À vrai dire, nous pouvions aussi être plutôt ringards. J'avais une cape noire que je portais… »

« Franchement, Ollie ! Une cape noire ? »

« Absolument. Une cape noire. Et je faisais venir un volontaire et j'ôtais la cape pour l'en envelopper, après qu'on avait bandé les yeux de Tessa — quelqu'un du public s'en chargeait, pour s'assurer qu'elle ne voyait rien — et je lui demandais, "Qui ai-je là, dans la cape ?" Ou "Quelle est la personne dans la cape ?" Ou je pouvais dire "manteau". Ou "voile noir". Ou "Qu'est-ce que j'ai là ?" Ou "Qui voyez-vous ?" "La couleur des cheveux ?" "Grand ou petit ?" Je pouvais le faire avec les mots, je pouvais le faire avec de minuscules inflexions de ma voix. Demander de plus en plus de détails. Ce n'était que notre entrée en matière. »

« Vous devriez écrire là-dessus. »

« J'en avais l'intention. J'envisageais une espèce d'exposé. Mais ensuite je me suis dit, qui ça intéresserait-il ? Les gens veulent être trompés, ou ils ne veulent pas être trompés. Ils ne fonctionnent pas à la preuve. Une autre chose que j'avais envisagée était une énigme policière, un roman. C'est un milieu tout naturel pour ça. J'ai pensé qu'il rapporterait beaucoup d'argent et que nous nous en sortirions. J'ai envisagé un scénario de film. Vous avez vu ce film de Fellini… ? »

Nancy dit que non.

« Bouillie pour les chats, de toute façon. Pas le film de Fellini. Les idées que j'avais. À l'époque. »

« Parlez-moi de Tessa. »

« J'ai dû vous écrire. Je ne vous ai pas écrit ? »

« Non. »

« J'ai dû écrire à Wilf. »

« Je pense qu'il me l'aurait dit. »

« Bah. Peut-être que non. Peut-être que j'étais descendu trop bas, à l'époque. »

« C'était en quelle année ? »

Ollie ne se rappelait pas. C'était pendant la guerre de Corée. Sous la présidence de Harry Truman. Au début, on aurait dit que Tessa avait la grippe. Mais au lieu de se remettre, elle s'était affaiblie, et couverte de mystérieuses ecchymoses. Elle avait une leucémie.

Ils étaient coincés dans une petite ville de montagne dans la chaleur de l'été. Ils avaient espéré atteindre la Californie avant l'hiver. Ils n'avaient même pas pu arriver jusqu'à l'étape suivante de la tournée. Les gens avec lesquels ils voyageaient avaient poursuivi sans eux. Ollie trouva du travail à la station locale de radio. Il avait acquis une belle voix en participant au spectacle avec Tessa. Il lisait le bulletin d'informations et une bonne part des réclames. Il en rédigeait certaines, aussi. Leur présentateur habituel faisait une chrysothérapie, ou quelque chose comme ça, dans une clinique pour alcooliques.

Tessa et lui quittèrent l'hôtel pour un meublé. Il n'y avait pas de climatisation, naturellement, mais par chance un petit bout de balcon protégé par le feuillage d'un arbre. Il poussait le canapé jusque-là pour que Tessa puisse respirer l'air frais. Il ne voulait pas être obligé de l'emmener à l'hôpital — l'argent y entrait aussi pour quelque chose, bien sûr, parce qu'ils n'avaient aucune assurance maladie — mais il pensait surtout qu'elle était plus tranquille là, où elle pouvait regarder remuer les feuilles. Mais il avait fini par y être contraint et, une fois hospitalisée, en moins de deux semaines, elle était morte.

« Est-elle enterrée là-bas? demanda Nancy. Vous n'aviez pas pensé que nous vous enverrions de l'argent? »

« Non, dit-il. Non, aux deux questions. C'est-à-dire que je n'avais pas pensé à vous en demander. J'avais le sentiment que c'était ma responsabilité. Et je l'ai fait incinérer. J'ai quitté la ville avec les cendres. Je me suis débrouillé pour gagner la côte. C'étaient presque les dernières choses qu'elle m'avait dites, elle voulait être incinérée et que ses cendres soient répandues sur les vagues de l'océan Pacifique. »

C'était donc ce qu'il avait fait, dit-il. Il se rappelait la côte de l'Oregon, la bande de plage entre l'océan et la route, la brume et le froid du petit matin, l'odeur de la mer, le grondement mélancolique des vagues. Il avait enlevé ses chaussures et ses chaussettes et roulé ses jambes de pantalon pour entrer dans l'eau et les mouettes l'avaient suivi, cherchant à voir s'il avait quelque chose à leur donner. Mais il n'avait que Tessa.

« Tessa… » dit Nancy. Puis elle ne put poursuivre.

« Je suis devenu alcoolique après. La machine continuait à fonctionner, je ne sais comment, mais pendant longtemps je n'étais plus qu'une branche morte à l'intérieur. Jusqu'au jour où il a fallu que je m'en sorte. »

Il ne leva pas les yeux sur Nancy. Il y eut un instant pesant, pendant lequel il tripota le cendrier.

« J'imagine que vous avez découvert que la vie continue », dit Nancy.

Il poussa un soupir. Reproche et soulagement.

« Vous avez la dent dure, Nancy. »

Il la reconduisit jusqu'à l'hôtel où elle était descendue. Les vitesses du minibus grinçaient et cognaient beaucoup, et le véhicule entier vibrait et ferraillait.

L'hôtel n'était pas particulièrement coûteux ni luxueux —

il n'y avait pas de portier visible et on n'apercevait pas de montagnes de fleurs d'aspect carnivore à l'intérieur — et pourtant, quand Ollie dit, « Je parie qu'il y a longtemps qu'on n'a pas vu un tas de boue comme le mien s'arrêter ici », Nancy ne put que rire et lui donner raison.

« Et votre traversier ? »

« Je l'ai manqué. Depuis belle lurette. »

« Où allez-vous dormir ? »

« Chez des amis, à Horseshoe Bay. Ou là-dedans, ça ira très bien si je n'ai pas envie de les réveiller. J'ai déjà dormi bien des fois dans mon minibus. »

Elle avait une chambre à deux lits. Des lits jumeaux. Elle s'attirerait peut-être un ou deux regards salaces si elle le traînait derrière elle mais elle était sûrement capable de le supporter. D'autant que la vérité serait très loin de ce que quiconque supposerait.

Elle se prépara en prenant une inspiration.

« Non, Nancy. »

Elle avait attendu tout le temps qu'il dise un mot vrai. Tout l'après-midi et peut-être une bonne part de sa vie. Elle avait attendu, et à présent il l'avait dit.

Non.

Cela aurait pu passer pour le refus de la proposition qu'elle n'avait pas encore faite. Cela aurait pu lui sembler arrogant, insupportable, mais en fait ce qu'elle entendit était clair et tendre et lui sembla sur le moment aussi plein de compréhension que tout ce qu'on avait pu lui dire jusque-là. *Non.*

Elle reconnut le danger de toute réponse de sa part. Le danger de son propre désir, parce qu'elle ne savait pas vraiment de quelle sorte de désir il s'agissait, ni ce qu'était son objet. Ils avaient reculé devant ce désir quel qu'il fût voilà bien des années, et il leur fallait certainement en faire autant à présent qu'ils étaient vieux — pas terriblement vieux, mais assez vieux pour sembler disgracieux et absurdes. Et assez infortunés pour avoir passé tout leur temps ensemble à mentir.

Car elle avait menti aussi, par son silence. Et pour l'heure, elle allait continuer à mentir.

« Non, répéta-t-il, avec humilité mais pas de gêne. Il n'en sortirait rien de bon. »

Bien sûr que non. Et une des raisons en était que la première chose qu'elle allait faire en rentrant chez elle serait d'écrire dans le Michigan pour savoir ce qui était arrivé à Tessa et la ramener là où était sa place.

La route est aisée si l'on est assez sage pour ne pas s'encombrer de bagages.

Le bout de papier qu'Adam-et-Ève lui avaient vendu était resté dans la poche de sa veste. Quand elle avait fini par l'y repêcher — chez elle, après n'avoir pas remis cette veste pendant près d'un an — elle s'effara et s'irrita des mots qui y étaient estampés.

La route n'était pas aisée. La lettre du Michigan était revenue sans avoir été ouverte. Apparemment cet hôpital n'existait plus. Mais Nancy découvrit qu'on pouvait faire certaines demandes d'enquête et elle entreprit de les faire. Il y avait des autorités auxquelles il fallait écrire, des archives à dénicher si possible. Elle ne renonça pas. Elle refusait d'admettre que la piste n'aboutissait plus nulle part.

Dans le cas d'Ollie, elle allait peut-être devoir l'admettre. Elle avait envoyé une lettre à l'île de Texada — pensant que cette adresse devait suffire parce qu'il y avait si peu de gens dans l'île qu'on pouvait tous les retrouver. Mais elle lui était revenue avec une seule formule sur l'enveloppe. *N'habite plus à l'adresse indiquée.*

Elle ne put supporter l'idée de l'ouvrir pour lire ce qu'elle avait dit. Trop, elle en était sûre.

Elle est assise sur la vieille chaise de repos de Wilf dans le solarium de sa maison. Elle n'a pas l'intention de dormir. C'est un après-midi lumineux de la fin d'automne — en fait, c'est le jour de la coupe Grey. Et elle était censée manger à la fortune du pot chez des amis pour regarder le match à la télévision. Elle s'est excusée à la dernière minute. Les gens commencent à s'habituer à ce qu'elle fasse ce genre de chose à présent. Certains se disent encore inquiets pour elle. Mais quand elle se montre, les vieilles habitudes ou les vieux besoins se réaffirment et elle ne peut s'empêcher parfois de devenir le boute-en-train de la soirée, alors ils cessent de s'inquiéter pendant quelque temps.

Ses enfants disent espérer qu'elle ne s'est pas mise à vivre dans le passé.

Mais ce qu'elle croit faire, ce qu'elle veut faire si elle trouve le temps de le faire, n'est pas tant vivre dans le passé que l'ouvrir afin de voir une bonne fois pour toutes ce qu'il a dans le ventre.

Elle ne croit pas s'être endormie quand elle se retrouve sur le seuil d'une autre pièce. Le solarium, la pièce lumineuse dans son dos, a rétréci aux dimensions d'un couloir obscur. La clé de la chambre d'hôtel est dans la serrure, elle croit que c'était ainsi autrefois, bien que ce soit une chose qu'elle n'a jamais rencontrée dans sa propre vie.

L'endroit est pauvre. Une chambre délabrée pour des voyageurs exténués. Une lampe au plafond, une baguette où sont suspendus deux cintres de fil de fer, un rideau de tissu à fleurs roses et jaunes qu'on peut tirer autour pour cacher les vêtements suspendus. Le tissu à fleurs a peut-être été mis là pour fournir à la chambre une note d'optimisme, et même de gaieté, mais il produit inexplicablement l'effet inverse.

Ollie se laisse tomber sur le lit si soudainement et lourdement que les ressorts émettent un gémissement lamentable.

Selon toute apparence, Tessa et lui se déplacent en auto à présent et c'est toujours lui qui conduit. Aujourd'hui, dans la première chaleur et la poussière du printemps, cela l'a extraordinairement fatigué. Elle ne sait pas conduire. Elle a fait pas mal de bruit en ouvrant la valise des costumes et plus encore derrière la mince cloison de planches de la salle de bains. Il fait semblant de dormir quand elle en sort, mais à travers la fente de ses paupières, il la voit se regarder dans le miroir de la coiffeuse, qui est constellé de taches, là ou le tain s'est écaillé. Elle porte la jupe de satin jaune qui lui descend aux chevilles, et le boléro noir, avec le châle noir à motifs de roses dont la frange mesure un bon demi-mètre. Ses costumes sont de sa propre conception, et ne sont ni originaux ni seyants. Sa peau est terne sous le rouge. Sa chevelure est maintenue par des épingles et de la laque, ses grosses boucles aplaties forment un casque noir. Ses paupières sont violettes et ses sourcils arqués et noircis. Elle a des pattes-d'oie. Ses paupières appuient lourdement, comme pour les punir, sur ses yeux brouillés. En fait, tout son être semble écrasé par les vêtements et la chevelure et le maquillage.

Un grognement qu'il n'avait pas l'intention de produire — plainte ou impatience — est parvenu jusqu'à elle. Elle s'approche du lit et se penche pour lui enlever ses chaussures.

Il lui dit que ce n'est pas la peine.

« Il faut que je ressorte dans une minute, dit-il. Il faut que j'aille les voir. »

Les, ce sont les gens du théâtre, ou les organisateurs du spectacle, qui qu'ils soient.

Elle ne dit rien. Retourne devant le miroir se regarder, puis portant encore le poids de son lourd costume et de sa chevelure — c'est une perruque — et de son humeur, elle tourne autour de la chambre comme s'il y avait des choses à faire, mais elle ne peut se résoudre à faire quoi que ce soit.

Même en se penchant pour enlever les chaussures d'Ollie elle ne l'a pas regardé en face. Et s'il a fermé les yeux à l'instant où il a atterri sur le lit — c'est ce qu'elle pense — c'était peut-être pour éviter de la regarder en face. Ils sont devenus un couple professionnel, ils dorment et mangent et voyagent ensemble, proches du rythme de la respiration l'un de l'autre. Et pourtant jamais, jamais — sauf pendant qu'ils sont liés ensemble par la responsabilité qu'ils partagent envers le public — ils ne peuvent se regarder en face, de crainte d'apercevoir quelque chose de trop effrayant.

Il n'y a pas assez de place contre le mur pour la coiffeuse au miroir terni — un bout dépasse sur la fenêtre, bloquant ce qui pourrait entrer de lumière. Elle la regarde d'un air dubitatif pendant un moment, puis rassemble ses forces pour en tirer le coin de quelques centimètres vers l'intérieur de la pièce. Elle reprend son souffle et écarte le voilage crasseux. Là, à l'extrémité du rebord de la fenêtre, à un endroit d'ordinaire caché par le voilage et la coiffeuse, il y a un petit tas de mouches mortes.

Un occupant récent de la chambre a tué ces mouches pour passer le temps, et a rassemblé tous les petits cadavres et a trouvé cet endroit pour les dissimuler. Ils sont nettement empilés en une pyramide qui n'est guère solide.

Elle pousse un cri à cette vue. Ni de dégoût ni de crainte mais de surprise, et l'on pourrait dire de plaisir. *Oh, oh, oh.* Ces mouches l'enchantent, comme si elles étaient les joyaux qu'elles deviennent sous le microscope, tout éclatantes de bleu, d'or et d'émeraude, les ailes de gaze étincelante. *Oh,* s'écrie-t-elle, mais cela ne peut pas être parce qu'elle voit l'éclat radieux des insectes sur le rebord de la fenêtre, elle n'a pas de microscope et ils ont perdu leur lustre dans la mort.

C'est parce qu'elle les a vus là, elle a vu le tas de cadavres minuscules, tout emmêlés et retombant en poussière ensemble, cachés dans ce coin. Elle les a vus à cet endroit avant de poser la main sur la coiffeuse ou d'avoir remué le rideau. Elle a su qu'ils étaient là, de la façon dont elle sait les choses.

Mais que depuis longtemps, elle ne sait plus. Elle n'a rien su et a dû compter sur des trucs et des combinaisons apprises. Elle a presque oublié, elle a douté, qu'il ait jamais existé une autre façon.

Elle a réveillé Ollie, maintenant, interrompu dans ses quelques instants de repos agité. Qu'est-ce qu'il y a, dit-il, une bête t'a piquée ? Il se lève en grognant.

Non, dit-elle. Elle montre les mouches.

Je savais qu'elles étaient là.

Ollie comprend aussitôt ce que cela signifie pour elle, quel soulagement ce doit être, bien qu'il ne puisse pas entièrement participer à sa joie. Cela parce que lui aussi a presque oublié certaines choses — il a presque oublié avoir jamais cru en ses pouvoirs, il espère seulement désormais dans l'angoisse, pour elle et pour lui-même, que leur faux-semblant fonctionne bien.

Quand l'as-tu su ?

Quand je regardais le miroir. Quand je regardais la fenêtre. Je ne sais pas quand.

Elle est si heureuse. Autrefois elle n'était ni heureuse ni malheureuse de ce qu'elle pouvait faire — ça lui était naturel, ça allait de soi. Elle a les yeux brillants à présent, comme lavés de la poussière qui les brouillait, et sa voix résonne comme si sa gorge avait été rafraîchie d'eau pure.

Oui, oui, dit-il. Elle tend les bras et lui en entoure le cou et le serre si fort, la tête appuyée contre sa poitrine, qu'elle froisse les papiers qu'il a dans sa poche intérieure.

Ce sont des papiers secrets qu'il tient d'un homme rencontré dans une de ces villes — un médecin qui est connu pour s'occuper des gens en tournée et leur rendre le service d'accomplir parfois pour eux des actes qui sortent de l'ordinaire. Il a expliqué au médecin qu'il se fait du souci pour sa femme, qui reste étendue sur son lit et contemple le plafond pendant des heures d'un air très concentré et avide, et passe des jours entiers sans dire un mot, sauf ce qui est nécessaire devant un public (tout cela est vrai). Il s'est demandé, et demande maintenant au médecin, si les extraordinaires pouvoirs qu'elle possède ne seraient pas liés, après tout, au déséquilibre qui menace son esprit et sa nature. Elle a eu des crises dans le passé, et il se demande si cela ne risque pas de se reproduire à présent. Ce n'est pas une mauvaise nature et elle n'a pas de mauvaises habitudes mais elle n'est pas normale, elle est unique et cela peut être une épreuve de vivre avec une personne unique. En fait, c'est peut-être plus que n'en peut supporter un homme normal. Le médecin le comprend et lui a parlé d'un établissement où il pourrait l'emmener, pour qu'elle se repose.

Il a peur qu'elle demande ce que c'est que ce bruit qu'elle entend sûrement en se pressant contre lui. Il ne veut pas dire, des papiers, pour qu'elle demande, quels papiers?

Mais si ses pouvoirs lui sont réellement revenus — c'est ce qu'il pense, avec le retour de la considération fascinée qu'il avait pour elle et qu'il a presque oubliée — si elle est comme elle était autrefois, n'est-il pas possible qu'elle puisse savoir ce qu'il y a dans ces papiers sans même poser les yeux dessus?

Elle sait bel et bien quelque chose, mais elle s'efforce de ne pas le savoir.

Car si c'est cela que signifie récupérer ce qu'elle avait jadis, la vision en profondeur de ses yeux et les révélations instantanées de sa langue, ne se porterait-elle pas mieux sans ces pouvoirs? Et s'il s'agit pour elle d'abandonner ces choses, et non que ces choses l'abandonnent, pourquoi ce changement ne serait-il pas bienvenu?

Ils pourraient faire autre chose, elle le croit, ils pourraient avoir une autre vie.

Il se dit qu'il se débarrassera de ces papiers dès qu'il le pourra, il oubliera toute cette idée, lui aussi est capable d'espoir et d'honneur.

Oui. Oui. Tessa sent que toute menace disparaît du faible froissement sous sa joue.

Le sentiment du sursis qui lui est accordé illumine l'air

entier. Si clairement, si puissamment, que Nancy sent l'avenir connu se recroqueviller sous cette attaque, et se disperser comme de vieilles feuilles mortes.

Mais au cœur de cet instant une instabilité est tapie, que Nancy est décidée à ignorer. Inutile. Elle a conscience déjà d'être retirée, extraite de ces deux personnes et réintégrée en elle-même. On dirait que quelqu'un de calme et de décidé — s'agirait-il de Wilf? — a entrepris de l'emmener hors de cette chambre avec ses cintres de fil de fer et son rideau à fleurs. De l'emmener doucement, inexorablement, loin de ce qui commence à se désagréger derrière elle, se désagréger et s'assombrir tendrement pour se résoudre en une apparence de suie, une douceur de cendre.

Table des matières

CRÉDITS ET REMERCIEMENTS

Les Éditions du Boréal reconnaissent l'aide financière du gouvernement du Canada par l'entremise du Fonds du livre du Canada (FLC) pour leurs activités d'édition et remercient le Conseil des arts du Canada pour son soutien financier.

Les Éditions du Boréal sont inscrites au Programme d'aide aux entreprises du livre et de l'édition spécialisée de la SODEC et bénéficient du programme de crédit d'impôt pour l'édition de livres du gouvernement du Québec.

Couverture : Brian Kershisnik, *Woman with Infant Flying*

MISE EN PAGES ET TYPOGRAPHIE :
LES ÉDITIONS DU BORÉAL

ACHEVÉ D'IMPRIMER EN OCTOBRE 2013
SUR LES PRESSES DE MARQUIS IMPRIMEUR
À MONTMAGNY (QUÉBEC).